LE MONSTRE DE FLORENCE

DE DOUGLAS PRESTON

Credo, le dernier secret, L'Archipel, 2009.
T-Rex, L'Archipel, 2008.
Le Codex, L'Archipel, 2007.
Jennie, Robert Laffont, 1997.

DE DOUGLAS PRESTON
& LINCOLN CHILD

Croisière maudite, L'Archipel, 2009.
Le Grenier des enfers, Robert Laffont, 1999, rééd. L'Archipel,
    2009.
Le Livre des trépassés, L'Archipel, 2008.
Relic, Robert Laffont, 1996, rééd. L'Archipel, 2008.
Danse de mort, L'Archipel, 2007.
Le Violon du diable, L'Archipel, 2006.
Les Croassements de la nuit, L'Archipel, 2005.
La Chambre des curiosités, L'Archipel, 2003.
Les Sortilèges de la cité perdue, Robert Laffont, 2003.
Ice Limit, L'Archipel, 2002.
Le Piège de l'architecte, Robert Laffont, 2000.
Cauchemar génétique, Robert Laffont, 1997.

DOUGLAS PRESTON
& MARIO SPEZI

LE MONSTRE
DE FLORENCE

traduit de l'anglais
par Sebastian Danchin

l'Archipel

Ce livre a été publié sous le titre
The Monster of Florence
par Grand Central Publishing, New York, 2008.

www.editionsarchipel.com

Si vous désirez recevoir notre catalogue et
être tenu au courant de nos publications,
envoyez vos nom et adresse, en citant
ce livre, aux Éditions de l'Archipel,
34, rue des Bourdonnais 75001 Paris.
Et, pour le Canada,
à Édipresse Inc., 945, avenue Beaumont,
Montréal, Québec H3N 1W3.

ISBN 978-2-8098-0303-7

À ceux qui ont partagé mon aventure italienne : ma femme, Christine, et mes enfants, Aletheia et Isaac. À ma fille Selene, qui avait, elle, sagement préféré rester aux États-Unis.

Douglas Preston

À ma femme Myriam et à ma fille Eleonora, qui ont supporté mon obsession dévorante.

Mario Spezi

INTRODUCTION

En 1969, j'avais treize ans. À l'heure où l'homme foulait pour la première fois le sol de la Lune, je me trouvais en Italie où je passais un été extraordinaire. Mes parents avaient loué, sur la côte toscane, une villa perchée sur un promontoire rocheux surplombant les eaux de la Méditerranée. Avec mes deux frères, nous passions notre temps sur des sites archéologiques, quand nous ne nagions pas dans une petite anse, à l'ombre du château du XVe siècle où le compositeur Puccini avait écrit la partition de *Turandot*. Entre deux séances de plongée dans les rochers, nous faisions cuire des pieuvres sur la plage et ramassions de vieux tessons de poteries romaines. C'est ainsi que j'ai trouvé, dans un vieux poulailler, le col d'une amphore vieille de deux mille ans sur lequel on déchiffrait, à côté d'un trident stylisé, les lettres SES, dont les archéologues m'ont expliqué qu'elles correspondaient aux armes des Sestius, une famille de riches commerçants de la jeune République romaine. Et c'est dans un café malodorant, sur l'écran vacillant d'un vieux téléviseur en noir et blanc, que nous avons vu Neil Armstrong poser le pied sur la Lune, sous les hourras des pêcheurs et des dockers locaux qui s'embrassaient, les larmes aux yeux, en criant : « *Viva l'America ! Viva l'America !* »

Depuis cet été-là, j'ai toujours su que je vivrais un jour en Italie.

Par la suite, je me suis lancé dans une carrière de journaliste et d'auteur de romans à suspense. En 1999, je retrouvai l'Italie pour un reportage effectué à la demande du *New Yorker*. Le rédacteur en chef m'avait commandé un article sur le mystérieux peintre Masaccio, père de la Renaissance et auteur des remarquables fresques de la chapelle Brancacci de Florence, dont la rumeur dit qu'il est mort empoisonné à l'âge de vingt-sept ans. Par un soir glacial de février, je me souviens d'avoir appelé ma femme Christine depuis ma chambre d'hôtel des bords de l'Arno afin de lui demander si elle était prête à s'installer à Florence. Elle a répondu oui. Dès le lendemain matin, je prenais contact avec une agence immobilière et me mettais en quête d'un appartement. Deux jours plus tard, j'en dénichai un au dernier étage d'un *palazzo* du XVe siècle pour lequel je m'empressai de verser une caution. Mon métier d'auteur m'autorisait à vivre n'importe où, alors pourquoi pas Florence ?

En arpentant la ville au cours de cette semaine froide de février, je m'appliquai à jeter les bases du roman dont je comptais entreprendre l'écriture dès que nous aurions déménagé. Inspiré par le décor de Florence, je décidai que l'intrigue tournerait autour d'un tableau disparu de Masaccio.

Christine et moi nous sommes installés en Italie le 1er août 2000, avec nos deux enfants, Isaac et Aletheia, respectivement âgés de cinq et six ans. Nous avons habité dans un premier temps l'appartement que j'avais loué sur la piazza Santo Spirito avant de nous installer à la campagne, dans un petit village baptisé Giogoli, au sud de Florence. Nous vivions dans une vieille ferme à flanc de colline, perdue au milieu de champs d'oliviers, tout au bout d'un chemin de terre.

J'ai rapidement entamé les recherches pour mon nouveau livre. Comme il s'agissait d'un roman policier, il me fallait tout savoir des méthodes de la police italienne, de ses techniques d'enquête. Un ami italien m'a alors donné le nom de Mario Spezi, un journaliste florentin réputé, spécialisé dans les affaires criminelles, qui travaillait depuis plus de vingt ans à la *cronaca nera*, la rubrique des faits divers, du quotidien toscan *La Nazione*. « Il en sait plus sur la police que la police elle-même », m'avait-on dit.

C'est ainsi que je me suis retrouvé un jour assis en face de Mario, dans l'arrière-salle sans fenêtre du Caffè Ricchi, sur la piazza Santo Spirito.

Spezi était un journaliste de la vieille école, à la fois pince-sans-rire, spirituel et cynique, avec un sens de l'absurde particulièrement développé. Rien ne le surprenait plus dans la nature humaine, même la dépravation la plus absolue. Son beau visage buriné, surmonté d'une épaisse tignasse poivre et sel, était éclairé par deux yeux vifs qui brillaient d'un éclat marron derrière ses lunettes à monture dorée. Avec son imperméable et son chapeau à la Bogart, on aurait dit un personnage tiré des romans de Raymond Chandler. Mario s'est d'ailleurs révélé grand amateur de blues, de films noirs et de Philip Marlowe.

La serveuse est arrivée avec deux expressos et deux verres d'eau minérale sur un plateau. Spezi a recraché un épais nuage de fumée, écarté sa cigarette et vidé son café d'un trait avant d'en commander un autre et de tirer une nouvelle bouffée de sa gauloise.

La conversation s'est engagée, Spezi s'appliquant à parler lentement par égard pour mon italien exécrable. Je lui ai décrit en quelques mots l'intrigue de mon roman dont l'un des protagonistes est un officier des *carabinieri*, puis je l'ai interrogé sur ces derniers. Tandis que je prenais des notes, Spezi me détaillait le fonctionnement des carabiniers, m'expliquant en quoi il différait de celui de la police, s'attardant sur leurs spécificités. Il m'a également promis de me présenter à l'un de ses vieux amis, colonel chez les carabiniers. De fil en aiguille, nous en sommes venus à parler de l'Italie, jusqu'au moment où il m'a demandé où j'habitais.

— Nous avons loué une ferme dans un village qui s'appelle Giogoli.

Spezi a haussé les sourcils.

— Giogoli ? Je connais très bien. Où exactement ?

Je lui ai indiqué l'adresse de la ferme.

— Giogoli... Un beau village avec une longue histoire, et trois lieux d'importance que vous connaissez peut-être déjà.

Comme ce n'était pas le cas, Spezi m'en a dressé la liste avec un petit sourire. Le premier était la Villa Sfacciata, où avait vécu l'un de ses ancêtres, Amerigo Vespucci. Navigateur, explorateur et cartographe d'origine florentine, Vespucci a été le premier à comprendre que son ami Christophe Colomb avait découvert un continent inconnu en croyant aborder les rivages de l'Inde ; c'est surtout lui qui a donné son nom à ce Nouveau Monde, Amerigo se disant Americus en latin. Le deuxième lieu était une autre villa, baptisée I Collazzi, dont la façade était attribuée à Michel-Ange ; le prince Charles et la princesse Diana y avaient séjourné un temps, c'est même là que le prince avait réalisé plusieurs de ses célèbres aquarelles représentant la campagne toscane.

— Et le dernier ? ai-je demandé.

Spezi a affiché un large sourire.

— C'est le plus intéressant des trois. Et il se trouve à deux pas de chez vous.

— Mais il n'y a rien à côté de chez moi, à part un champ d'oliviers.

— Précisément. C'est dans ce champ qu'a été perpétré l'un des meurtres les plus horribles de toute notre histoire. Un double assassinat commis par le Jack l'Éventreur italien.

En tant qu'auteur de romans policiers, j'étais particulièrement intrigué.

— Je lui ai même donné un nom, a poursuivi Spezi. Je l'ai baptisé *il Mostro di Firenze*, le Monstre de Florence. J'ai suivi toute l'enquête. À *La Nazione*, mes collègues m'appellent le « Monstrologue », a-t-il ajouté en éclatant d'un rire espiègle, laissant échapper la fumée de sa cigarette.

— Parlez-moi un peu de ce Monstre de Florence.

— Vous n'en avez jamais entendu parler ?

— Jamais.

— Personne ne connaît cette histoire en Amérique ?

— Personne.

— Je suis d'autant plus surpris que c'est une affaire très *américaine* et que la police a même fait appel au FBI. Plus précisément à l'Unité de science du comportement rendue célèbre par Thomas Harris. Harris a assisté en personne à l'un des procès du Monstre, on le voyait prendre des notes sur un petit carnet jaune. On dit qu'il se serait inspiré du Monstre de Florence pour le personnage d'Hannibal Lecter.

J'étais de plus en plus intéressé.

— Racontez-moi ce qui s'est passé.

Le temps de vider son second expresso et d'allumer une gauloise, et Spezi a entamé son récit, enveloppé d'un nuage de fumée. Alors qu'il entrait dans les détails, il a sorti de sa poche un bloc et un stylo en or patiné afin d'illustrer son histoire par des petits croquis. Le stylo courait sur le papier, dessinant des cercles, des flèches, des cadres et des pointillés reliant entre eux les suspects, les meurtres, les arrestations, les procès et les impasses dans lesquelles s'était régulièrement fourvoyée l'enquête. C'était une affaire compliquée et il s'exprimait d'une voix douce, remplissant peu à peu la page de son bloc.

Tandis que je l'écoutais attentivement, ma surprise initiale a cédé la place à l'effarement. En tant que spécialiste du roman noir, je me pique d'être fin connaisseur des grandes affaires criminelles, mais il faut bien reconnaître que l'histoire du Monstre de Florence dépassait toutes les autres. Sans exagération aucune, je reste persuadé que cette affaire est peut-être – j'insiste sur le « peut-être » – l'enquête criminelle la plus extraordinaire de tous les temps.

Entre 1974 et 1985, sept couples – soit quatorze personnes – ont été assassinés alors qu'ils faisaient l'amour dans leur voiture au milieu des collines qui entourent Florence. L'affaire aura donné lieu à l'enquête criminelle la plus longue et la plus coûteuse de toute l'histoire italienne. Près de cent mille suspects ont été entendus, dont plus d'une douzaine ont été arrêtés avant d'être relâchés dès que le Monstre décidait de frapper de nouveau. Plusieurs dizaines de personnes ont vu leur vie basculer à cause de rumeurs et de fausses accusations. Les Florentins qui ont grandi à l'époque de ces crimes disent tous que leur ville s'en est trouvée bouleversée à jamais. L'affaire aura provoqué des suicides, entraîné des exhumations, fait naître des soupçons d'empoisonnement. Des morceaux de corps humains ont été acheminés par la poste, les cimetières ont servi de cadre à des séances de spiritisme, sans parler des procès, des faux indices et des vendettas judiciaires qui ont suivi. L'enquête, telle une tumeur maligne, a fini par se propager à travers le temps et l'espace jusqu'à métastaser ailleurs, avec de nouvelles investigations à la clé, de nouveaux juges, de nouveaux enquêteurs, de nouveaux procureurs, de nouveaux suspects, de nouvelles arrestations, de nouvelles existences détruites à jamais.

Échappant à la plus longue chasse à l'homme de toute l'histoire de l'Italie moderne, le Monstre de Florence n'a jamais été appréhendé. Lorsque je me suis installé en Italie en 2000, l'affaire n'avait toujours pas été élucidée et le Monstre était encore en liberté.

Spezi et moi sommes devenus amis après cette première rencontre, et je n'ai pas tardé à me passionner pour l'affaire. Au printemps 2001, nous avons décidé de découvrir la vérité et de mettre la main sur le vrai coupable. Ce livre est le récit de notre enquête et de notre rencontre avec celui dont nous pensons qu'il est peut-être le Monstre de Florence.

Spezi et moi avons été rattrapés par l'affaire en cours de route. J'ai notamment été accusé de complicité de meurtre, de détournement de preuves, de faux témoignage et d'entrave à la justice. On m'a menacé d'arrestation si je remettais les pieds en Italie. Les choses sont allées plus loin encore pour Mario, puisqu'on l'a accusé d'être lui-même le Monstre de Florence.

Voici tout d'abord la première partie de l'histoire, telle que Spezi me l'a racontée.

PREMIÈRE PARTIE

L'HISTOIRE DE MARIO SPEZI

1

Au matin du 7 juin 1981, un beau soleil annonce une journée radieuse à Florence. Un dimanche calme sous un ciel d'azur, bercé par une légère brise qui apporte des collines avoisinantes un parfum de cyprès chauffés au soleil. Mario Spezi, installé à son bureau de *La Nazione* où il est reporter depuis quelques années, lit le journal en fumant une cigarette. Le chroniqueur judiciaire du journal, l'une des légendes de la rédaction qui a survécu à deux décennies d'enquêtes sur la Mafia, ne tarde pas à le rejoindre.

— J'ai un rancard ce matin, annonce-t-il en s'asseyant sur un coin du bureau. Jolie fille, mariée…

— À ton âge? s'étonne Spezi. Un dimanche à l'heure de la messe? Tu ne crois pas que tu y vas un peu fort?

— Un peu fort? Mais enfin, Mario! Tu sais bien que je suis sicilien! s'exclame-t-il en se frappant la poitrine. Je viens du pays des dieux. En fait, j'espérais que tu pourrais me remplacer, faire un tour à la police au cas où il se passerait quelque chose. J'ai déjà fait la tournée par téléphone, on ne signale rien de spécial. Et puis, ajoute-t-il en prononçant une phrase que Spezi n'est pas près d'oublier, chacun sait qu'il ne se passe jamais rien à Florence le dimanche matin.

Mario se prosterne devant son collègue en lui prenant la main.

— Si c'est un ordre du Parrain, je m'empresse d'obéir. Laissez-moi vous baiser la main, don Rosario.

Spezi va traîner au journal jusqu'aux environs de midi. Cela fait des semaines que l'ambiance à la rédaction n'a pas été aussi morne. Peut-être ce sentiment d'abattement est-il pour quelque chose dans l'impression de malaise qui l'envahit brusquement, une sensation que connaissent tous les chroniqueurs judiciaires, hantés par l'idée de se faire coiffer au poteau par un confrère. Par acquit de conscience, Spezi rejoint sa Citroën et parcourt les quelques centaines de mètres qui le séparent des locaux de la police, un monastère désaffecté au cœur de la vieille ville dont les anciennes cellules monacales abritent désormais des bureaux. Spezi s'élance dans l'escalier et se présente à la porte du chef de la brigade mobile.

Il comprend qu'il se passe quelque chose en entendant la voix rageuse de Maurizio Cimmino envahir le couloir.

Le chef de la brigade mobile, en bras de chemise derrière son bureau, de grandes auréoles de transpiration à hauteur des aisselles, est pendu au téléphone, le combiné coincé entre la joue et l'épaule. La radio de la police hurle dans son dos et plusieurs de ses hommes, rassemblés autour de lui, multiplient les jurons en dialecte.

Voyant la silhouette de Spezi apparaître dans l'encadrement de la porte, Cimmino s'emporte :

— Putain, Mario ! Déjà là ? Pas la peine de me casser les couilles, je sais juste qu'ils sont deux.

Spezi saisit la balle au bond en feignant de savoir de quoi il retourne.

— Ne t'inquiète pas, je n'ai pas l'intention de t'embêter plus longtemps. Je veux juste savoir où ils sont.

— Via dell'Arrigo. Mais ne me demande pas où ça se trouve. Quelque part du côté de Scandicci, je crois.

Spezi redescend l'escalier quatre à quatre et appelle son rédacteur en chef depuis la cabine publique du rez-de-chaussée. Par chance, Mario connaît très bien la Via dell'Arrigo, l'un de ses amis ayant la chance d'être le propriétaire de la Villa dell'Arrigo, une splendide propriété située tout au bout de la petite route de campagne du même nom.

— Dépêche-toi d'aller là-bas, lui recommande le rédacteur en chef. J'envoie un photographe.

Spezi remonte à toute vitesse les rues tortueuses et désertes de la vieille ville avant de prendre la direction des collines. Il est 13 heures et les Florentins, fraîchement sortis de la messe, s'apprêtent à s'adonner à l'un des rituels les plus sacrés d'Italie : le déjeuner dominical en famille. La Via dell'Arrigo part à l'assaut d'une colline escarpée, au milieu d'une longue suite de vignes et de vieilles oliveraies bordées de cyprès. Depuis les sommets boisés de Valicaia, on a une vue spectaculaire sur toute la ville, derrière laquelle se dresse l'impressionnante barrière des Apennins.

Spezi ne tarde pas à apercevoir la voiture de patrouille des carabiniers à côté de laquelle il gare sa Citroën. Tout a l'air calme : Cimmino et ses hommes ne sont pas encore là, pas plus que le médecin légiste. L'officier des carabiniers chargé de garder les lieux connaît bien Spezi et ne cherche pas à l'arrêter lorsque ce dernier passe en lui adressant un petit signe de tête. Le journaliste remonte le petit sentier à travers les oliviers jusqu'à un cyprès solitaire. C'est là qu'il découvre la scène du crime autour de laquelle aucun périmètre de sécurité n'a encore été installé.

L'image restera gravée à jamais dans sa mémoire. Un ciel bleu immaculé enveloppe la campagne toscane. Un peu plus loin, un château médiéval dresse sa silhouette en haut d'une crête, encadré de cyprès. À l'horizon, baignée dans une brume de chaleur, la façade ocre du Duomo domine Florence.

Une voiture solitaire est garée là. Le jeune garçon installé au volant donne l'impression de dormir, la tête contre la vitre de sa portière, les yeux fermés, les traits sereins. Seul un trou sombre au niveau de la tempe, à l'endroit précis où le carreau est étoilé, trahit la triste réalité.

Un sac à main en paille gît dans l'herbe, béant, comme si quelqu'un l'avait fouillé avant de s'en débarrasser.

Spezi se retourne en entendant un bruit de pas dans l'herbe et voit s'avancer l'officier des carabiniers.

— La femme ? lui demande Spezi.

D'un mouvement de tête, le flic lui désigne l'arrière de l'auto. Le corps de la fille se trouve à l'écart, au milieu des fleurs sauvages, au pied d'un talus. Elle a également été abattue d'une balle et repose sur le dos, entièrement nue à l'exception de la chaîne en or qu'elle porte autour du cou, coincée entre ses lèvres entrouvertes. Les yeux bleus de la morte sont grands ouverts et regardent Spezi d'un air étonné. Le tout forme un tableau artificiel. Il n'y a pas la moindre trace de lutte, mais ce ne n'est pas le plus étrange : toute la zone pubienne a entièrement disparu.

Spezi se retourne et remarque que le flic l'observe. Le carabinier a dû lire la question dans ses yeux car il fournit spontanément une explication :

— Des animaux sans doute, pendant la nuit... Le soleil aura fait le reste.

Spezi sort maladroitement une gauloise de son paquet et l'allume à l'ombre du cyprès. Tout en fumant en silence à quelques mètres des deux victimes, il tente de reconstituer dans sa tête le film des événements.

Les deux jeunes gens se sont manifestement fait surprendre pendant qu'ils faisaient l'amour dans la voiture ; peut-être sont-ils venus là après avoir passé la soirée à Disco Anastasia, une discothèque située au pied de la colline qui attire les jeunes du cru. (La police confirmera cette hypothèse par la suite.) Avec la nouvelle lune, l'assassin n'aura eu aucun mal à s'approcher discrètement dans l'obscurité. Il a très bien pu assister un temps à leurs ébats avant de les abattre au moment le moins risqué. Tout indique qu'il s'agit d'un crime facile et lâche. Qui d'autre qu'un lâche peut tuer deux personnes à bout portant dans l'espace confiné d'une voiture, à un moment où elles sont si vulnérables ?

Le garçon, tué le premier d'une balle qui a traversé la vitre de la voiture, ne s'est probablement rendu compte de rien. La jeune fille a connu un sort moins enviable car elle a eu le temps de comprendre ce qui lui arrivait. Après l'avoir tuée, le meurtrier l'a traînée hors du véhicule jusqu'au talus

– ainsi que l'indiquent les traces relevées dans l'herbe par Spezi. L'endroit, particulièrement exposé, se trouve à côté d'un sentier parallèle à la route et il est visible d'un peu partout.

Spezi est interrompu dans ses réflexions par l'arrivée du commissaire Sandro Federico, accompagné du juge d'instruction Adolfo Izzo et des équipes de la police scientifique. Federico, un Romain de caractère affable, arbore en toute circonstance un air nonchalant et amusé. À l'inverse, Izzo, dont c'est le premier poste, fait preuve d'une grande nervosité. Il descend précipitamment de voiture et se rue sur Spezi.

— Que faites-vous là ? s'enquiert-il sur un ton courroucé.

— Mon travail.

— Je vous demanderai de quitter les lieux immédiatement. Vous n'avez rien à faire ici.

— D'accord, d'accord…

De toute façon, Spezi a vu ce qu'il voulait voir. Il range son calepin et son stylo, et regagne aussitôt les locaux de la police où il croise, dans le couloir menant au bureau de Cimmino, un agent qu'il connaît bien. Les deux hommes ont déjà échangé de menus services. L'agent sort une photo de sa poche et la lui tend.

— Ça t'intéresse ?

Le cliché représente les deux victimes, enlacées sur un muret de pierre.

Spezi prend la photo sans se faire prier.

— Le temps d'en faire une copie et je te la rapporte cet après-midi.

Quelques instants plus tard, Cimmino renseigne Spezi sur l'identité des victimes. Carmela De Nuccio, âgée de vingt et un ans, travaillait pour la maison Gucci à Florence. Quant au garçon, Giovanni Foggi, trente ans, il était employé par la compagnie d'électricité. Les deux jeunes gens allaient se marier. Leurs corps ont été retrouvés à 10 h 30 ce matin-là par un policier de repos qui se promenait. Le crime, commis peu avant minuit, a eu un semblant de témoin. L'agriculteur dont la ferme se trouve de l'autre côté de la route a entendu « Imagine », la chanson de John Lennon, s'échapper de la voiture garée en plein champ et, soudain, la musique s'est arrêtée. À ce détail près, il n'a rien entendu, pas même les coups de feu tirés par un pistolet de calibre .22, à en juger par les douilles Winchester de série H retrouvées sur place. Cimmino précise à Spezi que les victimes ne sont pas connues des services de police et qu'elles n'ont pas d'ennemis, à l'exception du garçon que Carmela a quitté lorsqu'elle est tombée amoureuse de Giovanni.

— C'est effrayant, remarque Spezi. Je n'ai jamais vu ça par ici... Sans parler des mutilations animales...

— Quelles mutilations animales ? l'interrompt Cimmino.

— Les traces laissées par les animaux pendant la nuit... Cette boucherie entre les jambes de la fille.

Cimmino le regarde avec des yeux ronds.

— Les animaux ? Mon cul, oui ! C'est le meurtrier qui a fait ça.

Spezi sent ses intestins se liquéfier.

— Le meurtrier ? Tu veux dire qu'il s'est acharné sur elle avec un couteau ?

— Non, réplique froidement l'inspecteur Cimmino, imperméable à l'horreur de la situation. Il ne s'est pas acharné sur elle. Il lui a découpé le vagin et l'a emporté.

Spezi ne comprend pas tout de suite.

— Il a emporté son vagin ? Mais où ? demande-t-il avant de s'apercevoir de l'ineptie de sa question.

— On ne l'a pas retrouvé. Il l'aura emporté avec lui.

2

Le lendemain, à 11 heures, Spezi se rend à Careggi. Il fait 40 °C à l'ombre et l'humidité ambiante a transformé la ville en bain de vapeur. Un épais manteau nuageux pèse sur l'agglomération. Au volant de sa voiture, Spezi zigzague entre les nids-de-poule en direction d'un bâtiment à la façade jaune passé dont le crépi se détache par plaques. Il s'agit d'une imposante villa rattachée au complexe hospitalier.

Au centre de la salle d'attente du médecin légiste trône une table de marbre massive sur laquelle est placé un ordinateur, recouvert d'un drap à la façon d'un cadavre. Dans une alcôve, le buste en bronze d'un anatomopathologiste quelconque toise Spezi d'un air sévère.

Un escalier de marbre se trouve dans un coin de la pièce. Le journaliste gagne le niveau inférieur et s'engage dans un couloir aux murs carrelés, brillamment éclairé par des néons, le long duquel s'alignent plusieurs portes. De la dernière, grande ouverte, s'échappe la plainte aiguë d'une scie électrique. Un liquide noirâtre s'écoule par une rigole avant de se perdre dans un trou au milieu du couloir.

Spezi pénètre dans la pièce.

— Qui voilà ! s'écrie Fosco, l'assistant du médecin légiste.

Les yeux fermés et les bras écartés, il accueille son visiteur par quelques mots de Dante : « Rares sont ceux qui viennent me chercher ici… »

— Salut, Fosco. Qui est-ce ? demande Spezi, montrant du menton le cadavre étendu sur la table en acier brossé, dont l'assistant vient d'ouvrir la boîte crânienne.

Il remarque des miettes de brioche et une tasse de café vide près du corps livide.

— Lui ? C'est un grand chercheur, un professeur de l'Accademia della Crusca. Je viens de perdre une illusion de plus. En lui ouvrant le crâne, je n'ai rien trouvé de plus que dans la tête de la pute albanaise que j'ai autopsiée hier. Nul doute que ce digne professeur se croyait plus intelligent qu'elle, mais, en y regardant de plus près, on trouve la même chose. Et l'un comme l'autre, ils ont fini de la même façon, sur cette table. À se demander pourquoi cet homme-là a passé autant de temps à lire des bouquins. Ainsi va la vie, ami journaliste, et je ne saurais trop te conseiller de boire, de manger et de profiter de l'instant qui passe...

Une voix sèche s'élève derrière les deux hommes, interrompant Fosco.

— Bonjour, signor Spezi.

Avec ses yeux bleu clair, ses cheveux blancs mi-longs, son cardigan beige et son pantalon en velours à grosses côtes, Mauro Maurri ressemble plus à un gentleman-farmer anglais qu'à un médecin légiste.

— Je vous invite à venir dans mon bureau, nous y serons plus à l'aise pour parler.

Le bureau de Mauro Maurri est une pièce tout en longueur aux murs couverts de rayonnages sur lesquels s'alignent des ouvrages de médecine légale et des revues de criminologie. Le médecin a préféré laisser la fenêtre fermée à cause de la chaleur ; seule brille dans la pénombre la petite lampe posée sur sa table de travail.

Spezi prend place en face de son hôte et sort un paquet de gauloises qu'il tend à Maurri. Celui-ci refuse d'un signe de tête et Mario allume une cigarette.

— L'assassin s'est servi d'un instrument effilé, probablement un couteau, commence Maurri d'une voix posée. La lame était ébréchée à mi-longueur ou alors présentait une encoche, comme c'est le cas de certaines armes blanches. Je n'en jurerais pas, mais je pencherais pour un couteau de plongée. Trois entailles ont suffi à prélever l'organe : la première dans le sens des aiguilles d'une montre, de onze heures à six heures ; la deuxième dans le sens inverse, également de onze heures à six heures ; quant à la troisième, elle a été faite de haut en bas, afin de détacher l'organe. Trois blessures précises, réalisées à l'aide d'une lame parfaitement affûtée.

— Comme Jack.

— Je vous demande pardon ?

— Jack l'Éventreur.

— Ah, bien sûr ! Non, pas comme Jack l'Éventreur. Notre assassin n'est ni chirurgien ni boucher. Il n'a eu besoin d'aucune connaissance anatomique particulière. Les enquêteurs voulaient savoir si l'opération avait été bien faite. Je leur ai demandé ce qu'ils entendaient par « bien faite ». Ce n'est pas le genre d'opération qu'on pratique tous les jours. On peut dire, en revanche, que l'assassin a la main sûre. Il s'agit sans doute de quelqu'un qui a l'habitude de manier des outils. La jeune femme travaillait dans les ateliers de maroquinerie de Gucci et se servait couramment d'instruments spécifiques à son métier. Son père aussi était maroquinier. Il pourrait très bien s'agir d'une personne de son entourage. Un individu qui sait se servir d'un couteau, en tout cas. Un chasseur, ou un empailleur… Avant tout, quelqu'un de très décidé, doté de nerfs à toute épreuve. Il s'est acharné sur un corps qui était encore *frais*.

— Docteur Maurri, demande Spezi, vous avez une idée de ce qu'il a pu faire de ce… trophée ?

— Je préfère ne pas y penser.

Tandis que l'après-midi de ce lundi tourne à la fournaise sous l'épais couvercle gris qui recouvre Florence, et que l'affaire suit son cours, le directeur de la rédaction de *La Nazione* décide de réunir dans son bureau le responsable d'édition et le rédacteur en chef, le responsable des informations générales, ainsi que Spezi et plusieurs de ses confrères. De tous les quotidiens italiens, *La Nazione* est le seul à être au courant de la mutilation pratiquée sur le corps de la jeune fille. Le directeur de la rédaction, conscient de tenir un scoop, souhaite que la nouvelle fasse la une, mais le rédacteur en chef n'est pas de cet avis, jugeant les détails trop scabreux. Spezi, armé de ses notes, s'apprête à donner son avis lorsqu'un jeune confrère chargé des faits divers prend la parole.

— Désolé de vous interrompre, mais je viens de me souvenir de quelque chose. Il me semble qu'un crime du même genre a déjà été commis il y a cinq ou six ans.

Le directeur de la rédaction fait un bond sur son siège.

— Et tu attends l'heure du bouclage pour nous dire ça ? Tant qu'à faire, tu pouvais aussi attendre que le journal sorte de presse !

Le jeune journaliste, terrorisé, ne se doute pas que la colère de son patron est feinte.

— Désolé, monsieur le directeur, ça vient de me revenir. Vous vous souvenez de ce double meurtre près de Borgo San Lorenzo ?

Une petite ville située dans les montagnes, à une trentaine de kilomètres, au nord de Florence.

— Alors, qu'est-ce que tu attends ? le presse le rédacteur en chef.

— Deux jeunes gens assassinés pendant qu'ils faisaient l'amour dans une voiture. Cette fois-là, l'assassin avait enfoncé une branche dans le... dans le vagin de la fille.

— Ça me dit quelque chose. Heureusement que tu t'es réveillé à temps. Dépêche-toi d'aller chercher le dossier à la morgue et fais-nous un papier sur les similitudes et les différences entre les deux affaires. Allez ! Qu'est-ce que tu attends ?

La réunion achevée, Spezi regagne son bureau afin de rédiger le compte-rendu de sa visite au médecin légiste. Avant de se mettre au travail, il jette un coup d'œil à l'article publié à l'époque du double meurtre de Borgo San Lorenzo. Les similitudes sont frappantes. Les victimes, Stefania Pettini, dix-huit ans, et Pasquale Gentilcore, dix-neuf ans, ont été assassinées dans la nuit du 14 septembre 1974, un autre samedi soir sans lune. Comme le couple de la Via dell'Arrigo, les deux jeunes gens devaient se marier et le meurtrier a pris le sac de la jeune fille avant d'en déverser le contenu par terre. Exactement comme le sac de paille que Spezi a vu la veille dans l'herbe. Cette fois-là aussi les deux victimes ont passé la soirée en discothèque, un établissement de Borgo San Lorenzo baptisé le Teen Club.

L'article précise que les douilles retrouvées sur place proviennent de balles Winchester série H de calibre .22. Le détail est intéressant sans être concluant, les balles de ce genre étant extrêmement courantes en Italie.

Au lieu de prélever les organes génitaux de la jeune fille, le meurtrier de Borgo San Lorenzo a éloigné le corps de la voiture, puis l'a poignardé à quatre-vingt-dix-sept reprises, dessinant un motif particulier autour des seins et du pubis. Le carnage a eu lieu en bordure d'une vigne et l'assassin s'est ensuite acharné sur sa victime en la pénétrant avec un vieux cep. Cette fois encore, on n'a détecté aucune trace d'agression sexuelle.

Spezi se plonge aussitôt dans la rédaction d'un grand papier tandis que son jeune collègue se charge de l'encadré consacré au double meurtre de 1974.

Il faudra attendre quarante-huit heures pour que l'article fasse son effet. Dans l'intervalle, la police s'est employée à comparer les douilles retrouvées sur les deux scènes de crime. Contrairement aux revolvers, la plupart des pistolets éjectent les douilles des balles tirées ; à moins que le tireur se donne la peine de les ramasser, on les retrouve le plus souvent sur place. Le rapport de la balistique est formel : le même pistolet a servi dans les deux cas. Il s'agit d'une arme de poing Beretta, de calibre .22 long rifle, destinée au tir sur cible. Le meurtrier n'a pas utilisé de silencieux et l'arme a un signe distinctif bien particulier : un léger défaut au niveau du percuteur qui laisse sur la douille une signature aussi infaillible qu'une empreinte digitale.

L'information, divulguée par *La Nazione*, va faire l'effet d'une bombe : il ne fait plus aucun doute qu'un tueur en série hante les collines florentines.

L'enquête va permettre de révéler l'existence, dans les environs de Florence, d'un phénomène que peu de Florentins soupçonnent. En Italie, la plupart des jeunes gens vivent chez leurs parents jusqu'au mariage et il n'est pas rare que celui-ci survienne tard dans la vie. Donc, faire l'amour dans une voiture prend des allures de sport national. À en croire certaines estimations, un Florentin sur trois aurait été conçu ainsi. Tous les week-ends, les collines proches de la ville servent de refuge à de nombreux couples qui garent leur véhicule au milieu des prés, dans les champs d'oliviers ou les chemins creux.

Les enquêteurs ne vont pas tarder à découvrir que des dizaines de voyeurs battent la campagne la nuit afin d'espionner ces ébats. On leur donne couramment le nom d'*Indiani*, c'est-à-dire d'Indiens, à cause des ruses de Sioux auxquelles ils ont recours pour rester discrets. Certains n'hésitent pas à utiliser des équipements électroniques sophistiqués, notamment des magnétophones munis de micros à parabole ou des appareils photo à infrarouge. Les *Indiani* ont divisé les collines en territoires bien délimités, placés sous le contrôle d'une « tribu » chargée de repérer les meilleurs postes d'observation. Quelques-uns sont spécialement convoités, soit du fait de leur proximité avec certains lieux de rencontre, soit parce qu'ils permettent de surveiller les « bonnes voitures », surnommées de la sorte pour des raisons faciles à imaginer. Ces bonnes voitures rapportent même de l'argent, car elles font l'objet d'un troc sordide et permettent à certains *Indiani* de repartir les poches pleines après avoir cédé leur poste à un autre. Les voyeurs les plus fortunés n'hésitent d'ailleurs pas à payer des guides pour leur faire découvrir les endroits les mieux placés et les moins risqués.

Derrière ces Indiens se dissimule une autre communauté souterraine, celle des *chasseurs*. Au lieu de s'intéresser aux amoureux, ceux-ci traquent les Indiens eux-mêmes, relevant les plaques d'immatriculation et autres détails compromettants afin de faire chanter les intéressés en menaçant de révéler leurs virées nocturnes à leurs proches (femmes, familles, employeurs). Il n'est pas rare qu'un Indien soit interrompu en pleine séance de voyeurisme par le flash d'un appareil photo ; il peut être certain de recevoir un coup de téléphone le lendemain : « Tu te souviens de ce flash la nuit dernière ? La photo est très réussie, on te reconnaît sans problème. À propos, le négatif est à vendre… »

Il ne faudra pas longtemps aux enquêteurs pour mettre la main sur un Indien qui traînait du côté de la Via dell'Arrigo la nuit du double meurtre. Ambulancier de métier, l'individu se nomme Enzo Spalletti.

Spalletti vit avec sa femme et ses enfants à Turbone, un village des environs de Florence dont les maisons de pierres sèches entourent une piazza balayée par les vents, un peu comme dans les westerns-spaghettis. Spalletti est peu apprécié de ses voisins qui le trouvent prétentieux et lui reprochent de se comporter en seigneur, au prétexte qu'il fait donner des cours de danse à ses enfants. À Turbone, tout le monde est au courant de ses habitudes de voyeur et la police se présente à la porte de l'ambulancier six jours après le crime, pensant avoir affaire à un simple témoin.

Spalletti est aussitôt conduit dans les locaux de la police afin d'y être interrogé. De petite taille, portant une énorme moustache, de tout petits yeux, un gros nez, un menton en galoche et une bouche en cul-de-poule, il a une parfaite tête de faux témoin. Il s'applique à renforcer cette impression en répondant aux questions avec un mélange d'arrogance et de méfiance fuyante. Il prétend avoir quitté son domicile ce soir-là à la recherche d'une prostituée et en avoir trouvé une à sa convenance sur le Lungarno à Florence, près du consulat américain, ajoutant qu'il s'agit d'une jeune Napolitaine en minijupe rouge. La fille est montée dans sa Taurus et il l'a emmenée dans les bois près du lieu où a été commis le crime, avant de la reconduire en ville.

Sa version des faits est plus que douteuse. Tout d'abord, il est peu probable qu'une prostituée accepte de monter dans la voiture d'un inconnu et se laisse entraîner en pleine nuit au fond d'un bois à plus de vingt kilomètres de Florence. Les policiers chargés de l'interroger ont beau lui montrer que son histoire ne tient pas la route, Spalletti n'en démord pas et il faudra plus de six heures d'interrogatoire pour qu'il finisse par changer sa version. Sans se départir de sa morgue, l'ambulancier avoue ce que tout le monde sait déjà : ce sont ses activités de voyeur qui l'ont poussé à garer sa Taurus rouge à peu de distance de la scène du crime le soir du 6 juin.

— Et alors ? demande-t-il. Je n'étais pas le seul à espionner les couples qui se trouvaient là cette nuit-là. On était très nombreux.

Spalletti ajoute qu'il connaît bien la Fiat dorée de Giovanni et Carmela, qui a la réputation d'être une « bonne voiture ». Ce n'est pas la première fois qu'il les observe et il affirme n'avoir pas été le seul à traîner dans les parages la nuit du crime. Un autre de ces voyeurs, un certain Fabbri, peut d'ailleurs en attester, les deux hommes ayant passé ensemble une bonne partie de la soirée.

Quelques heures plus tard, Fabbri est conduit à son tour dans les locaux de la police où les enquêteurs lui demandent s'il confirme l'alibi de Spalletti. Loin de le faire, il déclare avoir perdu de vue ce dernier pendant près d'une heure et demie au moment du drame.

— C'est vrai, commence-t-il par reconnaître. J'étais bien avec Spalletti ce soir-là. On s'est vus à la Taverna del Diavolo.

Le restaurant en question sert de lieu de rendez-vous aux *Indiani* : ils ont l'habitude de s'y retrouver et d'échanger des informations avant de se mettre en chasse. Fabbri affirme avoir revu Spalletti plus tard dans la soirée, un peu après 23 heures, alors que l'ambulancier redescendait de la Via dell'Arrigo. Cela confirme aux enquêteurs que Spalletti est passé à moins de dix mètres du lieu du drame aux alentours de l'heure du crime.

Ce n'est pas tout. Spalletti prétend être rentré directement chez lui après avoir pris congé de Fabbri, mais la femme de l'ambulancier affirme que son mari n'était pas là lorsqu'elle s'est couchée vers 2 heures.

Les enquêteurs interrogent de nouveau Spalletti afin de connaître son emploi du temps entre minuit et 2 heures, mais il refuse de s'expliquer.

La police l'inculpe alors de *reticenza*, une forme de faux témoignage, et l'écroue à la célèbre prison des Murate (Emmurés). Les autorités, persuadées qu'il en sait plus qu'il n'en dit, sans croire pour autant à sa culpabilité, estiment que son incarcération finira par le rendre plus loquace.

Les équipes de la police scientifique profitent de sa détention pour passer sa voiture et son domicile au peigne fin. Dans la boîte à gants de la Ford, elles découvrent un canif ainsi qu'une arme connue localement sous le nom de *scacciacani* (écraseur de chiens). Il s'agit d'un pistolet bon marché, chargé à blanc et destiné essentiellement à faire peur aux chiens. Spalletti l'a acheté par correspondance après avoir vu une publicité dans une revue pornographique. En revanche, aucune trace de sang n'est retrouvée dans le véhicule.

Les enquêteurs interrogent l'épouse de Spalletti. Nettement plus jeune que son mari, cette femme de la campagne, aussi replète que naïve, avoue être au courant des penchants de son mari.

— Il m'a souvent promis d'arrêter, explique-t-elle en pleurant, mais il recommence toujours. C'est vrai qu'il est sorti le soir du 6 juin pour aller « regarder », comme il disait.

Elle n'a aucune idée de l'heure à laquelle son mari est rentré, forcément après 2 heures, mais elle est convaincue de son innocence et le dit incapable de commettre un crime aussi atroce.

— Il a peur du sang. À son travail, quand il y a un accident de la route, il refuse même de descendre de l'ambulance.

À la mi-juillet, la police décide néanmoins d'inculper Spalletti pour meurtre.

Parce qu'il a été le premier sur l'affaire, Spezi continue à la suivre pour *La Nazione* et il ne cache pas son scepticisme dans ses articles, soulignant les incohérences de l'enquête et l'absence de preuves formelles contre Spalletti. Surtout, il insiste sur le fait que l'ambulancier n'a pas pu être mêlé aux crimes de Borgo San Lorenzo, sept ans plus tôt.

Le 24 octobre 1981, Spalletti pousse un ouf de soulagement en découvrant à la une du journal, en gros caractères :

LE MEURTRIER A ENCORE FRAPPÉ
Un jeune couple sauvagement
assassiné dans un champ

En tuant une nouvelle fois, le Monstre s'est chargé d'innocenter l'ambulancier.

3

La plupart des tueurs en série dressent en négatif le tableau social de leur pays d'origine dont ils soulignent les faiblesses au lieu d'en valoriser les qualités. Jack l'Éventreur, sorti tout droit des brumes d'un Londres à la Dickens, dénonçait à sa manière l'existence du sous-prolétariat anglais de son temps en s'attaquant aux prostituées qui survivaient tant bien que mal dans le quartier de Whitechapel. L'Étrangleur de Boston était, à l'inverse, un tueur aux manières pleines de charme qui sillonnait les beaux quartiers, violant et assassinant des femmes âgées avant de composer avec leurs corps des tableaux d'une obscénité indicible. Quant aux méfaits du Vampire de Düsseldorf, ils furent prémonitoires de l'arrivée au pouvoir d'Hitler. Ce personnage, d'une cruauté inouïe et d'un sadisme effrayant, s'attaquait indifféremment aux hommes, aux femmes et aux enfants. À la veille de sa décapitation, il se réjouissait ouvertement à la perspective de connaître enfin le « plaisir absolu ».

Tous les grands assassins ont ainsi personnifié leur époque et leur environnement, et le Monstre de Florence n'échappe pas à la règle.

La capitale de la Toscane a toujours été une ville de contrastes. Les soirs de printemps, lorsque les derniers rayons du soleil viennent dorer les façades des palais le long des rives de l'Arno, Florence est sans doute la plus belle ville du monde. Mais, à la fin du mois de novembre, après deux mois de pluie ininterrompue, ces mêmes palais paraissent à jamais voués à la grisaille et à l'humidité tandis que les ruelles pavées de la ville, imprégnées de relents d'égout et de déjections canines, semblent se refermer sur elles-mêmes dans l'obscurité sinistre des façades austères qui les bordent. Les ponts qui enjambent l'Arno sont alors noirs de parapluies et les eaux boueuses du fleuve, si paisibles en été, charrient branches mortes et cadavres d'animaux qui viennent s'amonceler lamentablement contre les piles du pont dessiné par Ammanati.

À Florence, le sublime et le terrible vont de pair. Le bûcher des vanités de Savonarole côtoient *La Naissance de Vénus* de Botticelli, les carnets de Léonard de Vinci sont contemporains du *Prince* de Machiavel, et *L'Enfer* de Dante s'oppose au *Décaméron* de Boccace. La piazza della Signoria, le centre névralgique de la ville, est un musée de la sculpture florentine en plein air, de l'époque romaine à la Renaissance ; c'est également une galerie des horreurs au milieu de laquelle s'étalent des représentations de meurtres, de viols et de mutilations. À commencer par le célèbre *Persée* de Cellini, qui exhibe la tête de Méduse avec une fierté comparable à celle des djihadistes que l'on peut voir sur certaines vidéos circulant sur Internet, du sang dégoulinant le long du cou de leur victime dont le corps décapité gît à leurs pieds. Derrière le *Persée*, d'autres statues célèbrent le meurtre, la violence et le chaos, parmi lesquelles *L'Enlèvement d'une Sabine*, de Giambologna. À Florence même, comme sur les gibets érigés hors de son enceinte, ont été commis une multitude de crimes raffinés et de meurtres sauvages : on ne compte plus les empoisonnements sournois, les écartèlements publics, les tortures et les condamnations au bûcher qui ont jalonné l'histoire de la cité. Des siècles durant, Florence a imposé son joug au reste de la Toscane au prix de guerres sanguinaires et de massacres féroces.

La ville, fondée par Jules César en 59 av. J.-C. et baptisée Florentia (florissant, en latin), n'était à l'origine qu'un village où s'installaient les légionnaires romains à l'heure de la retraite. Vers l'an 250, un prince arménien nommé Miniato, de retour d'un pèlerinage à Rome, décide de se retirer sur une colline voisine où il vit en ermite dans une grotte qu'il quitte rarement, sinon pour convertir les habitants de la petite bourgade. Victime des persécutions organisées sous le règne de l'empereur Decius contre les chrétiens, Miniato est arrêté et décapité sur la grand-place ; à en croire la légende, il aurait ramassé sa tête, l'aurait replacée sur ses épaules et s'en serait retourné dans sa grotte afin d'y mourir dignement. San Miniato al Monte, l'une des églises romanes les plus charmantes d'Italie, se dresse désormais à cet endroit d'où elle domine la ville et les collines alentour.

En 1302, Florence bannissait Dante, un drame dont la ville ne s'est jamais remise. En contrepartie, Dante s'est employé à peupler son *Enfer* de Florentins célèbres à qui il a réservé les tortures les plus raffinées.

La ville va s'enrichir tout au long du XIVe siècle grâce à la banque et au commerce de la laine, jusqu'à devenir l'une des cinq plus grandes cités d'Europe à l'orée du siècle suivant. À l'époque, Florence est un centre intellectuel comme le monde n'en a connu qu'une poignée à travers les âges, et devient le symbole de cette Renaissance qui vient mettre un terme à l'obscurantisme du Moyen Âge. Entre la naissance de Masaccio en 1401 et la mort de Galilée en 1642, les Florentins ont largement contribué à imaginer le monde moderne en révolutionnant la peinture, l'architecture, la musique, l'astronomie, les mathématiques et l'art de la navigation. Inventeurs de la lettre de crédit, ils ont donné naissance à l'économie bancaire telle que nous la connaissons aujourd'hui. Le florin d'or, frappé du lys florentin d'un côté et d'un saint Jean-Baptiste vêtu d'une peau de mouton de l'autre, s'impose alors comme monnaie de référence à travers l'Europe. Paradoxalement, pour une cité privée de tout accès à la mer et traversée par un fleuve non navigable, Florence est aussi la patrie de brillants explorateurs qui ont dressé la carte du Nouveau Monde en donnant son nom à l'Amérique.

Au passage, la ville a inventé le concept même de monde moderne. Portés par les avancées de la Renaissance, les

Florentins se sont libérés du joug de l'ère médiévale qui plaçait Dieu au centre de l'univers et concédait à l'homme une existence terrestre éphémère dans l'attente d'un au-delà plus glorieux. À l'inverse, la Renaissance s'est appliquée à remettre l'homme au centre du monde en sacralisant la vie, et le cours de la civilisation occidentale s'en est trouvé définitivement bouleversé.

La Renaissance florentine a été essentiellement financée par une seule famille, celle des Médicis. Leur règne débute vers la fin du XIVe siècle avec Giovanni de Médicis, un riche banquier de la ville. Les Médicis dirigent alors la cité en sous-main, grâce à un système habile fondé sur le clientélisme, les alliances et les sphères d'influence. Les origines commerçantes de la famille ne l'empêchent pas de consacrer une large part de sa fortune aux arts. L'arrière-petit-fils de Giovanni, Laurent le Magnifique, est la personnification même de l'homme de la Renaissance. Il fait preuve très jeune de dons remarquables ; doté d'une éducation poussée, c'est un jouteur accompli, un chasseur et un fauconnier de première force, grand amateur de chevaux de course. Les premiers portraits de Laurent le Magnifique révèlent un personnage décidé, aux sourcils froncés, au nez pointu et aux cheveux raides. Tout juste âgé de vingt ans lorsqu'il prend les rênes de Florence à la mort de son père en 1469, il saura s'entourer de personnages tels que Léonard de Vinci, Sandro Botticelli, Filippino Lippi, Michel-Ange ou encore le philosophe Pico della Mirandola.

Laurent va faire entrer Florence dans un âge d'or. Pourtant, même à son zénith, la Renaissance est un mélange de beauté, de brutalité, d'intelligence et de sauvagerie dans cette cité pleine de contradictions. En 1478, une famille de banquiers rivaux des Médicis, les Pazzi, fomente un coup d'État. Littéralement, le mot *pazzi* signifie fous, un nom octroyé au fondateur de ce clan en récompense du courage insensé dont il avait fait preuve lors de la première croisade, ayant été l'un des premiers à prendre d'assaut les murailles de Jérusalem. Plus tard, deux membres de la dynastie Pazzi ont été voués aux enfers par Dante qui s'était appliqué à décrire le « sourire de chien » de l'un d'entre eux.

Un dimanche d'avril, à l'heure de la messe au Duomo, un petit groupe à la solde de la famille Pazzi se rue sur Laurent le Magnifique et son frère Julien au moment le plus sacré, celui de l'Élévation. Julien est tué tandis que Laurent, après avoir reçu plusieurs coups de couteau, parvient à échapper à ses assassins en s'enfermant dans la sacristie. Les Florentins, outrés par cette conjuration, démasquent les conspirateurs. L'un de leurs chefs, Jacopo de' Pazzi, est pendu depuis une fenêtre du Palazzo Vecchio avant que son corps dénudé ne soit traîné dans les rues de la ville et jeté dans les eaux de l'Arno. Ce drame n'a pas empêché la dynastie des Pazzi de se perpétuer et de donner au monde une célèbre religieuse mystique, Maria Maddalena de' Pazzi, dont les transports ardents, lorsqu'elle était saisie par l'amour divin pendant ses prières, stupéfiaient ceux qui étaient présents. Au XXe siècle, les Pazzi ont survécu à travers la fiction grâce à l'écrivain Thomas Harris : dans le roman *Hannibal,* l'inspecteur de police qui se fait connaître en démasquant le Monstre de Florence en est un lointain descendant.

La mort de Laurent le Magnifique en 1492, à l'apogée de la Renaissance, annonce l'une des périodes les plus sanglantes de l'histoire de Florence. Savonarole, un moine dominicain du couvent de San Marco, se retourne brusquement contre les Médicis après avoir assisté Laurent dans ses derniers instants. Savonarole était un personnage pour le moins curieux. Les traits dissimulés par la capuche de sa chasuble brune, c'était un homme grossier et gauche au nez aquilin, doté d'une musculature d'athlète et d'un magnétisme comparable à celui de Raspoutine. Les sermons enflammés qu'il prononçait depuis la chaire de San Marco dénonçaient avec virulence la décadence de la Renaissance, et il annonçait la fin du monde en rapportant les conversations qu'il prétendait avoir avec Dieu.

Le contenu de ses prêches va trouver une certaine résonance auprès des Florentins, lassés par les dépenses somptuaires des protecteurs de la Renaissance dont ils n'ont jamais été les bénéficiaires directs. À ce mécontentement s'ajoute une épidémie de syphilis, maladie apportée par les conquérants du Nouveau Monde, qui sévit à travers la ville. Ce mal, inconnu en Europe à l'époque et beaucoup plus virulent qu'il ne l'est aujourd'hui, voyait le corps de ceux qui en étaient atteints se couvrir de pustules et la peau de leur visage se décomposer, jusqu'à ce que des crises de folie brutales finissent par les emporter. À l'approche de l'an 1500, beaucoup croient également à l'imminence de la fin du monde et Savonarole va mettre à profit ce climat trouble.

En 1494, le roi de France, Charles VIII, envahit la Toscane. Pierre II de Médicis, qui gouverne Florence depuis la mort de son père Laurent, est un piètre dirigeant étouffé par l'arrogance. Pour avoir concédé les clés de la ville aux Français dans des conditions inacceptables, sans véritablement combattre, il est chassé par les Florentins qui pillent ses palais. Savonarole, fort du soutien de la population, profite du vide qui s'est installé au sommet de l'État et institue à Florence une « République chrétienne et religieuse » dont il se proclame le chef. L'une de ses premières décisions est de rendre passible de mort la sodomie, une pratique couramment acceptée chez les nobles florentins. Ceux qui sont convaincus de ce crime sont brûlés sur la piazza della Signoria ou bien pendus aux portes de la ville.

Le moine fanatique de San Marco, désormais libre d'exciter la ferveur religieuse des couches les plus populaires de la société locale, s'emporte contre les dérives décadentes et les visées humanistes de la Renaissance. Peu de temps après son arrivée au pouvoir, il instaure son tristement célèbre « bûcher des vanités ». Sur ses recommandations, ses disciples font du porte-à-porte à travers la cité et collectent tous les objets « impies » qu'ils peuvent trouver : les miroirs, les ouvrages et les tableaux qui ne traitent pas de religion, les échiquiers, les cartes à jouer, les vêtements d'apparat, les cosmétiques, les instruments de musique et tout ce qui évoque la sphère profane. Le peintre Botticelli, tombé sous le charme de Savonarole, donne lui-même plusieurs de ses toiles à brûler ; on pense que certains chefs-d'œuvre de Michel-Ange ont également fait les frais de cette furie, au même titre que d'autres trésors de la Renaissance.

Florence amorce son déclin sous le règne de Savonarole. La fin du monde annoncée n'arrive toujours pas et, loin de bénir la ville pour son zèle et sa piété, Dieu semble au contraire l'avoir abandonnée. Au sein du peuple, notamment parmi la jeunesse et les citoyens oisifs, on commence à s'affranchir ouvertement des édits du moine. En 1497, des jeunes gens fomentent une émeute à l'occasion d'un prêche de Savonarole. Alors que la révolte gronde, les tavernes rouvrent leurs portes, le jeu reprend ses droits, la danse et la musique emplissent de nouveau les ruelles étroites de la ville.

Savonarole, sentant son pouvoir lui échapper, radicalise son discours et prononce des sermons vengeurs, attitude qui va lui faire commettre une erreur fatale : critiquer l'Église elle-même. Excommunié par le pape, il est rapidement condamné à mort. À l'annonce de cette nouvelle, la foule se précipite au couvent de San Marco dont elle brise les portes, tuant certains des condisciples de Savonarole avant de s'emparer du moine. Accusé de nombreux crimes, et plus particulièrement d'« erreur religieuse », il est torturé à plusieurs reprises. Le jour de son exécution, on l'attache avec des chaînes à une croix sur la piazza della Signoria, à l'endroit même où avait été érigé le bûcher des vanités, avant de le brûler vif. Le bourreau entretient les flammes pendant plusieurs heures et les restes de Savonarole sont longuement découpés et mélangés à la braise afin qu'aucune partie de son corps ne puisse servir de relique par la suite. Enfin, ses cendres sont jetées dans les eaux indifférentes de l'Arno.

La Renaissance peut alors reprendre son cours et l'histoire de Florence continue dans un mélange de sang et de raffinement. Mais rien ne saurait durer éternellement et la cité toscane va progressivement perdre sa place dans le concert des grandes villes européennes. Tandis que d'autres métropoles italiennes sortent de l'ombre – notamment Rome, Naples et Milan –, Florence retombe dans un anonymat relatif en dépit de son histoire prestigieuse.

Aujourd'hui, les Florentins sont connus pour leur caractère fermé ; beaucoup d'Italiens les considèrent comme des gens austères, sûrs de leur supériorité, passéistes et paralysés par le poids des traditions. En général, ce sont des gens sobres, ponctuels et travailleurs. Au fond d'elle-même, Florence se juge plus civilisée que le reste de l'Italie, considérant qu'elle a offert au monde suffisamment de beauté pour avoir le droit de se replier sur elle-même sans avoir de comptes à rendre à quiconque.

Lorsque le Monstre de Florence est entré dans leur vie, les Florentins ont découvert ses méfaits avec un mélange d'incrédulité, de peur et de fascination morbide. Ils éprouvaient les plus grandes difficultés à accepter que leur cité, expression vivante de la sophistication de la Renaissance et berceau de la civilisation moderne, puisse abriter un tel monstre en son sein.

Ils refusaient surtout de croire que l'assassin puisse être l'un d'eux.

4

Le jeudi 22 octobre 1981 est une journée pluvieuse et anormalement froide. Une grève générale est annoncée pour le lendemain. Les commerces, les entreprises, les administrations et les écoles doivent fermer leurs portes en signe de protestation contre la politique économique du gouvernement, et la soirée prend des allures de veille de fête. Ce jour-là, Stefano Baldi est allé chez sa petite amie, Susanna Cambi. Après avoir dîné en famille avec les parents de la jeune fille, le couple a décidé d'aller au cinéma. Les deux jeunes gens se sont ensuite rendus en voiture à Bartoline, un lieu-dit situé à l'ouest de la ville, où Stefano a garé sa voiture dans un champ. Il connaît bien l'endroit pour y avoir grandi.

De jour, Bartoline est le refuge des retraités des environs qui y cultivent des potagers, s'y promènent et échangent les derniers potins. De nuit, le lieu devient le théâtre d'un ballet de voitures incessant et sert d'asile aux amours de jeunes couples en quête d'intimité. On s'en doute, Bartoline est un paradis pour les voyeurs.

Stefano et Susanna ont choisi de garer leur voiture en plein champ, tout au bout d'un petit chemin de terre perdu au milieu des vignes. Devant eux, se dresse la silhouette majestueuse et sombre des monts de la Calvana tandis que monte dans leur dos la rumeur de l'autoroute. Ce soir-là, les étoiles et le croissant de lune se cachent derrière un épais manteau nuageux qui plonge les alentours dans l'obscurité.

Le crime est découvert le lendemain matin, vers 11 heures, par un couple de personnes âgées venues arroser leur jardin. Une Golf noire bloque le petit chemin. La portière côté conducteur, la vitre largement étoilée, est fermée tandis que celle côté passager est grande ouverte, comme dans les deux affaires précédentes.

Spezi arrive sur place peu après la police. Cette fois encore, les enquêteurs et les carabiniers n'ont pas pris la précaution de sécuriser la scène de crime ni même d'en interdire l'accès au public par une bande de plastique jaune. Policiers, journalistes, magistrats, médecin légiste…, tous se pressent autour de la voiture en multipliant les plaisanteries les plus douteuses afin de se protéger de l'horreur du spectacle qui les attend.

Spezi avise un colonel des carabiniers qu'il connaît. Emmitouflé dans une élégante veste en cuir qu'il a boutonnée jusqu'au cou pour se protéger du petit vent d'automne, le policier fume blonde sur blonde. Il tient à la main un caillou ramassé à une vingtaine de mètres de la voiture, un bloc de granit d'une dizaine de centimètres en forme de pyramide tronquée. Spezi reconnaît aussitôt l'un de ces arrêts de porte que l'on voit dans les vieilles fermes toscanes pour maintenir les portes ouvertes entre les pièces et faciliter la circulation de l'air en été.

Le colonel s'approche de Spezi en soupesant la pierre.

— Ce cale-porte est le seul indice intéressant que j'ai trouvé, lui explique-t-il. Je vais l'emporter et le verser au dossier, au cas où l'assassin s'en serait servi pour casser la vitre de l'auto.

Vingt ans plus tard, ce même objet servira de point de départ à une nouvelle enquête.

— Rien d'autre, colonel ? l'interroge Spezi. Pas de traces de pas ? Pourtant, la terre est molle.

— On a repéré une empreinte de botte en caoutchouc de type Chantilly à côté de la rangée de vignes perpendiculaire au chemin de terre, à hauteur de la Golf. On en a fait un moulage, mais vous savez aussi bien que moi que n'importe qui aurait pu la laisser là, tout comme ce caillou.

Spezi, préférant décrire à ses lecteurs ce qu'il a vu plutôt que ce qu'on lui a dit, s'approche à contrecœur du corps de la jeune femme. Elle a été traînée hors de la voiture sur plus de dix mètres avant d'être charcutée dans un endroit particulièrement exposé. On retrouve le même scénario que lors des affaires précédentes. Le corps, abandonné dans l'herbe, les bras en croix, a subi des mutilations comparables à celles de la jeune fille de la Via dell'Arrigo.

Après l'autopsie, le médecin légiste Maurri conclura que les lacérations au niveau du pubis ont été pratiquées avec le même instrument doté d'une lame crantée, dont il a déjà souligné la ressemblance avec un couteau de plongée.

Comme précédemment, la victime n'a pas été violée, n'a pas subi d'attouchement et aucune trace de sperme n'a été relevée. Les enquêteurs de la brigade mobile ont découvert neuf douilles Winchester de série H autour de la voiture et deux autres dans l'habitacle. Grâce à l'encoche laissée sur les douilles par le percuteur, l'examen balistique montrera que les balles ont été tirées avec l'arme utilisée lors des deux autres doubles meurtres.

Spezi, intrigué, demande au chef de la brigade mobile comment on a pu retrouver onze douilles alors que le chargeur d'un Beretta de calibre .22 ne peut en contenir que neuf. Le policier lui explique qu'un tireur expérimenté peut parvenir à glisser une dixième balle dans le chargeur et qu'il lui suffit alors d'en mettre une onzième dans le canon.

Le lendemain des assassinats, Enzo Spalletti est remis en liberté.

Il n'est pas exagéré de parler d'hystérie lorsque l'on veut décrire les réactions qu'engendre ce nouveau drame. La police et les carabiniers, noyés sous un flot de lettres, signées ou anonymes, se voient contraints de suivre une à une toutes les pistes qu'on leur indique. Des médecins, des chirurgiens, des gynécologues et même des prêtres font l'objet d'accusations, tout comme de nombreux pères, gendres, amants et rivaux amoureux. Jusqu'à présent, les Italiens ont considéré les tueurs en série comme un phénomène propre aux pays d'Europe du Nord – l'Angleterre, l'Allemagne, la Scandinavie – et plus encore comme l'expression de la culture de violence qui règne aux États-Unis. Pour cette raison, ils ont toujours été persuadés de pouvoir y échapper.

Les jeunes gens vivent maintenant dans la terreur. Les campagnes des environs de Florence sont désertées la nuit, entraînant un changement dans les coutumes des couples qui privilégient désormais les rues les plus sombres de la ville, surtout celles du quartier de San Miniato al Monte sur les hauteurs de Florence, où les voitures, pare-chocs contre pare-chocs, les vitres occultées avec du papier journal ou des serviettes, servent de refuge aux amoureux.

Spezi travaille d'arrache-pied sur l'affaire pendant un mois, signant pas moins de cinquante-sept articles dans les colonnes de *La Nazione*. Il réserve souvent la primeur des derniers rebondissements à ses lecteurs et les ventes du journal explosent littéralement, atteignant des chiffres inédits jusqu'alors.

De nombreux confrères vont prendre l'habitude de le filer afin de tenter d'identifier ses sources. Spezi a mis au point des techniques plus ou moins détournées qui lui permettent de tirer les vers du nez aux enquêteurs et aux magistrats. Il commence chaque matin par se rendre au tribunal où il fait le tour des bureaux des juges d'instruction, à l'affût de la moindre nouvelle. À force de traîner dans les couloirs, de bavarder avec les avocats et les policiers, il finit toujours par obtenir de menues informations. Il entretient d'excellentes relations avec Fosco, l'assistant du médecin légiste, qui lui dresse la liste des nouveaux macchabées, et il n'oublie jamais de prendre contact avec les pompiers, sachant qu'ils sont parfois appelés les premiers sur les lieux d'un crime, en particulier lorsqu'un corps a été retrouvé dans l'eau.

Son informateur le plus fiable n'en est pas moins un petit homme insignifiant, titulaire d'un poste parfaitement banal au tribunal, que les confrères de Spezi méprisent. Ce personnage falot est chargé par sa hiérarchie de tenir à jour le registre des personnes faisant l'objet d'une enquête, avec la raison afférente. Spezi s'est arrangé pour faire bénéficier ce modeste fonctionnaire d'un abonnement gratuit à *La Nazione*, une distinction dont le petit homme tire la plus grande fierté et en échange de laquelle il autorise Spezi à feuilleter son précieux registre. Désireux d'endormir les soupçons, Spezi attend patiemment 13 h 30, l'heure du déjeuner à laquelle les collègues collés à ses basques se retrouvent devant le tribunal, pour rejoindre le bureau de son informateur par une porte dérobée située à l'arrière du bâtiment.

Chaque fois que Spezi flaire matière à un bon article, il se rend chez le magistrat instructeur et feint d'être au courant de quelque chose. Le juge, curieux de savoir ce qu'il sait vraiment, lui pose des questions dont Spezi se sert pour obtenir, à force de ruses, confirmation de ses suppositions, jusqu'à ce que le magistrat soit intimement convaincu que son interlocuteur connaît effectivement la vérité.

Les jeunes avocats qui fréquentent le tribunal, conscients que leur avenir professionnel dépend en partie de leur notoriété, constituent une autre source d'informations précieuses. Lorsque Spezi a besoin de consulter un dossier d'importance, qu'il s'agisse d'un compte-rendu d'audience ou d'un rapport d'enquête, il lui suffit de s'adresser à un avocat ambitieux. Et, si son interlocuteur se montre réticent, Spezi n'hésite pas à le menacer d'embargo :

— Si jamais vous refusez de me rendre ce petit service, vous pouvez être sûr que votre nom ne sera pas cité dans les colonnes du journal pendant au moins un an.

Ce genre de bluff suffit à intimider les plus naïfs qui acceptent de lui confier des dossiers entiers qu'il passe la nuit à photocopier avant de les leur rendre le lendemain matin.

Les nouvelles ne manquent jamais. Même lorsqu'il n'a rien de concret à se mettre sous la dent, Spezi trouve toujours le moyen de rapporter les derniers potins, d'évoquer les thèses des enquêteurs, de fournir les preuves de l'hystérie collective qui s'est emparée du grand public.

Les bruits les plus fous courent, dont Spezi se fait systématiquement l'écho. Depuis qu'un titre malencontreux a fait la une de *La Nazione* : « Le chirurgien de la mort est de retour », la plupart de ces rumeurs sont liées à la profession médicale. Il s'agissait bien évidemment d'une métaphore, mais une partie du grand public a pris la chose au premier degré et l'on chuchote depuis que l'assassin est médecin. De nombreux praticiens font ainsi l'objet de dénonciations et de calomnies.

Certaines lettres anonymes reçues par la police sont suffisamment précises pour mériter l'ouverture d'une enquête, avec à la clé des perquisitions dans les cabinets médicaux incriminés. Les enquêteurs ont beau agir avec discrétion, il est impossible de garder le secret dans une petite ville comme Florence et ces interventions ne font qu'alimenter l'hystérie collective en renforçant l'impression générale que le coupable est médecin. Le grand public en est même arrivé à se faire une idée assez précise du profil du Monstre en qui il voit un chirurgien cultivé de la grande bourgeoisie locale. Le médecin légiste n'a-t-il pas affirmé que les mutilations effectuées sur les corps de Carmela et Susanna avaient été pratiquées avec « beaucoup de dextérité » ? Ne dit-on pas qu'elles ont pu être réalisées avec un scalpel ? Sans parler du sang-froid et de la préméditation avec lesquels le meurtrier a agi, preuve supplémentaire que l'on a affaire à quelqu'un d'intelligent et d'éduqué. D'autres rumeurs **att**ribuent les crimes à un membre de la noblesse, les Florentins ayant toujours nourri la plus grande méfiance à l'égard de leurs nobles, au point de leur interdire toute fonction publique aux débuts de la république de Florence.

Une semaine après le double meurtre de Bartoline, la police, la rédaction de *La Nazione* et le bureau du juge d'instruction sont assaillis d'appels téléphoniques. Les collègues, les proches et la hiérarchie d'un éminent gynécologue nommé Garimeta Gentile exigent brusquement de savoir s'il a bien été identifié comme étant le Monstre, ainsi qu'en court le bruit à Florence, malgré les dénégations de la presse et la police.

Gentile, l'un des meilleurs spécialistes de Toscane, dirige la clinique de la Villa Le Rose près de Fiesole. À en croire certains ragots, sa femme aurait retrouvé dans leur réfrigérateur, coincés entre un morceau de mozzarella et un bol de roquette, les monstrueux trophées prélevés sur les victimes. La rumeur est née à la suite de la dénonciation d'un informateur affirmant que Gentile avait entreposé l'arme du crime dans son coffre. La police a fait discrètement ouvrir le coffre en question sans rien y trouver, mais certains employés de la banque n'ont pas su tenir leur langue. Les enquêteurs ont bien tenté de réfuter l'accusation avec véhémence, mais le mal était fait. Un jour, une foule en colère se présente devant la porte du médecin. Les forces de l'ordre doivent intervenir et le procureur général se voit contraint de faire une déclaration à la télévision afin de tordre le cou à ces médisances, menaçant de poursuite tous ceux qui continueront à les propager.

À la fin du mois de novembre, Spezi apprend qu'il a été primé pour une série d'articles consacrés à une affaire antérieure à celle du Monstre. Invité à Urbino où l'attend sa récompense (un kilo de truffes blanches d'Ombrie), il obtient de son rédacteur en chef l'autorisation de s'y rendre à la condition d'envoyer un papier au journal le soir même. Loin de Florence et ne disposant d'aucun élément nouveau, il décide de tracer le portrait des plus grands tueurs en série de l'histoire, de Jack l'Éventreur au Vampire de Düsseldorf, concluant que Florence possède désormais son monstre. C'est à cette occasion, dans un parfum de truffe, que l'assassin trouve le surnom qui ne l'a plus quitté depuis : *il Mostro di Firenze*, le Monstre de Florence.

5

Spezi est désormais considéré comme le spécialiste à temps plein du Monstre de Florence au sein de la rédaction de *La Nazione*. L'affaire offre une mine d'articles au jeune reporter qui ne se prive pas d'y puiser allègrement. À mesure qu'ils mènent leurs investigations, suivant parfois des pistes improbables, les enquêteurs se retrouvent confrontés à des situations imprévues, à des personnages bizarres, à des incidents étranges que Spezi s'empresse d'exploiter, contrairement à d'autres confrères moins sensibles aux méandres de l'âme humaine. Il multiplie les comptes rendus pittoresques et met en scène les événements les plus inattendus et les plus loufoques, sans jamais s'écarter de la vérité pour autant. Les articles de Spezi sont réputés pour leur style direct et l'abondance de détails sulfureux qui marquent durablement le lecteur.

Par un simple planton, Spezi apprend un jour que les enquêteurs ont interrogé, avant de le relâcher, un hurluberlu qui se fait passer pour médecin légiste. Trouvant l'histoire amusante, Spezi décide de s'en emparer et d'en faire un article. L'homme, un certain « docteur » Carlo Santangelo, est un Florentin âgé de trente-six ans, de belle prestance, solitaire de tempérament et séparé de sa femme. Toujours vêtu de noir, les yeux dissimulés derrière des verres fumés, il se déplace avec une mallette de docteur dont il ne se sépare jamais. Quant à sa carte, elle proclame :

La mallette contient une collection de scalpels parfaitement aiguisés. Hostile aux domiciles fixes, le docteur Santangelo va de chambre d'hôtel en résidence, sans jamais s'éloigner des environs immédiats de Florence. Les établissements hôteliers qu'il fréquente sont toujours situés près d'un cimetière, et il n'est jamais aussi heureux que lorsque sa chambre donne sur les sépultures. Santangelo est bien connu du personnel de l'OFISA – la principale entreprise de pompes funèbres de Florence –, où il passe souvent ses journées, feignant d'y être très occupé.

Outre la rédaction d'ordonnances, le médecin aux lunettes noires reçoit des patients et propose ses services en qualité de psychanalyste. La chose serait banale si Santangelo n'usurpait pas purement et simplement ses fonctions de légiste, de pathologiste, et même de médecin, allant même jusqu'à opérer des patients à maintes reprises, à en croire certains témoins.

Santangelo va être démasqué un jour où se produit un grave accident de la route sur l'*autostrada* au sud de Florence. Quelqu'un se souvient brusquement de la présence dans un hôtel voisin de ce médecin légiste qui prétend avoir autopsié les corps des dernières victimes en date du Monstre, Susanna Cambi et Stefano Baldi. Plusieurs employés de l'hôtel où réside le curieux docteur l'ont effectivement entendu s'en vanter ouvertement avant d'exhiber fièrement les scalpels enfermés dans sa mallette.

Les carabiniers ont vent de l'affaire et il ne leur faut pas longtemps pour comprendre qu'ils ont affaire à un imposteur. Avertis de son goût prononcé pour les cimetières, les salles d'autopsie et les scalpels, ils s'empressent de lui mettre la main dessus afin de l'interroger.

Le faux médecin finit par reconnaître ses affabulations, sans toutefois expliquer son penchant marqué pour la fréquentation nocturne des nécropoles. Il conteste même, avec la plus grande véhémence, le témoignage d'une petite amie qui affirme l'avoir vu renoncer à une nuit d'amour prometteuse en se gavant de somnifères pour mieux résister à la tentation d'aller se promener parmi les tombes.

Les soupçons qui pèsent sur le docteur Santangelo se dissipent rapidement. En interrogeant les employés de l'hôtel où il séjourne, les enquêteurs obtiennent confirmation que le faux médecin n'a pas quitté sa chambre les nuits des deux doubles meurtres. Plusieurs témoins certifient que Santangelo a l'habitude de se coucher tôt, aux alentours de 20 h 30, 21 heures, afin d'être dispos à 3 heures lorsque l'appel des morts est ressenti.

— Je suis bien conscient de faire des choses bizarres, avoue Santangelo au juge chargé de l'interroger. Il m'arrive parfois de me demander si je ne suis pas un peu fou.

L'affaire Santangelo survient à point pour alimenter la verve de Spezi qui en profite pour s'intéresser à d'autres personnages du même acabit. Le « Monstrologue » va ainsi faire ses choux gras des charlatans, voyants, géomanciens, spécialistes en cartomancie et autres amateurs de boules de cristal qui proposent leurs services à la police et dont certains, sollicités par les autorités, déposent auprès de la justice des « lectures » consignées devant témoins et dûment notariées. Dans les salons des classes moyennes de Florence, il n'est pas rare qu'une soirée entre amis s'achève, autour d'une table à trois pieds et d'un verre renversé, par une séance de spiritisme au cours de laquelle les participants posent des questions aux victimes du Monstre. Le plus souvent, lorsque les réponses cryptiques envoyées par les malheureux depuis l'au-delà ne sont pas communiquées à la police ou qu'elles ne circulent pas sous le manteau, Spezi les reçoit directement à *La Nazione*.

En marge de l'enquête officielle, se mettent en place une multitude d'investigations parallèles dont Spezi rapporte fidèlement les résultats à ses lecteurs. En particulier, il ne manque jamais une occasion d'assister aux séances organisées dans les cimetières par les voyants qui lui promettent de s'entretenir avec les morts.

L'affaire du Monstre a tant bouleversé la ville que l'esprit de Savonarole, le sombre moine du couvent de San Marco, refait surface, certains s'appliquant à faire ressurgir ses avertissements contre la décadence. Les crimes du Monstre constituent un prétexte idéal pour tous ceux qui entendent dénoncer les turpitudes morales et spirituelles de Florence, la cupidité et le matérialisme outrancier de ses classes moyennes. « Le Monstre, écrit un éditorialiste, est l'expression vivante de cette cité de boutiquiers, emportée par l'orgie des plaisirs narcissiques de son clergé, de son élite intellectuelle et financière, de ses politiciens et de leurs laquais… Le Monstre n'est qu'un vulgaire défenseur des classes moyennes qui se dissimule derrière une façade de respectabilité bourgeoise. À tout prendre, c'est un homme de peu de goût. »

D'autres préfèrent croire que le Monstre est moine ou prêtre. Dans un courrier à *La Nazione*, un lecteur assure que, si les douilles retrouvées sur les lieux des différents crimes sont vieilles, c'est parce qu'elles ont « traîné dans quelque coin perdu d'un couvent ». L'auteur de la lettre insiste également sur une hypothèse qui a fait l'objet d'intenses discussions à Florence : et si le meurtrier était un héritier de Savonarole envoyé par Dieu pour frapper de ses foudres les plus dépravés ? D'après lui, le pied de vigne qui a servi à empaler la toute première victime pourrait bien être une allusion au passage de l'Évangile selon saint Jean dans lequel il est dit que Dieu « retranchera toutes les branches qui ne portent pas de fruit ».

La police, prenant très au sérieux la thèse d'un nouveau Savonarole, se décide à enquêter discrètement sur certains hommes d'Église connus pour leurs habitudes étranges. Plusieurs péripatéticiennes de la ville avouent ainsi avoir comme client un prêtre aux goûts excentriques qui les paie généreusement, non pas en échange de rapports sexuels, mais pour l'autoriser à leur raser les poils du pubis. Cette révélation ne manque pas d'intriguer les enquêteurs, à la recherche d'un adepte du rasoir s'intéressant de près à cette partie de l'anatomie féminine.

La police réussit rapidement à se procurer le nom et l'adresse du prêtre grâce aux prostituées. Un dimanche matin, un groupe de policiers et de carabiniers en civil, dirigé par deux magistrats, fait une entrée remarquée dans une petite église de campagne, perchée au milieu des cyprès dans les collines du sud-ouest de la ville. Les visiteurs traversent la nef et rejoignent la sacristie où le prêtre est en train d'enfiler ses habits sacerdotaux. Après lui avoir exhibé un mandat en bonne et due forme, ils lui exposent le but de leur visite, exprimant leur intention de fouiller les lieux, depuis les confessionnaux jusqu'à l'autel en passant par les reliquaires et le tabernacle.

Pris de malaise, le prêtre manque de s'évanouir. Sans chercher à démentir sa vocation de barbier pour dames de la nuit, il nie farouchement être le Monstre et supplie ses visiteurs de faire preuve de discrétion et d'attendre la fin de la messe pour procéder à la perquisition.

Autorisé à célébrer l'office, il s'applique de son mieux en présence des juges et des enquêteurs qui vont assister à la cérémonie comme si de rien n'était, tout en veillant à ce que le curé ne profite pas du répit qui lui a été accordé pour faire disparaître un indice capital.

La messe achevée et les paroissiens repartis, les enquêteurs mènent une perquisition en règle sans rien trouver d'autre qu'un rasoir. Le prêtre sera définitivement innocenté peu après.

6

Malgré l'envol de sa carrière depuis qu'il suit l'affaire, Spezi connaît des difficultés sur le plan personnel. Marqué par la sauvagerie des crimes du Monstre de Florence, il est victime de cauchemars récurrents et craint pour la sécurité de sa femme – une ravissante jeune femme d'origine flamande prénommée Myriam – et de leur petite fille, Eleonora. Les Spezi vivent dans une ancienne villa transformée en appartements sur les hauteurs de la ville, au cœur même de cette campagne que semble affectionner le Monstre. À force de s'intéresser à l'enquête, Spezi en est arrivé à se poser un certain nombre de questions existentielles sur la nature humaine, Dieu, le bien et le mal.

Myriam insiste pour que son mari se fasse aider, ce qu'il se résout à faire. Au lieu de consulter un psychiatre, Spezi, catholique convaincu, s'adresse à un moine qui aide des fidèles atteints de troubles mentaux, dans sa cellule d'un couvent franciscain du xie siècle à moitié en ruine. Le frère Galileo Babbini est un personnage courtaud avec des yeux noirs et perçants que grossissent les verres épais de ses lunettes. Extrêmement frileux, il porte hiver comme été une vieille pelisse usée sous sa robe de bure. Cet homme tout droit sorti du Moyen Âge est néanmoins un psychologue de grand talent, diplômé de l'université de Florence.

Le frère Galileo mêle psychanalyse et mysticisme chrétien lorsqu'il soigne ses patients souffrant de traumatismes graves. Sans concession dans sa recherche de la vérité, usant parfois de méthodes brutales, il possède le don de sonder les recoins les plus sombres de l'âme humaine. Mario va le consulter tout au long de l'affaire du Monstre. Il m'a souvent répété que le frère Galileo l'avait empêché de sombrer dans la folie et lui avait sans doute même sauvé la vie.

Le soir des meurtres de Bartoline, un couple circulant en voiture dans les environs a croisé une Alfa Romeo rouge sur l'une de ces petites routes bordées de murs de pierre comme il en existe des dizaines dans la campagne florentine. Du fait de l'étroitesse de la route, les deux autos sont passées à quelques centimètres l'une de l'autre, ce qui a laissé tout le loisir aux deux témoins de dévisager le conducteur de l'Alfa et de remarquer son air tourmenté. La description fournie aux équipes de l'identité judiciaire a permis d'établir le portrait-robot d'un personnage aux traits épais, avec un front sillonné de rides, un regard dur, un nez crochu et une fente en guise de bouche.

À cause du climat d'hystérie collective qui règne dans la région, le bureau du procureur a jugé préférable de ne pas diffuser le portrait afin de ne pas déclencher de chasse aux sorcières.

Mais les mois s'écoulent, l'enquête piétine et l'arrivée de l'été 1982 se charge de raviver la peur des Florentins. Comme par un fait exprès, le Monstre frappe de nouveau le 19 juin 1982, profitant de la première nuit sans lune de la belle saison. Le crime a lieu cette fois dans la région de Chianti, au sud de Florence. Les deux victimes, Antonella Migliorini et Paolo Mainardi, avaient une vingtaine d'années et s'apprêtaient à se marier. Jamais l'un sans l'autre, leur entourage les avait surnommés Vinavyl, du nom d'une marque de colle.

Le couple était originaire de Montespertoli, une bourgade connue pour la qualité de son vin et de sa truffe blanche, mais aussi pour ses châteaux spectaculaires qui dominent les vallées environnantes. Comme tous les samedis soir, les deux jeunes gens ont passé le début de la soirée à boire des cocas et manger des glaces en compagnie d'une bande de copains sur la piazza del Popolo, au son de la musique diffusée depuis le kiosque du glacier.

Paolo a ensuite convaincu Antonella de faire une promenade en voiture dans la campagne, malgré sa peur du Monstre. Ils se sont alors enfoncés dans la douceur de la nuit toscane sur une route parallèle à un torrent, ont franchi les portes crénelées du monumental château de Poppiano, propriété des comtes de Gucciardini pendant plus de neuf cents ans, avant de s'arrêter tout au bout d'un cul-de-sac. Protégés des regards par deux murs de végétation, ils se sont crus seuls au monde sous le ciel étoilé, dans la chaleur de la nuit et les stridulations des grillons.

Sans le savoir, Antonella et Paolo ont trouvé refuge au centre de ce qui va devenir, avec le temps, la zone d'action géographique du Monstre.

La reconstitution effectuée par la police va permettre de comprendre le déroulement des événements cette nuit-là. Les ébats du couple terminés, tandis qu'Antonella se glisse sur la banquette arrière pour se rhabiller, Paolo aperçoit soudain le tueur à côté de la voiture. Il enfonce immédiatement la pédale d'accélérateur afin de remonter le petit chemin en marche arrière. Surpris, le Monstre ouvre le feu sur la voiture, blessant Paolo à l'épaule gauche. Terrifiée, Antonella s'agrippe alors si violemment à la tête de son compagnon que le fermoir de sa montre s'accroche dans les cheveux du garçon. Émergeant du chemin à toute vitesse, la voiture traverse la route, toujours en marche arrière, avant de s'arrêter dans le fossé. Paolo a beau tenter de repartir, les roues arrière du véhicule tournent dans le vide.

De l'autre côté de la route, le Monstre se trouve pris dans la lueur des phares. De deux balles bien placées, il les fait exploser l'un après l'autre avec son Beretta, ainsi que le confirmeront par la suite les deux douilles découvertes à l'endroit où il se tenait. Traversant la route, il ouvre alors la portière et abat les deux jeunes gens d'une balle en pleine tête, puis il tire le garçon de l'auto et se glisse derrière le volant pour tenter de sortir la voiture du fossé, en vain. Sans prendre le temps cette fois de mutiler le corps de la jeune fille, il s'élance à l'assaut de la colline bordant la route. Les clés de l'auto seront dénichées à une centaine de mètres du lieu du drame, à côté d'un flacon vide de Norzetam, un complément diététique en vente libre censé stimuler le cerveau, dont la police ne sera jamais en mesure de retracer l'origine.

Le Monstre a pris un risque considérable en tuant ses victimes aussi près d'une route fréquentée, surtout un samedi soir. Seul l'extraordinaire sang-froid dont il a fait preuve lui a permis de s'en tirer. L'enquête permettra de déterminer qu'au moins six véhicules sont passés par là aux environs de l'heure du crime. Un kilomètre plus haut, deux personnes profitent de la fraîcheur nocturne pour faire du jogging tandis qu'un autre couple discute à la lumière du plafonnier dans une voiture garée à l'embranchement menant au château de Poppiano.

Le crime est découvert par des automobilistes qui s'arrêtent en apercevant la voiture, pensant à un accident. La jeune fille est morte à l'arrivée des secours, mais le garçon vit encore. Il décédera à l'hôpital sans avoir repris connaissance.

Le lendemain, Silvia Della Monica, une juge appartenant au groupe de magistrats travaillant sur l'affaire, convoque dans son bureau Mario Spezi et quelques-uns de ses confrères.

— J'ai besoin de votre aide, leur déclare-t-elle. Je voudrais que vous annonciez dans la presse que le jeune homme était encore vivant lorsqu'on l'a conduit à l'hôpital et qu'il a pu parler. Je perds peut-être mon temps, mais on ne sait jamais, ça pourrait conduire notre homme à faire un faux pas.

La manœuvre mérite d'être tentée et les journalistes se rendent aux arguments de la magistrate, sans résultat apparent. Du moins dans un premier temps.

Le même jour, au terme d'une discussion prolongée, les juges en charge de l'enquête se décident enfin à rendre public le portrait-robot du suspect réalisé au lendemain des meurtres de Bartoline : le 30 juin, le visage patibulaire de l'inconnu fait la une des journaux italiens, accompagné d'une description de l'Alfa Romeo rouge.

Les enquêteurs sont les premiers surpris de l'ampleur de la réaction déclenchée par cette publication. En l'espace de quelques heures, la police, les carabiniers, les juges et les journaux sont submergés de coups de téléphone et de lettres qui arrivent par sacs entiers. Tout le monde ou presque croit reconnaître le visage d'un ennemi, d'un rival amoureux, d'un voisin, d'un médecin de quartier ou du boucher du coin de la rue. « Le Monstre est un professeur en obstétrique, ancien patron du service de Gynécologie de l'hôpital de… », affirme un accusateur. Un autre prétend avoir formellement reconnu un « voisin abandonné par sa femme, par sa première petite amie, puis par une autre, avant d'aller vivre chez sa mère ». Devant l'abondance des pistes, la police et les carabiniers sont littéralement paralysés.

Des dizaines d'anonymes se retrouvent brusquement en butte aux soupçons de leur entourage. Le jour même de la diffusion du portrait-robot, une foule menaçante se rassemble devant l'échoppe d'un boucher des environs de la Porta Romana à Florence en brandissant le journal. Chaque nouvel arrivant pénètre dans la boucherie pour s'assurer de la ressemblance avec le portrait-robot, puis se joint à ceux qui sont massés à l'extérieur. Le malheureux commerçant sera contraint de fermer son magasin pendant une semaine.

Le même jour, un pizzaiolo d'un restaurant local, le Red Pony, est également pris pour cible par un groupe de gamins qui surgissent dans l'établissement ; le journal à la main, ils dévisagent longuement l'employé avant de s'enfuir en poussant des cris. Le lendemain, peu après l'heure du déjeuner, le pizzaiolo se tranchera la gorge.

Au même moment, la police reçoit trente-deux appels de personnes ayant identifié le Monstre comme un chauffeur de taxi du vieux quartier de San Frediano. Un inspecteur, décidé à en avoir le cœur net, entre en contact discrètement avec la compagnie de taxis et s'arrange pour se faire prendre en charge par le chauffeur concerné à qui il donne l'adresse des locaux de la police. À peine arrivée devant le bâtiment, la voiture est encerclée par une meute d'agents. Le chauffeur descend de l'auto et les policiers découvrent avec stupéfaction un individu ressemblant à s'y méprendre au portrait-robot. L'inspecteur demande à ce que l'on conduise le chauffeur dans son bureau où l'homme pousse un soupir de soulagement inattendu.

— Je serais venu de mon plein gré à la fin de mon service si vous ne m'aviez pas fait venir ici, explique-t-il. Ma vie est un véritable enfer depuis la publication de ce portrait, tous les clients descendent précipitamment de mon taxi en pleine course.

Une enquête rapide permet d'établir que le chauffeur ne peut matériellement pas avoir commis les meurtres. La ressemblance est une simple coïncidence.

Une foule immense se rend aux obsèques de Paolo et Antonella. Le cardinal Benelli, archevêque de Florence, en profite pour dénoncer dans son homélie les travers du monde moderne : « En cette période tragique où rôdent les monstres, on parle beaucoup de folie meurtrière et de crimes odieux. Mais nous savons bien que la folie ne naît pas sans raison ; elle n'est que le symbole de l'explosion irrationnelle d'un monde en manque de repères, d'une société qui s'éloigne chaque jour davantage de l'esprit humain. En ce jour, conclut l'archevêque, nous assistons, muets et impuissants, à l'une des pires défaites de tout ce que l'humanité porte en elle de meilleur. »

Les deux jeunes gens seront enterrés côte à côte et une photo les représentant ensemble sera placée entre leurs tombes.

Parmi l'avalanche de dénonciations, de lettres et de coups de téléphone reçus au siège des carabiniers, un courrier attire l'attention des enquêteurs. Il s'agit d'une enveloppe qui contient un vieil article jauni, découpé dans *La Nazione*, relatant le meurtre oublié d'un couple surpris en train de faire l'amour dans une voiture garée dans un champ des environs de Florence. Le double meurtre a été commis à l'aide d'un pistolet Beretta et de cartouches Winchester de série H, à en croire les douilles retrouvées sur place. Sur l'article a été écrit à la main : « Vous devriez vous intéresser à cette affaire. » Le plus inquiétant est encore la date à laquelle remonte l'affaire : le 21 août 1968.

Cette fois, il s'agit d'un crime vieux de quatorze ans.

7

Un heureux hasard, imputable aux lourdeurs bureaucratiques italiennes, veut que les douilles découvertes lors de ce double meurtre, au lieu d'avoir été jetées, aient été conservées dans un sac en plastique perdu au milieu des archives de la brigade criminelle.

Chacune d'entre elles porte la signature bien reconnaissable de l'arme utilisée par le Monstre.

Les enquêteurs rouvrent aussitôt l'enquête et font une découverte capitale : le double meurtre de 1968 a été rapidement élucidé et l'homme qui s'est accusé des crimes à l'époque a été condamné dans la foulée. Il ne peut s'agir du Monstre de Florence car il était en prison au moment des meurtres de 1974 et se trouve à présent dans un centre de réadaptation tenu par des sœurs. De toute façon, il est trop faible pour se déplacer seul. S'il lui est impossible d'avoir commis les crimes du Monstre, sa confession pour ceux de 1968 repose sur des éléments tangibles, l'individu ayant donné aux enquêteurs des détails précis que seul pouvait connaître quelqu'un qui aurait été présent au moment des faits.

Les assassinats de 1968 sont d'apparence banale. Barbara Locci, une femme mariée, entretenait une liaison avec un maçon sicilien. Un soir, après s'être rendus au cinéma en voiture, les deux amants se sont garés au bord d'une petite route pour faire l'amour. Survenu à point nommé, le mari jaloux les a surpris et tués. Le mari en question, un immigré sarde nommé Stefano Mele, est appréhendé quelques heures plus tard. Un test à la paraffine va démontrer qu'il s'est récemment servi d'une arme à feu. L'homme passe rapidement aux aveux, reconnaissant avoir tué sa femme et son amant dans une crise de jalousie. Lors de son procès, il sera condamné à une peine relativement légère, quatorze ans de prison, du fait de son « handicap mental ».

Et l'affaire s'arrête là.

L'arme du crime n'a jamais été retrouvée, Mele affirmant à l'époque s'en être débarrassé en la jetant dans un fossé d'irrigation. Le fossé et les alentours ont bien été passés au peigne fin la nuit du crime, mais la police n'a jamais récupéré le Beretta et personne ne s'est soucié de ce détail par la suite.

Les enquêteurs chargés de l'affaire du Monstre se rendent dans le centre où se trouve Mele et le questionnent sans relâche. Ils souhaitent notamment savoir ce qu'il a fait du pistolet après les meurtres, mais Mele a en partie perdu la tête et tient des propos incohérents. Il se contredit constamment, donnant l'impression de cacher quelque chose par son comportement fuyant, et les enquêteurs ne peuvent rien tirer de lui. Tout semble indiquer que l'homme, s'il possède effectivement un secret, l'emportera avec lui dans la tombe.

Le centre où vit Stefano Mele est un triste bâtiment blanc situé dans la plaine de l'Adige, à quelques kilomètres de Vérone. L'ancien détenu y partage son quotidien avec d'autres repris de justice dépourvus de famille et dans l'incapacité de se réinsérer, comme lui. La religieuse qui dirige l'institution va devoir protéger son pensionnaire sarde des hordes de journalistes qui souhaitent l'interviewer, et elle érige autour de lui un barrage infranchissable.

Spezi, le « Monstrologue » en titre de *La Nazione*, refuse néanmoins de se tenir pour battu et se présente un jour à la porte de l'établissement en compagnie d'un cinéaste, sous prétexte de réaliser un documentaire sur le centre de réadaptation. Après avoir longuement interviewé la religieuse et plusieurs de ses pensionnaires, Spezi et son cameraman se retrouvent enfin en présence de Stefano Mele.

Leur entretien initial ne laisse rien augurer de très positif. Le Sarde, pourtant encore assez jeune, tourne en rond à pas lents, donnant l'impression d'être sur le point de s'écrouler à tout instant. Le simple fait de déplacer une chaise représente pour lui un effort quasiment insurmontable et l'éternel sourire qu'il affiche laisse entrevoir un cimetière de dents gâtées, au point que Spezi peine à croire qu'une telle loque ait pu assassiner deux personnes de sang-froid quatorze ans plus tôt.

L'interview débute de manière laborieuse car Mele, sur ses gardes, se révèle soupçonneux. Mais à mesure que les minutes s'écoulent, sa méfiance semble s'évanouir et il invite les deux documentaristes à venir dans sa chambre où il leur montre la photo de sa « bonne femme » (c'est ainsi qu'il appelle Barbara, l'épouse qu'il a assassinée) et de leur fils Natalino.

Chaque fois que Spezi aborde l'affaire des meurtres de 1968, Mele se fait vague. Il s'emberlificote dans ses réponses et change constamment de sujet de conversation.

Spezi pense avoir perdu la partie et s'apprête à repartir lorsque Mele lui déclare soudain :

— Il faudra bien qu'ils découvrent ce pistolet, sinon les crimes ne s'arrêteront jamais… *Ils* vont continuer à tuer… *Ils* vont continuer…

Puis Mele lui offre une carte postale du balcon de Vérone sous lequel Roméo aurait confessé son amour à Juliette.

— Tenez, prenez-la, insiste-t-il. Le couple le plus célèbre au monde, de la part d'un « spécialiste du couple ».

Ils vont continuer… Ce n'est qu'en quittant le foyer que Spezi est frappé par l'utilisation de la troisième personne du pluriel. Mele a dit « ils » à plusieurs reprises, comme s'il y avait plus d'un Monstre. Pourquoi Mele pense-t-il qu'il en existe plusieurs ? Cela peut-il signifier qu'il n'était pas seul lorsque sa femme et son amant ont été assassinés ? Mele aurait eu des complices dont il est convaincu qu'ils ont récidivé.

Cette déduction semble confirmer une hypothèse formulée par la police : l'affaire de 1968 n'a jamais été un crime passionnel, mais un meurtre collectif, presque rituel, et Mele n'a pas agi seul.

L'un de ceux qui étaient là a-t-il pu devenir le Monstre de Florence ? Ou même plusieurs d'entre eux ?

Les enquêteurs, désireux de savoir qui a pu accompagner Mele la nuit du crime, décident de s'intéresser à la communauté sarde, connue pour sa brutalité et sa bizarrerie, dont Mele fait partie. Cette nouvelle phase de l'enquête ne tardera pas à être baptisée la *Pista Sarda*.

8

La « piste sarde » va éclairer d'un jour nouveau un pan méconnu de l'histoire italienne, celui de l'arrivée massive d'immigrants sardes sur la péninsule tout au long des années 1960. En s'installant pour beaucoup en Toscane, ces émigrés ont modifié en profondeur le caractère de la province.

On a du mal à croire que moins d'un demi-siècle sépare l'Italie actuelle de ce qu'elle était quelques décennies plus tôt. Dans la péninsule, la réalité d'aujourd'hui n'a aucun rapport avec ce qu'elle était hier encore.

L'unité italienne, obtenue en 1871, s'est faite à partir d'un patchwork hétéroclite de fiefs, de duchés et de royaumes. À l'époque, on parlait plus de six cents langues différentes, et lorsque le dialecte de Florence (préféré à celui de Rome et de Venise parce qu'il était celui de Dante) a été choisi comme langue officielle par les fondateurs de l'État italien, seuls 2 % de la population le parlaient. En 1960 encore, moins de 50 % des Italiens le pratiquent couramment. Pauvre et isolé, le pays se remet à peine des destructions engendrées par la Seconde Guerre mondiale, et il est miné par la faim et la malaria. Rares sont les Italiens qui ont accès à l'eau courante et à l'électricité, sans parler des voitures, le miracle économique et industriel de l'Italie moderne n'en étant qu'à ses balbutiements.

En 1960, la région la plus arriérée et la plus pauvre de toute l'Italie est la région montagneuse du centre de la Sardaigne.

L'île de cette époque est à des années-lumière de la Costa Smeralda actuelle, avec ses marinas et ses yacht-clubs, ses riches touristes arabes, ses terrains de golf et ses villas pour milliardaires. Les Sardes tournent d'ailleurs le dos à cette mer qu'ils redoutent pour avoir enduré de nombreuses invasions, des pillages et des viols pendant de longs siècles. « Le voleur arrive toujours par la mer », affirme un vieux proverbe sarde. Et, de fait, c'est de la mer qu'ont surgi les vaisseaux arborant la croix des Pisans venus s'approprier le bois des forêts sardes pour construire leurs navires. C'est par la mer que sont arrivées les felouques des pirates arabes qui enlevaient femmes et enfants, et c'est de la mer qu'est venu le gigantesque tsunami, dévastateur des côtes de la Sardaigne, qui aurait contraint les habitants de l'île à se réfugier dans les montagnes il y a de nombreux siècles, à en croire la légende.

C'est précisément dans ces montagnes, et plus particulièrement dans la petite bourgade de Villacidro d'où sont originaires la plupart des membres du clan sarde dont fait partie Stefano Mele, que se rendent les policiers et les carabiniers chargés d'enquêter sur la piste sarde.

Jusqu'en 1960, personne en Sardaigne ne parlait l'italien. Les habitants s'exprimaient en *logudorese*, un dialecte considéré comme la plus vieille et la plus pure de toutes les langues romanes, et vivaient en marge des lois édictées par ceux qu'ils appelaient *sos italianos*, en référence aux résidents de la péninsule. Leur quotidien était régi par un code d'honneur connu sous le nom de code barbagien, venu de la région centrale baptisée Barbagie, l'une des plus sauvages et des moins peuplées d'Europe.

Au cœur de ce code barbagien se trouve le personnage du *balente*, sorte de hors-la-loi roué et habile, célèbre pour son courage et sa débrouillardise. Le vol, en particulier celui du bétail, est une activité louée par le code barbagien à condition qu'il soit pratiqué au détriment d'une autre tribu ; en dehors de tout aspect financier, le vol de bétail est considéré comme un acte de *balentia* héroïque. En commettant son larcin, le voleur fait valoir sa ruse et sa supériorité intellectuelle sur l'adversaire, dûment puni pour son incapacité à surveiller son troupeau. L'enlèvement et le meurtre se justifient de la même façon, de sorte que le *balente* est à la fois craint et respecté.

Les Sardes, notamment les bergers qui partagent une existence nomade avec leur troupeau tout au long de la vie, détestent cordialement l'État italien en lequel ils voient une puissance d'occupation. Les bergers qui transgressent la loi de l'« étranger » (c'est-à-dire la loi italienne), conformément au code de *balentia*, refusent l'infamie de la prison et partent dans les montagnes rejoindre d'autres brigands avec qui ils écument les clans ennemis. Il n'est pas rare qu'un hors-la-loi continue de vivre parmi les siens, protégé par le silence et l'admiration de ses semblables. En échange, le clan bénéficie d'une partie de son butin et reste à l'abri de ses méfaits. En Sardaigne, les gens considèrent les brigands comme d'ardents défenseurs du droit et de l'honneur de leur communauté, des parangons de courage dignes d'une estime quasi mythique, face à l'oppression de l'occupant étranger.

C'est à cette réalité que sont rapidement confrontés les enquêteurs venus de Florence lorsqu'ils se lancent sur la piste sarde, pénétrant peu à peu les arcanes d'une culture antique en regard de laquelle l'omerta sicilienne semble presque moderne.

Le village de Villacidro est isolé, même à l'aune de la vie en Sardaigne. D'une beauté impressionnante, en dépit de son écrasante pauvreté, il se dresse sur un haut plateau, ceint de sommets acérés, au milieu duquel coulent les eaux de la Leni. Les bois de chênes proches du village sont peuplés de cerfs, et des aigles royaux tournoient autour des falaises de granit rouge environnantes. À quelques kilomètres seulement, se trouve la grande cascade de Sa Spendula, un site naturel exceptionnel dont l'illustre poète Gabriele D'Annunzio a découvert la grandeur lors d'une visite dans l'île en 1882. Hypnotisé par la majesté de l'eau ruisselant sur les rochers, il a immortalisé ce lieu magnifique dans l'une de ses œuvres :

Dans la vallée luxuriante, un berger,
Vêtu de peaux de bêtes,
Veille sur la roche abrupte
Tel un faune de bronze, immobile et silencieux.

À l'inverse, le reste de la Sardaigne voit d'un mauvais œil cette « terre d'ombres et de sorcières », ainsi que la décrit un vieux dicton. À Villacidro, dit-on, les sorcières (*is cogas*) dissimulent la queue qu'elles ont dans le dos à l'aide de longues robes tombant jusqu'au sol.

Villacidro est la patrie de la famille Vinci qui compte trois frères. L'aîné, Giovanni, a été rejeté par les siens après avoir violé l'une de ses sœurs. Le benjamin, Francesco, traîne derrière lui une réputation sulfureuse, aggravée par son habileté au couteau ; on le dit capable de tuer, d'écorcher, de vider et de découper un mouton en un temps record. Quant au cadet, prénommé Salvatore, il a épousé une adolescente du nom de Barbarina (la petite Barbara) dont il a eu un enfant, Antonio. Barbarina a été retrouvée morte un soir dans son lit. La police a conclu à un suicide au gaz, mais les rumeurs qui circulent dans les rues de Villacidro sont nettement moins complaisantes. On murmure que le petit Antonio a été enlevé du lit de sa mère pour échapper au même sort qu'elle. Au village, tout le monde ou presque est persuadé que la jeune femme a été assassinée par Salvatore.

La mort de Barbarina ayant achevé de fédérer les habitants de Villacidro contre les frères Vinci, ils se sont vus obligés de quitter le pays. Par un beau jour de 1961, à l'image de milliers de leurs compatriotes, ils se sont embarqués à destination de la péninsule et ont recommencé leur vie en Toscane, où les attendait une autre Barbara…

9

Lorsque les trois frères Vinci débarquent sur les quais de Livourne, ils se différencient à bien des égards des immigrants sardes qui descendent du ferry sans une lire en poche, une valise en carton à la main, un peu perdus en découvrant un paysage radicalement différent de celui de leurs montagnes. Contrairement à la plupart de leurs compatriotes, les Vinci sont étonnamment sûrs d'eux et possèdent une formidable capacité d'adaptation.

Salvatore et Francesco vont jouer un rôle primordial dans l'histoire du Monstre de Florence. Physiquement très ressemblants, ils sont petits et râblés, plutôt beaux garçons, avec des cheveux noirs frisés et des yeux perçants qui posent sur le monde un regard curieux et supérieur. Tous les deux sont d'une intelligence inattendue étant donné leurs origines, mais la similitude entre les deux frères s'arrête là. Autant Francesco, le plus *balente* des deux, est un macho extraverti et effronté, toujours prêt à l'action, autant Salvatore est réfléchi et réservé, qui avance des arguments raisonnés d'une voix mellifue lors des discussions qu'il peut avoir, ses lunettes lui donnant l'air d'un professeur de latin.

Comme de juste, les deux frères se haïssent.

Dès son arrivée en Toscane, Salvatore trouve un emploi de maçon tandis que Francesco passe le plus clair de son temps dans un bar situé à l'extérieur de Florence. L'endroit sert de lieu de rendez-vous aux bandits sardes de la région et de quartier général à trois voyous de l'île qui ont mis sur pied un gang spécialisé dans le kidnapping, très actif en Toscane tout au long des années 1960 et 1970. Pour ne donner qu'un exemple, un jour où une rançon n'est pas payée assez vite à leur goût, les bandits exécutent leur victime, un comte, et se débarrassent du corps en le donnant à manger à des porcs cannibales – un détail dont Thomas Harris s'est servi dans son roman *Hannibal*. D'après ce que l'on croit savoir, Francesco Vinci n'a jamais participé à ces activités, préférant les cambriolages, les petits hold-up et le vol de bétail, dans la plus pure tradition sarde.

Salvatore loue une chambre dans une vieille maison occupée par une famille sarde du nom de Mele. C'est là que vit Stefano en compagnie de son père, de ses frères et sœurs et de sa femme, Barbara Locci. (En Italie, la femme conserve traditionnellement son patronyme après le mariage.) Barbara, une jeune femme pulpeuse aux yeux langoureux, dotée d'un joli nez et de lèvres pleines, a une prédilection pour les jupes rouges moulantes qui mettent en valeur ses formes. Issue d'un milieu particulièrement défavorisé, elle a été mariée à Stefano dès l'adolescence. Nettement plus âgé qu'elle et simple d'esprit, Stefano vient d'une famille moins pauvre et sa femme l'a tout naturellement suivi lorsque les Mele ont émigré en Toscane.

À peine arrivée là-bas, la jeune Barbara s'est appliquée à entacher l'honneur des Mele en les volant et en s'affichant en ville avec des hommes à qui elle donne son argent avant de les ramener subrepticement chez elle. De toute évidence, Stefano est parfaitement incapable de tenir sa jeune épouse.

Décidé à mettre un terme aux aventures nocturnes de sa bru, le patriarche du clan Mele, le père de Stefano, a fait poser des barreaux à toutes les fenêtres du rez-de-chaussée et s'évertue à maintenir Barbara enfermée. La manœuvre fait long feu lorsque la jeune femme s'éprend de leur locataire, Salvatore Vinci.

Loin de s'opposer à cette liaison, Stefano fait tout pour la favoriser, ainsi que Salvatore Vinci pourra en témoigner par la suite.

— Il n'était pas jaloux, c'est même lui qui m'a proposé de vivre chez eux à l'époque où je cherchais à me loger : « Tu n'as qu'à venir à la maison, on a une chambre de libre. » Et quand je lui ai demandé combien il voulait pour la chambre, il m'a répondu que je n'avais qu'à lui donner ce que je pouvais. C'est comme ça que je me suis installé chez les Mele. Et c'est là qu'il a jeté sa femme dans mon lit. Il voulait que je l'emmène au cinéma, il me disait qu'il s'en fichait. Ou alors il partait jouer aux cartes au centre d'action sociale en me laissant seul avec elle.

Renversé par une voiture un jour où il circulait à moto, Stefano passe plusieurs mois à l'hôpital. L'année suivante, Barbara lui donne un fils, mais il suffit de savoir compter jusqu'à neuf pour comprendre que la paternité du petit Natalino est douteuse.

Las de voir l'honneur de son clan entaché, Mele père finit par se résoudre à mettre à la porte son fils et sa femme, ainsi que Salvatore. Stefano et Barbara louent un taudis dans un quartier ouvrier de la banlieue ouest de Florence et la jeune femme continue de fréquenter Salvatore avec la bénédiction de son époux.

— Ce qu'elle avait d'attirant ? déclare Salvatore lorsqu'il est appelé à témoigner au sujet de Barbara. D'abord, ce n'était pas exactement une statue quand elle faisait l'amour. Elle connaissait ce petit jeu-là et elle le connaissait bien.

Au cours de l'été 1968, Barbara quitte Salvatore pour son frère Francesco. En compagnie de ce *balente* à l'attitude macho, Barbara, habillée en femme fatale, joue volontiers les poules de gangster, fréquentant les bars sardes en ondulant des hanches et en plaisantant avec les voyous. Un jour où elle est allée trop loin aux yeux de Francesco, il l'attrape par les cheveux et la tire jusque dans la rue où il lui arrache sa robe, jugée trop affriolante, la laissant en culotte et en collants au milieu de la foule.

Un nouvel amant fait son apparition au début du mois d'août 1968. Grand et musclé, les cheveux très noirs, Antonio Lo Bianco est un maçon d'origine sicilienne. Bien qu'il soit marié, il se vante ouvertement devant Francesco de lui ravir sa compagne, à en croire ceux qui le connaissent : « Barbara ? Je l'aurai baisée d'ici une semaine. »

Aussitôt dit, aussitôt fait. Les deux frères Vinci ont désormais une bonne raison de vouloir se venger. Dans le même temps, Barbara s'est arrangée pour voler à Stefano les 600 000 lires reçues à la suite de son accident de moto. Craignant qu'elle ne les donne à Lo Bianco, les Mele et les Vinci décident de lui reprendre l'argent au plus vite.

L'histoire de Barbara touche à sa fin.

Elle s'achève avec le drame du 21 août 1968. Une reconstitution minutieuse des événements, réalisée des années plus tard, permettra de comprendre le déroulement des faits. Ce soir-là, Barbara s'est rendue au cinéma pour voir un film d'horreur japonais en compagnie de son nouvel amant, Antonio Lo Bianco. Elle a pris avec elle Natalino, son fils de six ans. La séance terminée, tous les trois regagnent l'Alfa Romeo blanche de Lo Bianco. Ils quittent la ville et s'engagent sur un petit chemin de terre en bordure d'un cimetière. Lo Bianco arrête la voiture quelques dizaines de mètres plus loin, à un endroit que le couple connaît bien pour y avoir souvent fait l'amour.

Le tueur et ses complices les guettent, embusqués derrière un bouquet de saules. Ils attendent que Barbara et Lo Bianco aient commencé leurs ébats, la jeune femme chevauchant son compagnon. Il fait chaud en cette nuit d'été, la vitre arrière gauche de l'auto est ouverte. Le tireur s'approche silencieusement et vise ses victimes avec son Beretta de calibre .22 en passant le canon de l'arme au-dessus de la tête de Natalino qui dort sur la banquette arrière. Le tueur tire sept fois à bout portant, ainsi que le confirmeront les marques de brûlure retrouvées sur les victimes : quatre balles pour Lo Bianco et trois pour Barbara. Le tueur a visé les organes vitaux, faisant mouche à chaque fois. Les deux amants sont tués sur le coup. Réveillé par la première détonation, Natalino distingue clairement les éclairs des coups de feu.

Le chargeur du Beretta contient un dernier projectile. Le tireur tend l'arme à Stefano Mele qui la saisit. Il vise d'une main tremblante le corps de sa femme morte et appuie sur la détente. Même à si faible distance, le coup, mal ajusté, atteint le bras de Barbara, mais le principal est fait : en procédant à un test à la paraffine sur la main de Stefano, la police ne manquera pas d'y retrouver des traces de poudre et Mele, le simple d'esprit, paiera pour les véritables coupables. Le crime accompli, quelqu'un fouille la boîte à gants à la recherche des 600 000 lires, en vain. La somme sera retrouvée plus tard par les enquêteurs, dissimulée ailleurs dans la voiture.

Reste le problème de l'enfant, que l'on peut difficilement abandonner dans l'auto avec le cadavre de sa mère. Voyant son père, une arme à la main, le petit Natalino s'écrie : « C'est le pistolet qui a tué maman ! » Mele se débarrasse de l'arme, prend Natalino, le juche sur ses épaules et s'en va en lui chantant une ritournelle afin de le calmer. Après avoir parcouru deux kilomètres et demi, Stefano dépose l'enfant devant une ferme, appuie sur la sonnette et disparaît. Lorsque le propriétaire de la maison regarde par la fenêtre, il découvre devant sa porte un petit garçon terrifié.

— Maman et l'oncle sont morts dans la voiture, hurle l'enfant d'une voix suraiguë.

10

À l'époque des faits, les policiers chargés d'enquêter sur le double meurtre de 1968 ont découvert de nombreux indices suggérant l'implication de plusieurs personnes, mais ils n'en ont pas tenu compte.

La police a longuement interrogé Natalino, le petit garçon de six ans qui a assisté à la scène. Sa version des faits est confuse, même s'il confirme avoir vu son père au moment du crime. Il assure aussi avoir reconnu Salvatore, puis il se rétracte en disant qu'il s'agissait de Francesco, avant d'avouer en fin de compte que cette version lui a été soufflée par son père. Il évoque également une « ombre », celle d'un certain « oncle Piero », un personnage qu'il décrit comme « travaillant la nuit, avec une raie sur le côté ». La description correspond à celle de son oncle, Piero Mucciarini, qui est boulanger, mais le garçonnet finit par déclarer qu'il ne se souvient plus de rien.

L'un des carabiniers, frustré de voir l'enfant se contredire à tout bout de champ, va jusqu'à le menacer :

— Si jamais tu ne me dis pas la vérité, je te ramène à ta mère morte.

Le seul élément tangible du témoignage de l'enfant est la présence de son père sur le lieu du crime, une arme à la main. Le mari bafoué fait d'ailleurs figure de coupable idéal et Stefano Mele est arrêté le soir même, les enquêteurs ayant rapidement taillé en pièces l'alibi qu'il leur a fourni en prétendant avoir été chez lui, malade, au moment des meurtres.

Le test à la paraffine révèle la présence de traces de poudre entre le pouce et l'index de sa main droite, confirmant qu'il s'est récemment servi d'une arme. Mele a beau être simple d'esprit, il comprend l'inanité de ses dénégations et fait des aveux.

L'idée qu'il est victime d'un coup monté l'effleure sans doute car il avoue aux carabiniers d'un air craintif que le vrai coupable n'est autre que Salvatore Vinci.

— Il m'a dit un jour qu'il avait un pistolet, déclare-t-il. C'est lui, c'était l'amant de ma femme et il était jaloux. Quand elle l'a laissé, il a menacé de la tuer, il le disait souvent. Un jour, quand je lui ai demandé de me rendre de l'argent qu'il me devait, vous savez ce qu'il m'a répondu ? « Je tuerai ta femme pour toi, voilà ce qu'il m'a répondu. Ça réglera ma dette. » Il m'a vraiment dit ça !

Tout aussi soudainement, Mele se rétracte en assumant seul la responsabilité des meurtres, sans expliquer pour autant ce qu'il est advenu de l'arme.

— Je l'ai jetée dans un fossé d'irrigation, prétend-il.

Le soir même, la police fouille soigneusement le fossé et ses environs sans retrouver le pistolet.

Les carabiniers ont d'ailleurs le plus grand mal à croire Mele. Comment un personnage à peine capable de faire tout seul le tour de sa chambre aurait-il pu se rendre sans voiture aussi loin de chez lui, attendre les amants et les abattre de sept balles ? Interrogé de nouveau, Stefano réitère ses accusations contre Salvatore.

— C'est le seul qui a une voiture, explique-t-il aux enquêteurs.

Ceux-ci décident d'organiser une confrontation entre les deux hommes au siège des carabiniers. Les personnes présentes ce jour-là ne sont pas près de l'oublier.

Le Salvatore qui pénètre dans la pièce se métamorphose brusquement en *balente* sarde plein d'assurance et de morgue. Il s'arrête sur le seuil et pose un regard impitoyable sur Mele qui se jette à ses pieds en sanglotant.

— Pardonne-moi ! Je t'en supplie, pardonne-moi !

Puis, sans un mot, il fait volte-face et quitte la pièce. Il ne fait aucun doute que Salvatore possède sur Mele un ascendant incroyable, au point que ce dernier préfère la prison à l'affrontement. Mele s'empresse de disculper Salvatore, accusant alors son frère Francesco. Lorsque les carabiniers le pressent de nouveau de questions, il finit par s'accuser lui-même du double meurtre.

Cet aveu convient parfaitement à la police et au magistrat instructeur, malgré les indices découverts sur le lieu du crime. Le mari bafoué a avoué, les tests confirment qu'il a bien tiré, son propre fils atteste dans ses déclarations l'avoir vu sur place, et Mele se trouve seul accusé du double meurtre.

Lors du procès, le témoignage de Salvatore Vinci donne lieu à une scène étrange. Tout en l'écoutant s'expliquer avec de grands gestes, le juge est intrigué par sa main, à laquelle brille une bague de fiançailles.

— Vous pouvez me dire l'origine de cette bague ? lui demande le juge.

— C'est la bague de fiançailles de Barbara, répond Vinci en adressant à Mele un regard noir. C'est elle qui me l'a donnée.

Au terme du procès, Mele est finalement condamné à une peine de quatorze années d'emprisonnement pour le meurtre de sa femme et de son amant.

En 1982, les enquêteurs s'évertuent à dresser la liste des complices potentiels des crimes commis quatorze ans auparavant. Salvatore et Francesco Vinci y figurent en bonne place, ainsi que Piero Mucciarini, l'« ombre » évoquée par Natalino.

Les enquêteurs sont convaincus que le pistolet n'a pu finir dans un fossé, comme le prétend Stefano. Il est extrêmement rare qu'une arme utilisée lors d'un meurtre soit revendue, donnée ou jetée. Il est plus probable que l'un des complices de Mele l'a rapportée chez lui afin de la dissimuler. De fait, elle est sortie de sa cachette six ans plus tard, avec sa boîte de munitions, lorsque le Monstre de Florence s'en est servi pour la première fois.

La meilleure chance de démasquer le Monstre est donc de retrouver l'arme.

Les enquêteurs chargés de la piste sarde commencent par s'intéresser à Francesco Vinci, le plus farouche des deux frères, un homme au casier judiciaire chargé. Réputé pour sa brutalité, il bat couramment ses compagnes et traîne volontiers avec des voyous. À l'inverse, Salvatore semble nettement plus inoffensif ; il a toujours travaillé dur et ne s'est jamais fait remarquer jusque-là. Aux yeux des policiers toscans, qui ne disposent d'aucune expérience en matière de tueurs en série, Francesco Vinci est le suspect idéal.

On recueille à son sujet un certain nombre d'indices troublants. À commencer par le fait qu'il se trouvait systématiquement dans les parages lorsque les crimes du Monstre ont été commis. Entre les cambriolages, le vol de bétail et ses aventures féminines, Francesco se déplace beaucoup. Il est notamment dans les environs de Borgo San Lorenzo lorsque a lieu le double meurtre de 1974, ainsi qu'en apporte la preuve une altercation avec un mari jaloux, en présence de son neveu Antonio, le fils de Salvatore. On retrouve le même Antonio, huit ans plus tard, dans le petit village où il vit et où Francesco lui a rendu visite, à six kilomètres seulement de la scène du crime de Montespertoli.

Un indice de première importance fait surface quelque temps après. Au milieu du mois de juillet 1982, les carabiniers d'une petite bourgade située sur la côte toscane méridionale signalent aux enquêteurs avoir découvert, le 21 juin, une voiture dissimulée sous des branchages dans un bois. Grâce au numéro d'immatriculation du véhicule, ils n'ont eu aucun mal à remonter jusqu'à son propriétaire : Francesco Vinci.

La date a son importance : le 21 juin correspond au jour où Spezi et ses confrères ont publié dans leurs journaux respectifs la (fausse) information selon laquelle l'une des victimes des meurtres de Montespertoli a eu le temps de parler avant de mourir. Contrairement à ce qu'ont cru les enquêteurs dans un premier temps, la feinte aurait-elle porté ses fruits en incitant le Monstre à cacher sa voiture ?

Les carabiniers placent Vinci en garde à vue et lui demandent des explications. Il se lance aussitôt dans une histoire fumeuse de femme et de mari jaloux qui ne justifie en rien son besoin de cacher son auto.

Au mois d'août 1982, deux mois après le double meurtre de Montespertoli, Francesco Vinci est interpellé. Le magistrat instructeur chargé de l'enquête déclare à cette occasion : « Nous courons le risque à présent de voir se produire un crime encore plus spectaculaire. Le Monstre pourrait être tenté de passer une nouvelle fois à l'action afin de revendiquer la paternité de ses crimes. »

L'annonce, pour le moins curieuse de la part d'un juge qui vient d'arrêter un suspect, illustre parfaitement le manque d'assurance des enquêteurs.

L'automne et le printemps s'écoulent sans qu'aucun meurtre soit commis, et Francesco Vinci reste en prison. La population de la région de Florence ne se sent pas en sécurité pour autant, les gens ayant le plus grand mal à voir dans ce séducteur vulgaire le Monstre à l'intelligence aristocratique qu'ils ont imaginé.

La ville tout entière redoute le retour de l'été, saison de prédilection du Monstre.

11

Mario Spezi profite de l'automne et de l'hiver 1982-1983 pour écrire un livre sur le Monstre de Florence. Publié au mois de mai, *Il Mostro di Firenze* évoque l'affaire dans son ensemble, depuis les meurtres de 1968 jusqu'au double assassinat de Montespertoli. Terrifiés à l'idée de ce qui les attend avec le retour des beaux jours, les Florentins se ruent sur l'ouvrage. Mais à mesure que l'été s'installe sur les collines de la région, aucun nouveau crime ne vient troubler leur quiétude et les Florentins commencent à se persuader que la police a arrêté le véritable coupable.

En plus des articles qu'il continue de rédiger sur l'affaire, Spezi signe cet été-là un portrait d'une cinéaste nommée Cinzia Torrini. La jeune femme a récemment consacré un joli documentaire au passeur qui travaille sur le dernier bac naviguant d'une rive à l'autre de l'Arno, un vieux sage prénommé Berto qui gratifie ses passagers d'une multitude d'histoires, de légendes et de devises toscanes. Torrini, flattée par l'article de Spezi, lit avec intérêt son livre et lui propose de réaliser un film sur le Monstre de Florence. Spezi l'invite à dîner chez lui, à une heure tardive du fait de ses obligations au journal.

Le 10 septembre 1983, par un samedi soir sans lune, Torrini se rend chez Spezi en voiture, traversant les collines qui surplombent la ville. La jeune femme ne manque pas d'imagination et les arbres qui bordent la route lui font l'effet de squelettes aux doigts crochus. Elle en arrive même à se

demander s'il est prudent de parcourir la campagne florentine un samedi soir sans lune pour aller s'entretenir avec un
journaliste de crimes horribles commis dans ces mêmes collines par un assassin amateur de samedis soir sans lune.
En plein virage, les phares de sa vieille Fiat 127 éclairent une
silhouette blanche au milieu de la petite route. La forme s'allonge et se met à grossir. Se détachant de l'asphalte, elle
s'élève lentement dans les airs à la façon d'un drap porté par
le vent. La jeune femme reconnaît alors une grande chouette
blanche. Persuadée, comme beaucoup d'Italiens, que croiser
une chouette en pleine nuit est un mauvais présage, elle
hésite un instant à faire demi-tour.

Quelques minutes plus tard, Torrini se gare sur le petit
parking aménagé à l'entrée de la vieille villa et sonne chez
Spezi. Son appréhension s'évanouit lorsqu'elle découvre le
journaliste. L'appartement est aussi chaleureux que pitto-
resque avec sa *scagliola*, une table de jeu du XVIIe siècle, en
guise de table basse, ses vieilles photos et ses gravures
accrochées aux murs, sa cheminée dans un coin du salon. La
table est dressée sur la terrasse dominant les collines au
milieu desquelles brillent quelques lumières. Torrini rit intérieurement de sa peur absurde et décide d'oublier l'incident
de la chouette.

Tout au long de la soirée, il n'est question que du film
consacré au Monstre de Florence.

— Ce ne sera sûrement pas facile, reconnaît Spezi. Il nous
manque le protagoniste de l'affaire : le tueur lui-même. Je
doute que la police tienne le vrai coupable avec ce Francesco Vinci qui attend son procès en prison. Raconter l'affaire équivaudrait à écrire une histoire policière dont on ne
connaîtrait pas la fin.

Torrini balaie l'argument d'un geste.

— Je ne suis pas d'accord. Le héros de l'histoire, ce n'est
pas l'assassin, c'est la ville de Florence, qui découvre peu à
peu qu'elle abrite un monstre en son sein.

À la requête de son invitée, Spezi lui explique pourquoi il
ne croit pas à la culpabilité de Francesco Vinci.

— La police n'a rien de concret contre lui. Tout ce qu'on sait, c'est qu'il a été l'amant de la première femme assassinée, qu'il bat ses petites amies et qu'il est malhonnête. Contrairement à la police, il me semble que ces arguments plaident même en sa faveur.

— Pour quelle raison ? s'étonne Torrini.

— Ce type-là aime les femmes, il a beaucoup de succès auprès d'elles, et ça suffit à me convaincre qu'il n'est pas le Monstre. Il les frappe, mais il n'est pas du genre à les tuer. À l'inverse, le Monstre s'applique à détruire ses victimes. Il les hait justement parce qu'il est dans l'incapacité de les posséder. Ça le rend fou, c'est ce qui alimente sa frustration, et la seule façon pour lui de les posséder physiquement est de leur enlever ce qui est pour lui le symbole de leur féminité.

— Si vous avez raison, cela voudrait dire que le Monstre est un impuissant. C'est bien ça ?

— Plus ou moins.

— Que faites-vous des aspects rituels attachés aux meurtres ? La manière dont il dispose les corps ? Ce cep de vigne dans le vagin de l'une des femmes, par exemple, qui fait penser aux paroles de saint Jean : « Il retranchera toutes les branches qui ne portent pas de fruit » ? Vous croyez que le tueur entend punir les couples qui font l'amour en dehors du mariage ?

Spezi éclate de rire dans un nuage de fumée.

— Tout ça, c'est du folklore. Vous savez pourquoi il a utilisé un vieux cep de vigne ? Si vous regardez bien les photos prises sur la scène de crime, vous remarquerez que la voiture était garée à côté d'un champ de vignes. Il s'est contenté de prendre le premier bout de bois qui lui tombait sous la main, c'est tout. À mon avis, l'utilisation d'un bâton pour violer sa victime ne fait que confirmer qu'il n'a rien d'un surhomme. Je ne serais pas surpris qu'il ne viole pas ses victimes parce qu'il en est incapable.

La soirée touche à sa fin lorsque Spezi prend un exemplaire de son livre, l'ouvre à la dernière page et en lit un passage à voix haute : « Beaucoup d'enquêteurs croient avoir résolu l'affaire du Monstre de Florence. Mais, si on me posait la question à la fin d'un dîner entre amis, je vous avouerais volontiers que je tends le dos chaque fois que la sonnerie du téléphone retentit le dimanche matin. Surtout au lendemain d'une nuit sans lune. »

Mario repose son livre et un long silence enveloppe la terrasse.

Soudain, le téléphone sonne.

C'est l'un des contacts de Spezi, un lieutenant de la brigade locale des carabiniers.

— Mario, on vient de retrouver deux jeunes gens assassinés dans une camionnette Volkswagen à Giogoli, au-dessus de Galluzo. Difficile de dire s'il s'agit du Monstre car les victimes sont deux hommes. À ta place, j'irais quand même faire un tour.

12

Pour rejoindre Giogoli, Spezi et Torrini doivent emprunter une route particulièrement raide qui passe derrière le célèbre monastère de La Certosa. Connue sous le nom de Via Volterrana, il s'agit de l'une des plus vieilles routes d'Europe, construite par les Étrusques il y a trois mille ans. À son sommet, la Via Volterrana décrit une courbe douce avant de suivre la ligne des crêtes. À droite, se trouve l'embranchement avec la Via di Giogoli, une voie étroite courant entre deux murs de pierre recouverts de mousse. Celui de droite entoure la Villa Sfacciata, autrefois propriété d'une famille de la vieille noblesse toscane, les Martelli. En italien, le terme *Sfacciata* est synonyme de culotté et ce nom, vieux de cinq siècles, remonte à l'époque où la ville était habitée par le navigateur Amerigo Vespucci.

Du côté gauche, la Via di Giogoli longe un grand champ d'oliviers. À une cinquantaine de mètres de l'embranchement, presque en face de la villa, une brèche dans le mur permet aux tracteurs d'accéder à l'oliveraie ; à l'intérieur de l'enceinte, une petite aire plate offre une vue somptueuse sur les collines du sud de Florence, parsemées de châteaux, de tours, d'églises et de villas. Quelques centaines de mètres plus loin, se dresse une célèbre tour romane connue sous le nom de Sant'Allessandro a Giogoli. La butte voisine abrite une charmante villa du XVIe siècle, cachée derrière un rideau de cyprès et de pins parasols. Elle appartient à la famille Marchi dont l'une des descendantes par alliance, la marquise

Frescobaldi, était une amie personnelle de la famille royale anglaise ; le prince Charles et Lady Diana ont même séjourné là peu après leur mariage.

Au-delà, la Via di Giogoli serpente à travers un labyrinthe de villages et de hameaux jusqu'aux banlieues ouvrières de Florence. La nuit, ces quartiers cessent de faire grise mine et se transforment en un tapis lumineux magique.

Ce site est sans doute l'un des plus beaux de toute la Toscane.

La ville de Florence, à la suite de ce crime, fera installer à cet endroit une pancarte en allemand, anglais, français et italien, destinée à prévenir les touristes : « Interdiction de stationner de 19 heures à 7 heures. Pour votre sécurité, il est interdit de camper ici. » En septembre 1983, la pancarte n'existait pas et des campeurs avaient eu la mauvaise idée de s'installer à cet endroit.

Lorsque Spezi et Torrini arrivent sur les lieux, ils retrouvent l'ensemble des membres de l'équipe chargée de l'enquête : la juge Silvia Della Monica, accompagnée de son supérieur hiérarchique, Piero Luigi Vigna, qui affiche une mine défaite. Le médecin légiste, Mauro Maurri, s'active autour des deux cadavres, les yeux brillants. Quant au commissaire Sandro Federico, il fait les cent pas, les nerfs à fleur de peau.

Un spot fixé sur le toit d'une voiture de police éclaire d'une lumière fantomatique la scène de crime, projetant des ombres interminables autour du petit groupe qui s'affaire près d'un minibus Volkswagen immatriculé en Allemagne. À la lumière crue du projecteur, le moindre détail paraît sordide : les rayures sur la peinture du vieux minibus, les traits marqués des enquêteurs, les branches des oliviers dont les formes tordues se découpent dans l'obscurité. À gauche de la camionnette, le champ descend en pente douce jusqu'à un hameau de maisons en pierre, celui-là même où je m'installerai avec ma femme et mes enfants vingt ans plus tard.

À l'arrivée du journaliste et de la cinéaste, la porte gauche du minibus est ouverte et les dernières mesures de la bande originale du film *Blade Runner* s'en échappent. Cette mélodie a résonné toute la journée, la cassette se rembobinant automatiquement chaque fois qu'elle est terminée. Le commissaire Federico s'approche et ouvre la main, laissant apparaître deux douilles de calibre .22 sur lesquelles on distingue nettement la signature caractéristique de l'arme du Monstre.

Le Monstre a de nouveau frappé. Le nombre de ses victimes s'élève désormais à dix et Francesco Vinci, toujours incarcéré, n'a pu commettre ce nouveau double meurtre.

— Pourquoi s'en prendre à deux garçons cette fois-ci ? s'étonne Spezi.

— Tu n'as qu'à jeter un œil à l'intérieur du minibus, rétorque Federico avec un léger signe de tête.

Spezi s'approche de la camionnette. En passant, il discerne des impacts de balles en haut des petites fenêtres latérales, à l'endroit où le verre est transparent. Le journaliste coule un œil à l'intérieur en se hissant sur la pointe des pieds. Pour avoir pu viser convenablement, l'assassin est forcément plus grand que Spezi et doit mesurer près d'un mètre quatre-vingts. Spezi repère d'autres impacts sur la carrosserie du minibus.

Plusieurs personnes se tiennent près de la porte ouverte du véhicule : des policiers en civil, des carabiniers, des enquêteurs. Autour, l'herbe détrempée par la rosée a été copieusement piétinée, supprimant tout espoir de retrouver des traces de l'assassin. Une fois de plus, la police n'a pas protégé les lieux.

Lorsqu'il a jeté un coup d'œil à l'intérieur de la camionnette par la fenêtre, Spezi a remarqué des pages de magazine à ses pieds, toutes arrachées d'une revue pornographique, *Golden Gay*.

Dans le peu de lumière qui filtre à l'intérieur de l'habitacle, Spezi constate que les deux sièges avant sont inoccupés. Juste derrière, il distingue le corps allongé d'un jeune homme au visage barré d'une fine moustache, les yeux vitreux. Il repose sur un matelas double, les pieds dirigés vers l'arrière du véhicule. Le second corps gît dans un coin.

Le malheureux s'est recroquevillé sur lui-même, pétrifié par la peur, les poings serrés, le visage encadré de longs cheveux blonds maculés de sang noir coagulé.

— Tu ne trouves pas qu'il ressemble à une fille ?

Spezi sursaute en reconnaissant la voix de Sandro Federico.

— On s'est fait avoir, nous aussi. Mais c'est un mec. On dirait que notre copain a commis la même erreur. Je me demande bien comment il a réagi en s'apercevant qu'il s'était trompé.

Au matin du lundi 12 septembre, toute la presse italienne titre en caractères gigantesques :

TERREUR À FLORENCE
LE MONSTRE CHOISIT SES VICTIMES AU HASARD

Les victimes en question, Friedrich Wilhelm Horst Meyer et Uwe Jens Rüsch, tous deux âgés de vingt-quatre ans, effectuaient ensemble un périple touristique en Italie lorsqu'ils ont choisi de s'installer à cet endroit le 8 septembre. Leurs corps dénudés n'ont été retrouvés que le 10, vers 19 heures.

À l'époque des faits, Francesco Vinci était emprisonné depuis treize mois et le grand public commençait à se persuader de sa culpabilité lorsque le Monstre de Florence, comme dans le cas d'Enzo Spalletti, s'est appliqué à l'innocenter.

L'affaire du Monstre fait désormais les gros titres des journaux à travers le monde. Le *Times* de Londres lui consacre un cahier entier dans l'une de ses éditions dominicales et des équipes de télévision affluent de tous les coins de la planète, même d'Australie.

« Alors que le nombre de ses victimes s'élève désormais à douze[1], nous ne savons rien du Monstre, sinon qu'il est en liberté et qu'il peut se servir à tout moment de son Beretta de calibre .22 », peut-on lire dans *La Nazione*.

---

1. On pensait à l'époque que la terrible série du Monstre avait débuté avec les meurtres de 1968, ce qui établissait le nombre de ses victimes à douze, et non dix.

On pourrait croire imminente la remise en liberté de Francesco Vinci, mais ce n'est pas le cas, les enquêteurs soupçonnant le nouveau double meurtre d'avoir été commis « sur ordre » par un proche décidé à établir l'innocence de Vinci. Il est vrai que le crime de Giogoli est différent des précédents, on pourrait presque le qualifier d'improvisé. On s'étonne surtout que le Monstre ait pu prendre l'un des deux hommes pour une femme, sachant qu'il ne tue ses victimes qu'après les avoir regardées faire l'amour. La date ne colle pas davantage, le drame ayant eu lieu un vendredi soir, et non un samedi comme d'habitude – même s'il est vrai que le meurtre du 22 octobre 1981 a été commis un jeudi...

Mario Rotella, un juge nommé à Florence peu avant les nouveaux meurtres, est désormais chargé de l'enquête. Dans l'une de ses premières interventions, il s'applique à brouiller les pistes : « Francesco Vinci n'a jamais été formellement identifié comme le Monstre de Florence. Il n'est qu'un suspect parmi d'autres pour l'ensemble des meurtres postérieurs à 1968. »

On s'en doute, cette déclaration fait beaucoup de bruit à Florence, tout comme celle de Silvia Della Monica lorsqu'elle insiste à son tour : « Vinci n'est pas le Monstre, ce qui ne veut pas dire qu'il soit innocent pour autant. »

13

Quelques jours après les meurtres de Giogoli, une réunion de crise a lieu dans le bureau du procureur, au premier étage d'un bâtiment situé sur la piazza San Firenze – un palais baroque du XVIIe siècle que les Florentins boudent parce qu'ils le jugent « trop moderne ». Piero Luigi Vigna dispose d'un petit bureau où flotte un épais nuage de fumée. Vigna a l'habitude de couper ses cigarettes en deux, fumant chaque moitié successivement afin de se donner l'impression de limiter sa consommation de tabac. Il y a là Silvia Della Monica, une petite femme blonde, elle aussi fumeuse invétérée, un colonel des carabiniers armé de deux paquets de Marlboro, le commissaire Federico qui torture continuellement un vieux cigare « toscan » entre ses dents, ainsi qu'un procureur adjoint qui grille gauloise sur gauloise. Adolfo Izzo, le seul non-fumeur de l'assistance, n'a qu'à respirer pour remplir ses poumons de bouffées nocives.

Le commissaire Federico et le colonel des carabiniers commencent par proposer une reconstitution des meurtres de Giogoli. Armés d'une multitude de schémas et de graphiques, ils montrent comment l'assassin a abattu l'un des deux hommes à travers les vitres latérales de la fourgonnette avant de tuer son compagnon, accroupi dans un coin, en tirant à travers la carrosserie. Le Monstre a ensuite pénétré dans le minibus où il a achevé ses victimes avant de s'apercevoir de son erreur. Furieux, il s'est acharné sur une revue pornographique trouvée par terre, dont il a déchiré plusieurs pages qu'il a abandonnées à côté du véhicule en s'en allant.

Le procureur Vigna souligne la façon inhabituelle dont le crime a été commis ; l'improvisation qui en ressort n'évoque en rien la méticulosité du Monstre, mais plutôt le désir de disculper Francesco Vinci. Les soupçons des enquêteurs vont alors se porter sur le neveu de Vinci, Antonio. Afin de disculper cet oncle qu'il adore, il aurait pris le relais du Monstre. Antonio, on s'en souvient, n'est autre que le bébé sauvé dans des conditions mystérieuses lors du « suicide » au gaz de sa mère en Sardaigne. Plus grand que les autres membres de sa famille, il est d'une taille suffisante pour avoir pu tirer à travers la mince fente de verre transparent située au-dessus des vitres dépolies de la camionnette.

D'un commun accord, les participants à la réunion décident de tendre un piège au meurtrier. Dix jours après le double crime de Giogoli, un entrefilet discret publié dans la presse signale l'arrestation d'Antonio Vinci, le neveu de Francesco Vinci, pour détention illégale d'armes à feu. Antonio et Francesco ont toujours été très proches, au point de participer ensemble à diverses aventures douteuses en marge de la loi. L'arrestation d'Antonio révèle l'intérêt manifeste des enquêteurs pour la piste sarde. Tout comme Silvia Della Monica, le juge d'instruction Mario Rotella est convaincu que Francesco et Antonio connaissent l'identité du Monstre de Florence. Ils sont surtout persuadés que l'ensemble du clan sarde partage ce terrible secret, tout simplement parce que le Monstre en fait partie.

À présent que l'oncle et le neveu se trouvent à la prison des Murate, on peut espérer les monter l'un contre l'autre et faire craquer l'un des deux. Bien qu'enfermés dans le même lieu, les deux hommes n'ont aucun moyen de communiquer et les enquêteurs s'appliquent à faire courir les rumeurs les plus folles à l'intérieur de l'établissement pour les pousser à commettre une erreur. Les deux prisonniers vont faire l'objet d'une série d'interrogatoires poussés. Il s'agit de faire croire à chacun des deux Vinci que l'autre a parlé, en laissant filtrer « par hasard » des informations sur cette trahison supposée.

Le stratagème ne fonctionne pas et les deux hommes restent désespérément muets. Un après-midi, dans la salle d'interrogatoire des Murate, le procureur Piero Luigi Vigna, à bout de patience, décide de faire craquer Francesco Vinci. Vigna, un homme raffiné au profil aquilin, a une longue carrière derrière lui. Bien qu'il ait déjà brisé des parrains de la Mafia, des assassins, des ravisseurs, des escrocs et des barons de la drogue, il va échouer avec le petit bandit sarde.

Pendant plus d'une demi-heure, le procureur s'acharne sur Vinci. Avec une logique implacable, il s'efforce de lui prouver sa culpabilité en détaillant le réseau d'indices et de présomptions qui pèsent sur lui. Usant brusquement d'une technique tout droit tirée d'un film hollywoodien, il s'approche – à le toucher – du Sarde barbu et hurle dans un déluge de postillons :

— Avoue, Vinci ! C'est toi le Monstre !

Francesco, parfaitement calme, fixe le procureur de son regard noir où brille une lueur d'ironie et lui demande d'une voix posée, en désignant le paquet de cigarettes de Vigna :

— Excusez-moi, monsieur le procureur, mais si vous voulez que je vous réponde, dites-moi d'abord quel est cet objet posé sur la table, s'il vous plaît.

Ne sachant où il veut en venir, Vigna décide de jouer le jeu.

— Mais… c'est un paquet de cigarettes.

— Excusez-moi, mais il est vide, non ?

Vigna acquiesce.

— Dans ce cas, reprend le Sarde, ce n'est *plus* un paquet de cigarettes. C'est un simple paquet. Maintenant, je voudrais que vous le preniez et le serriez dans votre poing.

Intrigué, Vigna s'exécute et fait une boule du paquet de cigarettes vide.

— Vous voyez bien ! s'exclame Vinci en dévoilant deux rangées de dents blanches. Maintenant, ce n'est même plus un paquet. Eh bien, monsieur le procureur, on peut dire la même chose de vos preuves. Vous pouvez les tourner et les retourner dans tous les sens, multiplier les grandes théories, ça ne restera jamais que de simples spéculations et non des preuves.

Antonio, le neveu, se révèle tout aussi coriace. Non seulement il résiste aux interrogatoires, mais il insiste même pour assurer lui-même sa défense lors de son procès pour détention illégale d'armes à feu. Il fait notamment remarquer que les armes incriminées n'ont pas été retrouvées chez lui, mais à quelque distance de là, et que rien ne prouve qu'elles lui appartiennent. Elles ont très bien pu être dissimulées là pour le faire avouer et le monter contre son oncle.

Innocenté, Antonio est libéré au terme de son procès.

14

À mesure que le temps passe, il devient de plus en plus difficile pour les juges de justifier l'incarcération de Francesco Vinci. L'acquittement de son neveu et l'échec de ses propres interrogatoires indiquent que sa remise en liberté n'est plus qu'une question de temps.

Frustré de voir l'enquête piétiner, le juge d'instruction Mario Rotella décide alors d'interroger une dernière fois Stefano Mele dans l'espoir de lui soutirer des informations. Rotella a soigneusement fourbi ses armes avant de se rendre à Vérone. Les principaux témoignages recueillis lors de l'enquête sur les meurtres de 1968 sont réunis dans un épais dossier : ceux du petit Natalino et de son père, mais aussi ceux du frère, du beau-frère et des trois sœurs de Stefano. Rotella emporte également avec lui les procès-verbaux des interrogatoires des protagonistes de l'affaire. Il est convaincu que les meurtres de 1968 ont été commis en groupe et soupçonne l'ensemble des membres du clan de savoir qui a conservé l'arme du crime. Ils connaissent tous l'identité du Monstre de Florence, il suffit de réussir à briser le mur de silence qui les entoure.

L'interrogatoire de Mele a lieu le 16 janvier 1984. Rotella commence par demander à Stefano si Francesco Vinci a pris part aux meurtres.

— Non, réagit aussitôt Mele. Francesco Vinci n'était pas avec moi le soir du 21 août 1968. Je l'ai accusé uniquement pour me venger de lui, parce qu'il avait été l'amant de ma femme.

— Dans ce cas, dites-moi qui se trouvait avec vous cette nuit-là.

— Je ne m'en souviens plus.

De toute évidence, Mele ment. Quelqu'un, peut-être le Monstre, le tient sous sa coupe. Mais comment ? Et pourquoi ? Quel châtiment Mele craint-il plus que la prison ?

Au terme de l'interrogatoire, Rotella reprend le chemin de Florence où les journalistes s'empressent de conclure que sa mission a échoué. En réalité, le juge rapporte un petit bout de papier souillé et froissé, retrouvé dans le portefeuille de Stefano Mele, sur lequel sont écrits quelques mots. Un document d'une importance capitale aux yeux du magistrat.

Le 25 janvier 1984, neuf jours après sa rencontre avec Mele, Rotella fait savoir qu'il tiendra une conférence de presse dans son bureau le lendemain à 10 heures. À l'heure dite, son bureau n'est pas assez grand pour accueillir la meute de journalistes et de photographes qui s'attendent tous à l'annonce de la remise en liberté de Francesco Vinci.

Leur surprise n'en est que plus grande lorsque Rotella déclare sur un ton très officiel :

— Avec le plein et entier accord du procureur de la province de Florence, il a été décidé d'incarcérer deux personnes pour les meurtres attribués à Francesco Vinci.

Deux heures après cette annonce sensationnelle, *La Nazione* est la première à sortir en kiosque une édition spéciale. À la une, s'affiche en gros caractères :

ARRÊTÉS !
LE MONSTRE N'AGISSAIT PAS SEUL

Sur la partie inférieure de la une, s'étalent les portraits des deux Monstres : Giovanni Mele, le frère de Stefano, et Piero Mucciarini, son beau-frère.

Beaucoup de Florentins accueillent la nouvelle avec le plus grand scepticisme, les traits grossiers des meurtriers présumés ne correspondant guère à l'image sophistiquée qu'ils se font d'un Monstre unanimement célébré pour son intelligence.

On ne va pas tarder à connaître les raisons qui ont poussé le juge à prendre une telle décision. À la fin de l'interrogatoire de Stefano Mele, Rotella a demandé à ce que l'on fouille son portefeuille. Un repli de celui-ci dissimule un petit morceau de papier. Il s'agit d'une sorte de pense-bête, une liste de réponses à opposer aux questions du juge lors de son interrogatoire. Le document, rédigé de la main de Giovanni Mele, le frère de Stefano, lui a été donné deux ans plus tôt, lorsqu'un lien a été établi pour la première fois entre l'affaire du Monstre de Florence et le double meurtre de 1968. L'écriture, malhabile, est celle d'un élève de CE1. Les mots, curieux mélange de majuscules et de minuscules, de sarde et d'italien, comptent de nombreuses fautes d'orthographe.

RAPORT DE NATALINO concernant
ONCLE PIERO.

Que tu aurais DIT son nom apprès
AVOIR PURGE TA PEINNE

COMMENT ON voit SUR LES TESTS balistique
Les Coups tirés

À peine a-t-il pris connaissance du contenu du précieux document que le juge le brandit sous le nez de Mele. Celui-ci « avoue » : oui, ses complices lors du drame de 1968 étaient effectivement son frère Giovanni et son beau-frère Piero Mucciarini. Les coups mortels ont été tirés par ce dernier.

— Ou plutôt, non, par mon frère, enfin je ne sais plus, ça remonte à si longtemps.

Le juge Rotella va suer sang et eau sur ces phrases énigmatiques pendant plusieurs jours. Après bien des efforts, il croit enfin comprendre leur signification. Lors de l'interrogatoire de Natalino au lendemain du drame de 1968, le petit garçon de six ans a signalé la présence d'un « oncle Piero ». Les détails fournis par Natalino semblent impliquer son oncle Piero Mucciarini, le boulanger. Mais Barbara a un frère prénommé Pietro et Rotella interprète les recommandations du petit papier comme un stratagème destiné à lancer les enquêteurs sur une fausse piste en leur faisant croire qu'il s'agissait de ce Pietro, histoire de disculper Mucciarini. Ainsi, Stefano aurait dû déclarer : « Je suis enfin libre de parler, maintenant que je suis sorti de prison. Quand Natalino a signalé la présence de l'oncle Piero le soir du crime, il s'agissait en fait de Pietro, le frère de ma femme. Le Piero dont parlait Natalino, c'était lui. Les tests balistiques prouveront que c'est bien lui qui a tiré. »

Stefano aurait voulu détourner les soupçons qui pesaient sur le mari de sa sœur, Piero Mucciarini, sur Pietro, le frère de sa femme assassinée. Rotella en déduit tout naturellement que Piero Mucciarini est le vrai coupable avec Giovanni Mele, l'auteur du billet. Quelle autre raison aurait pu les pousser à agir de la sorte ? CQFD : les deux hommes sont le Monstre.

La logique du juge paraît bien discutable et personne ou presque n'accepte de suivre Mario Rotella dans un raisonnement aussi alambiqué.

Le juge n'en ordonne pas moins une fouille en règle du domicile et de la voiture de Giovanni, au cours de laquelle sont découverts un petit scalpel, plusieurs couteaux de bourrelier, des cordes soigneusement roulées dans le coffre de l'auto, une pile de revues pornographiques, quelques notes mystérieuses sur les phases lunaires, ainsi qu'un flacon contenant un savon à mains parfumé. Les enquêteurs recueillent des informations supplémentaires en interrogeant l'ancienne petite amie de Giovanni qui leur confie certains détails salaces sur ses habitudes sexuelles et la taille anormale de son sexe, énorme au point de rendre difficile toute relation sexuelle.

Quant à l'ancien « Monstre », Francesco Vinci, il reste sous les verrous au prétexte qu'il a quelque chose à cacher, d'après Rotella. Avec l'arrestation du double Monstre, trois membres de la communauté sarde locale sont à présent incarcérés et les juges s'emploient à lancer des rumeurs dans l'espoir de voir l'omerta sarde se lézarder.

À leur grand désespoir, c'est leur thèse qui va se lézarder.

15

Après tout ce temps, le nombre de magistrats chargés de l'affaire du Monstre s'élève à une demi-douzaine, dont le très charismatique Piero Luigi Vigna. Tous s'efforcent de bâtir une thèse compatible avec les éléments recueillis au cours de l'enquête, avant de mettre au point un acte d'accusation plausible. Dans le système judiciaire italien, les juges travaillent indépendamment les uns des autres, même lorsqu'il s'agit d'une même affaire. Chacun d'eux a pour mission de travailler sur les meurtres survenus pendant son « service », un principe qui permet de mieux répartir la charge de travail entre les différents magistrats d'un même siège. Un procureur représente le ministère public, avec le devoir de défendre les intérêts de l'État italien lors du procès. Dans l'affaire du Monstre, ce procureur a changé à plusieurs reprises, à mesure que se succédaient les crimes et que de nouveaux juges entraient dans la danse.

Ces magistrats, au même titre que les enquêteurs de la police et des carabiniers, sont placés sous l'autorité d'un *giudicce istruttore*, un juge d'instruction. Dans l'affaire du Monstre de Florence, la fonction de magistrat instructeur a été confiée au juge Mario Rotella qui supervise le travail de l'ensemble des acteurs concernés en veillant au respect de la loi.

On s'en doute, un tel système ne peut fonctionner que si les juges, le procureur et le magistrat instructeur s'entendent à peu près, ce qui n'est pas le cas dans cette affaire. Vigna et Rotella sont des personnages extrêmement différents. Peu enclins à coopérer en temps normal, ils n'ont pas tardé à étaler ouvertement leur désaccord face à la pression de l'opinion publique.

Vigna commande tout le premier étage du tribunal de Florence, une longue suite de petites pièces situées dans un étroit couloir. Ces bureaux sont en réalité d'anciennes cellules de moines, le bâtiment ayant longtemps été un couvent. Il règne dans cette partie du tribunal une atmosphère bon enfant ; les journalistes savent qu'ils sont les bienvenus et viennent couramment recueillir des informations auprès des magistrats, entre deux plaisanteries. Vigna lui-même fait figure de mythe en Toscane, pour avoir réussi à démanteler un réseau de kidnappeurs en appliquant une méthode simple : à chaque nouvel enlèvement, il ordonnait le gel des avoirs bancaires de la victime et de ses proches afin d'empêcher le paiement de la rançon. Refusant la présence à ses côtés de gardes du corps, Vigna n'a jamais voulu mettre son numéro de téléphone sur liste rouge et son nom apparaît en toutes lettres sur sa sonnette, un geste qui lui vaut l'admiration de ses concitoyens. La moindre de ses déclarations dans la presse fait figure d'oracle et les journalistes boivent ses bons mots comme du petit-lait. D'une élégance irréprochable, comme tout Florentin qui se respecte, c'est un bel homme doté de traits fins, d'un regard franc et d'un sourire amène. Les magistrats qui dépendent de Vigna jouissent d'une popularité similaire. Le dernier arrivé, Paolo Canessa, est un garçon ouvert à la personnalité brillante, tandis que Silvia Della Monica, charmante et vive, a su séduire les représentants de la presse en leur racontant certaines des affaires dont elle s'est occupée. En un mot, les journalistes qui se rendent au premier étage du tribunal ont l'assurance d'en ressortir avec leur lot d'anecdotes et d'informations.

L'atmosphère est tout autre dans le royaume de Mario Rotella, un étage plus haut, où se succèdent les mêmes cellules monacales transformées en bureaux. Rotella est lui-même originaire du sud de la péninsule, un détail qui lui vaut la méfiance des Florentins. Avec sa moustache démodée et ses lunettes à monture épaisse, il ressemble plus à un épicier qu'à un juge. À la fois cultivé et intelligent, il a l'art de se montrer ennuyeux et pédant lorsqu'il répond aux questions les plus simples par des périphrases interminables et amphigouriques. Ses déclarations, truffées de références aux traités de jurisprudence, sont incompréhensibles pour le commun des mortels, voire pour les spécialistes. Chaque visite à Rotella se conclut par une interminable logorrhée, qui n'apporte rien de nouveau, à la grande frustration des journalistes qui préféreraient repartir avec les détails dont ils ont besoin pour leurs articles.

La conversation qui se déroule entre Spezi et Rotella, au lendemain de l'arrestation de Giovanni Mele et Piero Mucciarini, en est la parfaite illustration.

— Vous avez des preuves permettant d'étayer votre thèse ? demande Spezi au juge.

— Oui, réplique Rotella.

Intrigué, Spezi insiste.

— Vous avez incarcéré deux suspects. Peut-on dire qu'ils forment le Monstre à eux deux ?

— Le Monstre n'existe pas de façon conceptuelle. En revanche, nous sommes en présence de quelqu'un qui a réitéré le crime initial.

— Le témoignage de Stefano Mele a-t-il servi de déclencheur ?

— Mele a fait des déclarations importantes qui confirment ce que nous savons. Nous disposons, non pas d'une, mais de cinq preuves essentielles que je donnerai le moment venu, lors du procès.

Les circonlocutions de Rotella mettent à rude épreuve les nerfs de Spezi et de ses collègues.

La seule affirmation de Rotella (« Je puis vous assurer d'une chose : les Florentins peuvent à présent dormir tranquilles ») est immédiatement contredite par l'un des juges de l'étage inférieur :

— Contrairement à ce qu'on l'on a pu vous dire au deuxième étage, annonce-t-il à la presse, je conseille vivement aux jeunes gens soucieux de rester en bonne santé d'éviter d'aller respirer l'air de la campagne la nuit.

À l'image des journalistes, le grand public n'adhère pas vraiment à la thèse du double Monstre et la peur est palpable à Florence à l'approche de l'été 1984. Les petites routes et les chemins qui sillonnent les collines tout autour de la ville sont déserts dès la tombée de la nuit. Face à l'atmosphère de crainte qui règne dans la région, un jeune publicitaire suggère la création de « villages de l'amour » : des espaces verts, clos et bien gardés, offrant aux amoureux l'espace d'intimité dont ils ont besoin. La proposition fait scandale. Les puritains s'insurgent contre la création de ce qu'ils considèrent comme un « bordel géant », mais le jeune créatif s'entête :

— Le village de l'amour est une façon d'affirmer que chacun d'entre nous a droit à une vie sexuelle libre et heureuse.

Dès les premiers jours de chaleur, la tension monte d'un cran. Les journaux et les télévisions du monde entier se font l'écho de l'affaire. Le *Sunday Times* de Londres et l'*Asahi Shimbun* de Tokyo consacrent des numéros spéciaux au Monstre de Florence, des reportages sont diffusés en France, en Allemagne et en Angleterre. La fascination du public étranger ne s'explique pas tant par la nature des meurtres que par le cadre dans lequel ils ont été commis. Florence a depuis toujours la réputation d'une ville musée dont les peintres, les sculpteurs et les poètes ont de tout temps célébré la beauté. La cité toscane est renommée pour ses palais, ses villas, ses jardins, ses ponts, ses boutiques de luxe et sa cuisine raffinée. Comment croire qu'elle puisse abriter un tueur en série, sans parler de l'insécurité qui règne dans ses rues sales et bruyantes, du trafic de drogue qui gangrène sa jeunesse ? Le Monstre a ouvert une boîte de Pandore en montrant que derrière la capitale de la Renaissance se dissimule une métropole polluée et sordide.

Au plus fort de l'été, la situation devint intenable. Rares sont les Florentins qui croient le Monstre en prison. En consultant un calendrier, Mario Spezi note qu'il n'y aura qu'un seul samedi sans lune de tout l'été : la nuit du 28 au 29 juillet. Quelques jours avant l'arrivée du week-end, il croise le commissaire Sandro Federico dans les locaux de la police. Après quelques minutes de discussion, Spezi se lance :

— Tu sais, Sandro, j'ai peur que tout le monde se retrouve à la campagne dimanche.

Le commissaire dessine de deux doigts levés les cornes du diable afin de chasser les mauvais esprits.

Mais le dimanche 29 s'écoule paisiblement et ce n'est qu'à l'aube du lundi 30 que le téléphone sonne chez Spezi.

16

Le jour se lève sur une journée magnifique, à la fois fraîche et lumineuse, de celles qui font croire à l'existence de Dieu. Cette fois, Spezi arpente un champ de fleurs et d'herbes médicinales à la sortie de Vicchio, la ville natale du peintre Giotto, à quarante kilomètres au nord-est de Florence.

Les corps des deux victimes, Pia Rontini et Claudio Stefanacci, ont été découverts très tôt ce matin-là, tout au bout d'un chemin de terre, par des amis qui ont passé la nuit à leur recherche. La jeune fille avait dix-neuf ans et le garçon venait d'en avoir vingt. Le crime a eu lieu à moins de huit kilomètres du champ de Borgo San Lorenzo où le Monstre a assassiné deux personnes en 1974.

Le corps de Claudio est encore à l'intérieur de la voiture, au pied d'une colline boisée appelée La Boschetta, le Bosquet. Le cadavre de Pia a été traîné sur plusieurs dizaines de mètres jusqu'à un champ dégagé, à moins de deux cents mètres d'une ferme. Elle a subi des mutilations identiques à celles des victimes féminines précédentes ; cette fois, le meurtrier a été plus loin puisqu'il a littéralement arraché le sein gauche de la jeune fille. L'heure de la mort a pu être établie grâce à un témoin, le fermier voisin, qui a entendu des coups de feu à 21 h 40 ; sur le moment, il a cru qu'il s'agissait des ratés d'un moteur de mobylette.

Le crime a été commis alors que les trois principaux suspects – Francesco Vinci, Piero Mucciarini et Giovanni Mele – sont en prison.

Ce nouveau drame fait naître un vent de panique à Florence où la police se trouve en butte aux critiques acerbes de la population. Une fois de plus, l'affaire fait les gros titres des journaux dans toute l'Europe. Partout, on souligne l'incompétence des enquêteurs dont les suspects sont systématiquement innocentés par le Monstre de la manière la plus sanglante qui soit. Mario Rotella refuse pourtant de les libérer, plus que jamais convaincu qu'ils ont participé aux crimes de 1968 et connaissent l'identité du Monstre.

La police et les magistrats chargés de l'enquête, inquiets du tour que prend l'affaire, poussent Vigna à s'adresser directement à l'opinion publique.

— Je demande instamment à ceux qui savent quelque chose de se manifester, déclare-t-il. Je suis persuadé que certaines personnes savent des choses et refusent de parler, pour des raisons qui leur appartiennent. On ne peut imaginer qu'un criminel souffrant d'une telle pathologie n'ait rien laissé paraître auprès de son entourage.

Cette déclaration de Vigna déclenche une nouvelle vague de lettres anonymes. Les courriers arrivent par milliers, pour certains rédigés avec des caractères découpés dans les journaux, qui s'entassent dans les placards de la police. On y trouve des accusations contre des voisins, des proches, des amis aux habitudes sexuelles douteuses, ou bien encore le curé de la paroisse ou le médecin de famille. Les gynécologues sont de nouveau l'objet des pires accusations. Certaines lettres, signées par des intellectuels de renom, contiennent des théories fumeuses émaillées de citations littéraires et de devises en latin.

Au lendemain du double meurtre de Vicchio, le Monstre de Florence a acquis une nouvelle dimension, échappant à son statut de simple criminel pour devenir le miroir des pensées les plus sombres, des fantasmes et des turpitudes de toute une ville. Beaucoup de lettres dénoncent des cultes ésotériques ou sataniques. Professeurs et experts supposés, quelles que soient leurs connaissances en criminologie, exposent leurs élucubrations à la télévision et dans les journaux. L'un de ces « experts » se fait l'écho d'une rumeur persistante selon laquelle le Monstre serait anglais. « Ces crimes sont caractéristiques de la mentalité anglaise, ou peut-être allemande. » Un autre poursuit sur cette lancée en écrivant aux journaux : « Représentez-vous Londres et sa City par une nuit de brouillard. Un citoyen au-dessus de tout soupçon sort brusquement de l'obscurité et s'acharne sur un jeune couple innocent. On imagine facile-ment la brutalité, l'érotisme, l'impuissance, la souffrance… »

Les conseils n'en finissent pas. « Vous n'aurez aucun mal à retrouver et arrêter l'assassin. Il vous suffit d'aller le chercher là où il est, c'est-à-dire dans les boucheries ou les hôpitaux, puisque nous avons manifestement affaire à un boucher ou un chirurgien, voire un infirmier. »

Un autre affirme : « Il ne peut s'agir que d'un célibataire d'une quarantaine d'années vivant chez sa mère. Elle est for-cément au courant de son "secret", tout comme le curé qui le reçoit régulièrement en confession, car il est clair qu'il s'agit d'un pratiquant assidu. »

La possibilité que l'assassin soit une femme n'est pas écar-tée : « Le Monstre est une femme, une virago affirmée d'ori-gine britannique. Elle enseigne dans une école de Florence à des enfants de moins de treize ans. »

Des centaines de détectives privés plus ou moins impro-visés débarquent des quatre coins de l'Italie, tous certains de détenir la vérité avant même leur arrivée en Toscane. Armés jusqu'aux dents, ils arpentent la nuit les collines de la région à la recherche du Monstre et n'hésitent pas à poser à l'invi-tation de la presse locale.

Plusieurs personnes se présentent à la police en affirmant être le Monstre. Un inconnu réussit l'exploit de se brancher sur la fréquence radio des services de secours de Florence et de déclarer : « Je suis le Monstre et je ne tarderai pas à frap-per de nouveau. »

Dans leur grande majorité, les Florentins sont choqués par l'attitude de leurs concitoyens. « Je n'aurais jamais cru les Florentins aussi bizarres », s'insurge Paolo Canessa, l'un des juges chargés de l'enquête.

Quant au commissaire Sandro Federico, il regrette amèrement ce déluge : « Notre hantise est de passer à côté d'un indice important, noyé dans la masse des dénonciations. » De nombreuses lettres anonymes sont adressées directement à Mario Spezi, destinataire désigné par ses fonctions de « Monstrologue » à *La Nazione*. L'un de ces courriers, rédigé en lettres capitales, attire l'attention du journaliste qui croit y discerner des accents de vérité absents des autres missives.

JE SUIS TOUT PRÈS. VOUS NE ME PRENDREZ QUE LE JOUR OÙ JE LE VOUDRAI BIEN, MAIS JE SUIS ENCORE LOIN DU COMPTE. SEIZE VICTIMES, C'EST PEU. JE NE HAIS PERSONNE, MAIS JE NE PEUX PAS M'EN EMPÊCHER SI JE VEUX CONTINUER À VIVRE. ATTENDEZ-VOUS À VERSER BIENTÔT DU SANG ET DES LARMES. VU LA FAÇON DONT VOUS VOUS Y PRENEZ, VOUS N'ÊTES PAS PRÈS DE M'ATTRAPER. VOUS VOUS TROMPEZ SUR TOUTE LA LIGNE. DOMMAGE POUR VOUS. CONTRAIREMENT À LA POLICE, JE NE COMMETTRAI PLUS D'ERREURS. LA NUIT M'HABITERA TOUJOURS. J'AI PLEURÉ SUR LEUR SORT. VOUS POUVEZ COMPTER SUR MOI.

La référence au chiffre seize est étrange, car le nombre des victimes, au lendemain du double meurtre de Vicchio, s'élève à douze (ou bien à quatorze si l'on tient compte du drame de 1968). On peut donc supposer que le courrier est l'œuvre d'un malade, jusqu'à ce que quelqu'un se souvienne de deux amoureux assassinés dans leur voiture un an plus tôt près de Lucca. L'arme du crime était un Beretta de calibre .22, mais le cadavre de la jeune femme n'a subi aucune mutilation. Le crime n'a jamais été attribué officiellement au Monstre de Florence, bien que l'affaire n'ait pas été élucidée.

Les rumeurs les plus folles continuent de circuler à Florence lorsqu'un incident va venir monopoliser l'attention du grand public. L'après-midi du 19 août 1984, près de trois semaines après les meurtres de Vicchio, le prince Roberto Corsini disparaît dans les bois attenants au château familial de Scarperia, à une douzaine de kilomètres de Vicchio. Héritier de la dernière dynastie princière de Toscane, le prince

Roberto est issu d'une longue lignée patricienne, celle des Corsini, qui a donné au monde le souverain pontife Clément XII. La famille possède sur les bords de l'Arno un palais somptueux où est conservé le trône de cet ancêtre pape, au milieu d'une collection impressionnante de trésors de la Renaissance et du baroque. La fortune des Corsini a fini par s'évanouir, leur *palazzo* n'a même plus l'électricité, mais la famille reste à la tête d'un nombre impressionnant de propriétés, accumulées au cours des siècles. Le grand-père de Roberto, le prince Neri, se vantait autrefois de pouvoir rejoindre Rome à cheval depuis Florence, un trajet de près de trois cents kilomètres, sans jamais quitter ses terres.

Le prince Roberto est un personnage brusque et taciturne qui ne fréquente guère l'aristocratie locale, préférant vivre en reclus dans le château familial, entouré de quelques proches. Il ne s'est jamais marié, personne ne lui connaît d'aventures féminines, et ses amis l'ont surnommé l'Ours.

Le dimanche 19 août 1984, il est 16 heures lorsque le prince Roberto quitte des amis allemands de passage au château pour aller faire une promenade dans les bois, muni d'une paire de jumelles. Vers 21 heures, ne le voyant pas revenir, ses amis inquiets préviennent les carabiniers de la ville la plus proche, Borgo San Lorenzo. Les forêts des alentours sont passées au peigne fin toute la nuit, en vain. Le prince a disparu.

La battue reprend à l'aube et l'un de ses amis remarque soudain une branche couverte de sang. En poussant jusqu'à un ravin au fond duquel court un torrent, l'homme retrouve les lunettes du prince, en miettes, puis il découvre des taches rouges sur l'herbe, ainsi que les jumelles de Corsini, placées sur la rive boueuse du cours d'eau. Un faisan tué d'un coup de fusil repose quelques mètres plus loin, tout près de l'endroit où gît le prince, couché sur le ventre, les jambes dans l'eau, la tête appuyée contre un rocher.

En retournant le corps, l'ami du prince comprend que ce dernier a été abattu d'un coup de fusil en pleine tête, tiré à bout portant.

La nouvelle de l'assassinat se répand comme une traînée de poudre à Florence, où beaucoup de gens sont persuadés que le Monstre fait partie de la riche aristocratie locale. L'annonce de l'assassinat mystérieux d'un prince connu pour sa bizarrerie, vivant seul dans un château sinistre proche des lieux où ont été commis plusieurs des crimes du Monstre, donne à la rumeur des allures de certitude dans l'esprit de beaucoup : le Monstre de Florence n'est autre que le prince Roberto Corsini.

Ni la presse ni les enquêteurs n'ont pourtant laissé entendre que le meurtre du prince pouvait être lié, de près ou de loin, à l'affaire du Monstre, mais leur silence est interprété comme une preuve supplémentaire de sa culpabilité. De toute évidence, une famille aussi célèbre et puissante que celle des Corsini a tout fait pour éviter le scandale. Maintenant que le prince est mort et ne peut plus être jugé, rien de plus simple que d'étouffer l'affaire.

Deux jours plus tard, l'annonce du cambriolage du château des Corsini vient renforcer la rumeur. Le plus curieux est que rien n'a été volé : qui a bien pu s'introduire par effraction dans un lieu où grouillent les enquêteurs de la police criminelle ? Pour beaucoup, il s'agit d'un cambriolage commandité par des inconnus désireux de faire disparaître des indices compromettants avant qu'ils ne soient découverts.

La rumeur continue d'enfler, même lorsque l'assassin du prince est arrêté quatre jours plus tard et avoue son crime. C'est un braconnier que le prince a surpris en train d'attraper un faisan. Le jeune homme prétend avoir voulu se débarrasser du prince en lui tirant dans les jambes ; Corsini s'est baissé par réflexe, croyant échapper au tir de son agresseur, et a reçu le coup en pleine tête.

L'opinion publique refuse de croire à une explication aussi simple, persuadée qu'on ne tue pas pour un motif aussi futile. Loin de calmer les esprits, la thèse du braconnier ne fait qu'amplifier le bruit selon lequel le clan Corsini a voulu étouffer une affaire qui le dérangeait. En outre, le crime du braconnier n'explique en rien le mystérieux cambriolage du château deux jours après le meurtre.

Des salons de l'aristocratie florentine aux trattorias populaires de la ville, la *véritable* histoire du Monstre de Florence fait rapidement son chemin, avec le prince Roberto Corsini dans le rôle principal. À en croire les potins qui circulent un peu partout, la famille a pesé de tout son poids sur les autorités en apprenant la vérité. Le terrible secret aurait été découvert par un « autre » ; au lieu de s'adresser à la police, l'inconnu supposé aurait décidé de faire chanter le prince et lui aurait extorqué des sommes importantes en échange de son silence. Le 19 août, vingt jours après le double meurtre de Vicchio, le maître chanteur et l'assassin se seraient donné rendez-vous au bord du petit torrent. À la suite d'une dispute, les deux adversaires en seraient venus aux mains et le maître chanteur aurait abattu le prince.

On murmure également qu'une tierce personne est au courant de la culpabilité du prince et que le chantage, loin de s'arrêter, a repris, cette fois au détriment de la famille. Pour que la manœuvre réussisse, les maîtres chanteurs ont besoin de preuves de l'implication du prince et ils ont décidé d'aller les chercher dans les profondeurs du château, ce qui explique le cambriolage. Quant à la nature des preuves elles-mêmes, on pense au Beretta, aux cartouches Winchester de série H, voire aux sinistres trophées prélevés par le Monstre sur ses victimes.

Ces commérages, nés des fantasmes des Florentins, sont aussi infondés qu'absurdes. Aucun élément tangible ne permet d'étayer une telle théorie, tant dans les rapports d'enquête que dans les comptes rendus parus dans la presse, mais le bruit n'en continue pas moins de se propager pendant plus d'un an, jusqu'à ce qu'un élément vienne lui apporter un démenti formel : un nouveau meurtre.

17

À la fin de l'année 1984, l'affaire du Monstre de Florence fait toujours les gros titres de la presse européenne. Le diplomate et écrivain Jean-Pierre Angremy, qui fera son entrée à l'Académie française quelques années plus tard sous le pseudonyme de Pierre-Jean Remy, prend ses fonctions de consul de France à Florence en 1985. Fasciné par l'affaire, il lui consacre en 1986 un roman intitulé *Une ville immortelle*, tandis que l'auteure italienne Laura Grimaldi écrit *Le Soupçon*, en 1988, et que la spécialiste anglaise du roman policier Magdalen Nabb s'empare elle aussi du Monstre. Ce n'est que le début d'une vague qui va apporter sur le marché une foison de reportages et de fictions traitant de l'affaire. L'histoire du Monstre attire même l'attention de Thomas Harris qui emprunte certains détails de l'affaire pour son roman *Hannibal* – la suite de son best-seller *Le Silence des agneaux*. Dans *Hannibal*, le docteur Lecter se réfugie à Florence où il occupe, sous le pseudonyme du docteur Fell, la fonction d'archiviste et bibliothécaire au palais Capponi, après avoir assassiné son prédécesseur pour prendre sa place.

Dans le même temps, un grand éditeur japonais commande à Mario Spezi un livre sur le Monstre, réédité cinq fois depuis, et toujours disponible à ce jour. Au total, l'affaire a inspiré une douzaine d'ouvrages, dont une bande dessinée destinée au public adolescent, *Il Monello* (*Le Polisson*), qui a fait scandale à sa sortie. L'auteur, par mesure de précaution, a sagement préféré garder l'anonymat.

On pouvait s'y attendre, le monde de l'image ne tarde pas à s'intéresser à l'histoire du Monstre et pas moins de deux films voient le jour en 1984. Si le réalisateur du premier préfère changer les noms des protagonistes afin d'éviter tout risque de procès, le second est un documentaire dont l'auteur exprime sa conviction que le Monstre est issu d'une famille incestueuse et que sa mère le sait coupable. De nombreux Florentins sont choqués en apprenant que les deux cinéastes ont décidé de tourner sur les lieux mêmes des meurtres. Les proches des victimes s'empressent d'interpeller la justice dans l'espoir de bloquer les tournages, mais les juges rendent une décision pour le moins curieuse en interdisant la projection des films partout en Italie, sauf à Florence.

Face à la pression de l'opinion publique, la police et les carabiniers reprennent l'enquête de zéro et mettent sur pied une unité spéciale, la Squadra Antimostro, la SAM, placée sous la responsabilité du commissaire Sandro Federico. La quasi-totalité du troisième étage des locaux de la police de Florence est affectée à la SAM qui dispose en outre de moyens financiers et techniques importants, à commencer par l'une de ces machines miracles dont on croyait alors qu'elles allaient pouvoir tout résoudre, un PC, que les enquêteurs abandonnent très vite dans un coin, faute de savoir s'en servir.

À l'époque du crime de Vicchio, un autre tueur en série hante les rues de Florence, qui assassine successivement six prostituées en plein centre-ville. Malgré les agissements du Monstre, le meurtre fait si peu partie de la culture locale que la population est sous le choc. Bien que la technique employée, différente à chaque fois, n'ait aucun rapport avec celle du Monstre, plusieurs éléments poussent les enquêteurs à établir un lien entre les deux affaires. Systématiquement commis dans les appartements où les prostituées marchandent leurs services, ces nouveaux crimes sont clairement l'œuvre d'un sadique. Le coupable ne prend ni bijou ni argent à ses victimes, et le mobile du vol peut d'emblée être écarté.

Mauro Maurri, le médecin légiste déjà chargé d'autopsier les victimes du Monstre, constate, non sans surprise, que l'une des femmes assassinées a été torturée avant d'être poignardée. D'après lui, les blessures évoquent la technique du Monstre et correspondent assez bien aux marques qu'aurait pu laisser un couteau de plongée.

Le Monstre s'attaquerait-il désormais à un autre type de victimes ?

— Je n'en sais rien, répond Maurri lorsque Spezi lui pose la question. Mais il serait intéressant de comparer les traces laissées sur les prostituées à celles que l'on a pu découvrir sur les victimes du Monstre.

Pour des raisons obscures, l'examen demandé par Maurri ne sera jamais pratiqué.

La dernière des six prostituées vivait dans un taudis de la Via della Chiesa, une rue pauvre du quartier de l'Oltrarno à Florence. Son appartement est chichement meublé et des dessins de sa fille, dont la garde lui a été retirée par les services sociaux quelques années auparavant, sont accrochés aux murs. Le corps a été retrouvé gisant à terre, au pied d'une fenêtre. L'assassin a confectionné une camisole de force de fortune à l'aide d'un sweater avant d'étouffer sa victime en lui enfonçant un morceau de tissu dans la gorge.

En passant l'appartement au peigne fin à la recherche du moindre indice, les enquêteurs découvrent que le chauffe-eau a récemment été réparé par la société Quick House Repair, comme le confirme un autocollant apposé sur l'appareil. Ce détail attire l'attention de l'un des inspecteurs qui rejoint aussitôt son chef, Sandro Federico, occupé à examiner le corps de la victime.

— Commissaire ! s'exclame-t-il. Venez vite. Je crois avoir trouvé quelque chose d'intéressant.

L'entreprise Quick House Repair appartient à Salvatore Vinci.

18

Cette découverte va conduire les enquêteurs à s'intéresser de plus près à Salvatore Vinci. N'est-ce pas lui que Stefano Mele a initialement cité comme complice lors des meurtres de 1968 ? Rotella est persuadé que Salvatore n'est autre que le quatrième membre du commando ce soir-là, avec Piero Mucciarini, Giovanni Mele, et peut-être Francesco Vinci. Ces trois derniers étant incarcérés à l'époque du double meurtre de 1984, Salvatore fait désormais figure de principal suspect.

En se penchant sur le passé de Vinci, les enquêteurs apprennent que la rumeur publique à Villacidro, son village natal de Sardaigne, lui attribue le meurtre de sa femme Barbarina. Rotella décide alors de rouvrir l'enquête sur la mort de cette dernière en partant du principe qu'il s'agit d'un crime, et non d'un suicide. Les enquêteurs se rendent en Sardaigne où ils ne tardent pas à s'apercevoir, au milieu de la beauté sauvage de Villacidro, que Salvatore a un passé digne du Monstre de Florence.

Barbarina était tout juste âgée de dix-sept ans à sa mort, en 1961. Quelques années plus tôt, elle avait eu le malheur de sortir avec un certain Antonio que Salvatore haïssait ; désireux d'humilier son rival, Salvatore avait alors attaqué et violé Barbarina un jour dans un champ. La jeune fille était tombée enceinte et Salvatore avait fait « son devoir » en l'épousant. Tout le monde à Villacidro savait qu'il la maltraitait et la battait, lui donnant tout juste assez d'argent pour acheter le lait nécessaire à nourrir son enfant. Ce bébé représentait tout pour Barbarina qui l'avait prénommé Antonio, en l'honneur de son premier amour qu'elle continuait à voir en cachette.

Le prénom du bébé entachait l'honneur de Salvatore qui n'était même pas sûr d'en être le père. Avec le temps, une haine tenace a fini par s'établir entre Salvatore et son fils pour cette raison.

S'il s'agit bien d'un meurtre, Barbarina a signé son arrêt de mort au mois de novembre 1960 lorsqu'elle s'est fait surprendre en pleine campagne en compagnie de son amant. Celui qui les a découverts les a pris en photo. Depuis, tout le monde est au courant dans la région et Salvatore, s'il entend recouvrer son honneur conformément au vieux code barbagien, se doit de répudier sa femme ou bien de la tuer.

Il envisage un temps la première solution et exige de Barbarina qu'elle quitte le domicile conjugal. La jeune femme se met en quête d'un travail et reçoit, au début du mois de janvier 1961, une lettre d'une religieuse lui proposant de l'accueillir avec son bébé dans l'orphelinat qu'elle dirige, en échange de ses services. Une date a même été fixée : le 20 janvier 1961.

Barbarina ne se présentera jamais à l'orphelinat.

Le soir du 14 janvier, elle est seule avec son fils dans la minuscule masure qu'elle occupe avec Salvatore. Comme à son habitude, celui-ci se trouve au café en train de boire du *vermentino* et de jouer au billard.

En voulant chauffer le biberon du bébé, Barbarina s'aperçoit que la bouteille de propane est vide et demande à une voisine si elle peut se servir de sa gazinière. Un incident, mineur en apparence, qui permettra par la suite de battre en brèche la thèse officielle de sa mort, à savoir celle du suicide au gaz. Si la bouteille était vide trois heures plus tôt, et dans l'incapacité de s'en procurer une autre au débotté, comment aurait-elle pu s'asphyxier volontairement ?

Le même soir, peu avant minuit, Vinci quitte son beau-frère, avec qui il a passé la soirée au café, et rentre chez lui. Il affirmera par la suite avoir été contraint d'enfoncer la porte après l'avoir trouvée verrouillée de l'intérieur. En allumant la lumière, il constate que le berceau d'Antonio, âgé de onze mois, se trouve dans la cuisine alors qu'il aurait dû être dans la chambre. La porte de celle-ci est également fermée à clé de l'intérieur ; il est d'autant plus inquiet qu'un rai de lumière filtre sous la porte, malgré l'heure tardive.

— J'ai toqué et j'ai appelé Barbarina, sans réponse, explique-t-il quelques heures plus tard aux carabiniers. J'ai tout de suite pensé qu'elle était avec son amant, alors je me suis enfui pour ne pas risquer de me faire attaquer.

Si l'on a du mal à imaginer aujourd'hui un mari trompé partir en courant de peur d'affronter celui qui se trouve dans son propre lit, l'explication est d'autant plus absurde lorsque l'on sait que Vinci a vingt-quatre ans et que la scène se déroule en Sardaigne en 1961, à une époque où l'on ne transigeait pas avec l'honneur. Salvatore se précipite chez son beau-père et passe prendre au café le frère de Barbarina. Ensemble, ils regagnent la petite maison.

Des années plus tard, un villageois résumera parfaitement l'opinion générale :

— Il avait besoin de témoins pour son pseudo-suicide, c'est tout.

En présence de son beau-frère et de son beau-père, Salvatore ouvre la porte d'un simple coup d'épaule sans que le battant offre la moindre résistance, puis il pousse les hauts cris en croyant détecter une forte odeur de gaz, alors que ses compagnons ne sentent rien. La bouteille de propane se trouve près du lit, robinet ouvert, le tuyau de caoutchouc débouchant sur l'oreiller où repose la tête de Barbarina.

Cette dernière se serait donc suicidée à l'aide d'une bouteille de propane qui ne contenait plus assez de gaz pour chauffer un biberon de lait.

À l'époque, ce détail n'intrigue personne : ni les carabiniers, ni le médecin légiste, ni même les proches de la jeune femme. Le médecin légiste ne s'intéresse pas davantage aux marques retrouvées sur le cou et le visage de la jeune femme, comme si elle s'était défendue avant de mourir asphyxiée.

112

Autant d'indices troublants que vont découvrir les enquê-teurs lorsqu'ils rouvrent le dossier deux décennies plus tard, ce qui achève de les convaincre que Salvatore a bel et bien assassiné sa femme.

Rotella cherche à savoir si Vinci a pu emporter avec lui un Beretta de calibre .22 lorsqu'il a quitté la Sardaigne pour la Toscane. Les carabiniers de Villacidro vont alors établir que onze Beretta de calibre .22 étaient répertoriés dans le village en 1961. L'un d'entre eux a effectivement été volé peu avant le départ de Salvatore Vinci : il appartenait à un parent âgé de ce dernier, qui l'avait rapporté de Hollande où il avait tra-vaillé un temps. L'enquête diligentée à Amsterdam par Inter-pol ne permettra malheureusement pas de déterminer l'origine exacte de l'arme.

Dans le même temps, la police poursuit ses investigations en Toscane, fouillant le passé de Vinci depuis son installation à Florence en 1961. Plusieurs indices semblent confirmer que Salvatore et le Monstre pourraient bien être une seule et même personne. En s'intéressant à son mode de vie, les enquêteurs découvrent un personnage dont la vie sexuelle aurait fait pâlir de jalousie le marquis de Sade.

— Nous étions jeunes mariés, explique aux carabiniers sa deuxième épouse, Rosina, lorsque Salvatore est rentré à la maison un soir avec un couple d'amis. Il m'a expliqué qu'ils allaient dormir là. Pas de problème. Plus tard, en allant aux toilettes, j'ai entendu des chuchotements dans la chambre qu'ils occupaient et j'ai reconnu la voix de mon mari. J'entre dans la chambre et qu'est-ce que je vois ? Salvatore au lit avec eux ! Vous pensez bien que j'étais furieuse, alors j'ai dit à la femme et à son mari – *si* c'était bien son mari – de déguerpir. Et vous savez ce qu'a fait Salvatore ? Il est entré dans une colère noire, il m'a attrapée par les cheveux et m'a obligée à me mettre à genoux devant ses amis pour leur demander pardon ! Et ce n'est pas tout. Une autre fois, il me présente à des gens qui venaient de se marier. On a com-mencé à se voir. Un soir où on mangeait chez eux, ils nous ont invités à dormir. Cette nuit-là, je sens une main froide se poser sur moi et j'entends un bruit bizarre, comme quelque chose qui serait tombé. Je vais allumer la lumière quand mon mari me dit de ne pas bouger, que ce n'est rien. Une heure plus tard, voilà que je sens de nouveau quelqu'un me toucher. À la jambe, cette fois. Je saute hors du lit, j'allume et découvre mon mari dans le lit avec son copain Saverio ! Je me précipite dans la cuisine sans trop savoir ce qui m'arrive et Salvatore me rejoint. Il essaie de me calmer en me disant que c'est tout à fait normal, que je devrais revenir me coucher. Le lendemain, il m'en reparle, il me dit qu'il a déjà fait ça à trois avec Gina, la femme de son copain, et il veut que je fasse pareil, qu'on va bien s'amuser, que c'est la mode. Si bien qu'à la fin je me suis retrouvée au lit avec Saverio et Salvatore, qui a commencé par faire l'amour avec moi avant de continuer avec son copain. Ce n'était que le début. Chaque fois que je refusais, il me frappait. Il m'obligeait à coucher avec Saverio pendant qu'il nous regardait, et puis il a voulu qu'on fasse ça à quatre. Ces fois-là, Saverio et Salvatore commençaient par se caresser, puis ils faisaient l'un après l'autre l'homme et la femme pendant qu'on les regardait avec Gina ! Ensuite, Salvatore a commencé à m'emmener de force chez des amis, des gens qu'on connaissait à peine. Il m'emmenait voir des films porno, repérait des gens dans la salle, puis me présentait et m'obligeait à coucher avec eux, quelquefois dans la voiture, le plus souvent à la maison. Le pire, c'est quand son fils Antonio est venu de Sardaigne. Il avait quatre ans à l'époque, on l'appelait Antonello. Je ne voulais surtout pas qu'il puisse assister à tous ces trucs pervers avec ces gens. Je ne voulais pas non plus qu'il me voie quand son père m'insultait et me battait.

Dégoûtée, Rosina a fini par s'enfuir à Trieste avec un autre homme.

— En tout cas, explique à la police une autre compagne de Salvatore, je peux vous dire qu'il est le seul à m'avoir vraiment comblée sexuellement. Il avait de drôles d'idées, et alors ? Il adorait me faire l'amour pendant qu'un autre le prenait par-derrière…

Salvatore Vinci trouve ses compagnons d'orgie comme il peut, souvent avec la complicité de ses petites amies. Il les recrute aussi bien dans les stations-service de l'autoroute que dans les quartiers chauds, ou encore dans les allées du parc des Cascine en périphérie de Florence. Aux dires de ses proches, il possède une sexualité débridée et s'intéresse aussi bien aux hommes qu'aux femmes, pimentant ses ébats avec des accessoires tels que vibromasseurs, courgettes ou aubergines. Et lorsqu'une femme n'est pas assez coopérative à son goût, il n'hésite pas à la frapper pour l'inciter à se montrer moins rétive.

L'arrivée de Barbara Locci dans sa vie va grandement lui faciliter la tâche. Avec elle, Salvatore a enfin trouvé une femme dotée d'un appétit sexuel égal au sien. Barbara a un tel talent pour attirer les hommes et les jeunes garçons que Salvatore l'a surnommée la Reine des Abeilles.

Quant à Antonio Vinci, le fils de Salvatore, il grandit au milieu de toute cette fange. Il ne va pas tarder à apprendre que sa mère ne s'est pas suicidée, mais qu'elle a été assassinée par son père. Le petit garçon est extrêmement attaché à Rosina, la deuxième femme de Salvatore, et il va vivre sa fuite à Trieste comme un nouvel abandon. Cette fois encore, la responsabilité en incombe à Salvatore et Antonio décide de quitter la maison paternelle afin d'aller s'installer chez son oncle Francesco qui devient rapidement pour lui un père de substitution. On comprend mieux pourquoi, des années plus tard, lorsque le même Antonio sera arrêté pour détention illégale d'armes à feu, les tentatives de l'opposer à Francesco échoueront.

Les investigations menées simultanément en Sardaigne et en Toscane achèvent de convaincre Mario Rotella et les carabiniers qu'ils ont trouvé le coupable : Salvatore est très certainement le quatrième complice présent au moment de l'assassinat de Barbara Locci, d'autant qu'il avait un Beretta de calibre .22 en sa possession et qu'il était le seul de la bande à être véhiculé. C'est lui qui a fourni l'arme du crime, c'est lui qui s'en est servi le premier, c'est lui qui a récupéré le Beretta après le drame. Les faits ne laissent planer aucun doute, Salvatore Vinci est un assassin doublé d'un maniaque sexuel.

Le Monstre de Florence ne peut être que lui.

19

Au milieu de toute cette agitation, plusieurs éléments surnagent au-dessus de la mêlée : des éléments solides et inattaquables, réunis par les experts de la police scientifique.

Les premiers concernent le pistolet. Pas moins de cinq analyses balistiques contradictoires sont réalisées à la demande de la police, qui apportent toutes le même résultat : le Monstre se sert toujours de la même arme, un Beretta de calibre .22, « ancien et usé », muni d'un percuteur défectueux qui laisse systématiquement sa signature à la base des douilles. Les balles sont un autre indice imparable. Il s'agit toujours de projectiles Winchester de série H provenant des mêmes boîtes. Cela a pu être démontré grâce à l'examen au microscope électronique de la lettre H estampillée à la base de chaque douille. Toutes présentent les mêmes imperfections microscopiques, preuve qu'elles ont été fabriquées en usine par la même matrice. Celle-ci étant régulièrement remplacée, cela permet d'établir que les boîtes de munitions concernées ont été commercialisées avant 1968.

Chaque boîte contient au total cinquante cartouches. Depuis le crime de 1968, la première boîte de cartouches est épuisée, le meurtrier en a donc entamé une seconde. Les cinquante premières cartouches étaient munies de douilles en cuivre, les suivantes avaient un chemisage en plomb.

Tout concourt à montrer qu'une seule arme a été utilisée lors des crimes et que l'assassin a agi seul à chaque fois.

Cette hypothèse semble confirmée par le fait que les corps déplacés ont été traînés, le tueur n'ayant pu se faire aider.

Il en est de même du couteau utilisé par l'assassin. Tous les experts consultés ont conclu à l'utilisation d'un seul et même instrument, une arme parfaitement affûtée dont la lame possède une encoche ou un défaut, ainsi que trois dents de scie de deux millimètres d'épaisseur un peu plus bas. Certains experts ont parlé de *pattada*, l'arme caractéristique des bergers sardes, mais leurs confrères penchent plus volontiers pour un couteau de plongée, sans en avoir la certitude. Tous s'accordent à dire que les excisions sont trop semblables pour avoir été pratiquées par des personnes différentes. Enfin, le coupable est droitier.

Dernier détail parlant, le Monstre évite autant que faire se peut de toucher ses victimes, découpant leurs vêtements à l'aide de son couteau. Aucun signe de viol ou d'agression sexuelle n'a été constaté.

Les psychiatres, de leur côté, font tous la même description psychologique du Monstre : « C'est un solitaire, écrit l'un d'eux. La présence d'un tiers retirerait tout plaisir à l'auteur de ces meurtres, à classer dans la catégorie des crimes sexuels sadiques. Le Monstre est un tueur en série qui agit seul... L'absence remarquable de tout intérêt sexuel pour ses victimes, en dehors des mutilations, donne à croire que nous avons affaire à un individu impuissant, ou tout du moins à une personne faisant preuve d'une forte inhibition coïtale. »

En septembre 1984, Rotella se décide enfin à libérer les Doubles Monstres, Piero Mucciarini et Giovanni Mele, qui se trouvaient en prison au moment des meurtres de Vicchio. Deux mois plus tard, il fait également remettre en liberté Francesco Vinci, lui aussi sous les verrous au moment de plusieurs des crimes du Monstre.

La liste des suspects se réduit désormais à une seule personne : Salvatore Vinci. La police a mis son domicile sous surveillance vingt-quatre heures sur vingt-quatre et sept jours sur sept, son téléphone est sur écoute, et il sort rarement sans être filé.

L'hiver se déroule sans incident. À mesure qu'approche l'été 1985, un sentiment d'angoisse diffus renaît chez les Florentins, en premier lieu chez les juges et les enquêteurs. Tout le monde s'attend à ce que le Monstre frappe de nouveau. La nouvelle unité d'élite chargée d'enquêter sur l'affaire, la Squadra Antimostro, travaille d'arrache-pied sans parvenir au moindre résultat.

Le jour de la remise en liberté de Francesco Vinci, Mario Spezi, qui a proclamé son innocence à maintes reprises dans ses articles, est convié à la fête organisée par les proches de Vinci dans sa maison de Montelupo. Spezi s'empresse d'accepter cette invitation dans l'espoir d'une interview exclusive. Les tables croulent sous les salamis pimentés, les fromages de chèvre sardes, les bouteilles de *vermentino di Sardegna* et de *fil'e ferru*, l'alcool fort traditionnel de l'île. Alors que la fête touche à sa fin, Vinci accepte de se laisser interroger par Spezi tout en faisant preuve de la plus grande prudence dans ses réponses.

— Quel âge avez-vous?

— D'après ce que je sais, j'aurais quarante et un ans.

L'entretien n'apporte rien de nouveau, à l'exception d'une réplique que Spezi gardera longtemps en mémoire. Lorsque le journaliste lui demande comment il imagine le Monstre, Vinci lui répond :

— C'est quelqu'un de très intelligent. Il est capable de se déplacer les yeux fermés dans les collines, même en pleine nuit. Il sait se servir d'un couteau mieux que la plupart des gens. Surtout, ajoute-t-il en posant sur Spezi deux yeux noirs et brillants, il a connu un jour une déception terrible.

20

L'été 1985 sera l'un des plus torrides du siècle. Prises d'assaut par la sécheresse, les collines florentines languissent sous un soleil impitoyable qui craquelle la terre et dessèche les feuilles des arbres. Les aqueducs qui approvisionnent la ville menacent de se tarir et, d'une paroisse à l'autre, les curés incitent leurs ouailles à prier Dieu de leur accorder un peu de pluie. Derrière la canicule qui étouffe la ville rôde aussi la peur du Monstre.

À l'image des jours précédents, le dimanche 8 septembre est une journée étouffante, mais Sabrina Carmignani ne s'en soucie guère car elle fête ce jour-là ses dix-neuf ans. Un anniversaire qu'elle n'oubliera pas de sitôt.

Aux environs de 17 heures, Sabrina et son petit ami quittent la grand-route de San Casciano et se réfugient dans les bois. Les habitués ont coutume d'appeler ce lieu la « clairière de Scopeti », du nom d'une route de campagne toute proche. Simple trouée de terre battue, elle échappe à la vue des automobilistes circulant sur la Via Scopeti, de l'autre côté d'un rideau de chênes, de cyprès et de pins parasols, et sert régulièrement de refuge aux jeunes gens en quête d'intimité pour leurs ébats. Situé en pleine région de Chianti, l'endroit se trouve à un jet de pierre de l'ancienne demeure dans laquelle Machiavel a écrit *Le Prince*, durant ses années d'exil. Aujourd'hui, le prix du mètre carré bat tous les records dans ce coin de paradis, où se succèdent hameaux, villas, châteaux et vignobles tirés au cordeau.

Les deux jeunes garent leur voiture à côté d'une Golf immatriculée en France. Un siège pour enfant est fixé sur la banquette arrière de la Volkswagen à l'aide de la ceinture de sécurité. À quelques mètres de là, se dresse une petite tente dôme, de couleur bleu métallisé, à travers laquelle la lumière du soleil dessine une silhouette humaine allongée.

— On aurait dit quelqu'un en train de dormir, racontera par la suite Sabrina. La tente était toute brinquebalante, à moitié effondrée, des nuées de mouches tournaient autour de l'entrée et il en sortait une puanteur terrible.

Peu rassurés, Sabrina et son ami décident de s'en aller. En sortant de la clairière, ils se retrouvent face à une autre voiture venant de la grand-route, et dont le conducteur est contraint de reculer pour les laisser passer.

Sans le savoir, ils ont bien failli découvrir les dernières victimes en date du Monstre.

Le lendemain, lundi 9 septembre, aux alentours de 14 heures, un amateur de champignons se gare à son tour dans la clairière de Scopeti. À peine est-il descendu de voiture qu'il est assailli par l'odeur : « Une odeur bizarre et un bruit infernal de mouches. J'ai d'abord cru qu'il s'agissait d'un chat mort. J'ai fait le tour de la tente sans rien remarquer d'anormal, jusqu'à ce que je m'approche des buissons à l'autre bout de la clairière. C'est là que je les ai vus : deux pieds nus émergeant des broussailles… Je n'ai pas eu le courage d'aller plus loin. »

La nouvelle unité spéciale de la police, la SAM, entre aussitôt en action. Les victimes sont deux touristes français qui ont choisi la clairière de Scopeti pour planter leur tente. Pour la première fois, les enquêteurs veillent à sécuriser la scène du crime en dressant un large périmètre de sécurité tout autour de la clairière. La découverte du siège pour enfant sur la banquette arrière de la Golf fait un moment craindre le pire, jusqu'à ce que les enquêteurs apprennent que la petite fille de la femme assassinée se trouve en France, dans sa famille.

Un hélicoptère dépose sur les lieux un célèbre criminologue qui a établi un portrait psychologique et comportemental du

Monstre à partir des indices recueillis lors des crimes précédents. Les journalistes et les photographes, accueillis sans enthousiasme par la police, sont parqués derrière des bandes rouge et blanc tendues entre les arbres à une centaine de mètres de la clairière, sous l'œil vigilant de deux policiers armés de mitraillettes. Les représentants de la presse, furieux de se trouver ainsi écartés, ne font pas mystère de leur mécontentement, jusqu'à ce qu'un adjoint du procureur autorise Mario Spezi à se rendre dans la clairière et à rapporter ses observations à ses collègues. Spezi s'empresse d'enjamber les bandes de plastique, sous les regards furibonds des autres journalistes, et regrette presque de n'avoir pas cédé sa place à l'un d'eux en découvrant le spectacle d'horreur laissé par le Monstre.

La femme, Nadine Mauriot, était âgée de trente-six ans. Commerçante, elle tenait un magasin de chaussures à Montbéliard, en Franche-Comté. Séparée de son mari, elle vivait depuis quelques mois avec Jean-Michel Kraveichvili, vingt-cinq ans, adepte du cent mètres, membre de l'équipe d'athlétisme de sa région. Le couple, profitant de l'été pour découvrir l'Italie en camping, aurait dû regagner la France ce lundi-là pour la rentrée scolaire de la petite fille de Nadine.

À l'annonce du double meurtre, Sabrina et son petit ami s'empressent d'aller raconter aux carabiniers ce qu'ils ont vu le dimanche après-midi. Par la suite, la jeune fille renouvellera son témoignage devant un juge, tout comme elle confirmera à Mario Spezi vingt ans plus tard sa certitude de ne pas s'être trompée sur la date, le 8 septembre étant le jour de son anniversaire.

Parce qu'elle porte sur la date à laquelle a été commis le double meurtre, la déclaration de Sabrina revêt une importance primordiale. Le tout est de savoir si le couple français a été assassiné le samedi soir ou bien vingt-quatre heures plus tard. La seconde hypothèse étant celle privilégiée par les enquêteurs, le témoignage de Sabrina sera négligé. Il le reste à ce jour.

Un autre indice de poids aurait dû faire pencher la balance en faveur du samedi soir : Nadine et son compagnon avaient prévu de rentrer en France pour la rentrée des classes, il est donc logique de penser qu'ils n'auraient pas attendu le lundi pour prendre la route.

Le corps de Nadine Mauriot, tel qu'il est retrouvé le lundi après-midi, se trouve dans un état effroyable. Le visage de la jeune femme, gonflé et noirci, est méconnaissable. Les effets de la canicule, ajoutés aux dégâts provoqués par les vers qui grouillent sur son corps à l'intérieur de la tente, ont été dévastateurs.

Les enquêteurs de la SAM parviennent néanmoins à reconstituer le film du drame dans toute son abomination.

Le tueur a commencé par s'approcher silencieusement de la tente dans laquelle les deux touristes français, entièrement nus, faisaient l'amour. Il a ensuite signalé sa présence en pratiquant, avec la pointe de son couteau, une fente d'une vingtaine de centimètres dans la toile de la tente, sans pour autant entamer le double toit. Alerté par le bruit, le couple a remonté la fermeture éclair afin de voir de quoi il s'agissait. Le Monstre, l'arme au poing, n'attendait que cela. Les deux jeunes gens ont été immédiatement accueillis par une pluie de projectiles. Nadine est morte sur le coup, mais Jean-Michel, touché à quatre reprises – au poignet, à un doigt, au coude et très superficiellement au coin de la bouche –, n'est que légèrement blessé.

Le jeune sportif a jailli de la tente, bousculant sans doute le Monstre au passage, et s'est enfui dans l'obscurité. S'il avait tourné à gauche, il se serait retrouvé sur la grand-route au bout de quelques dizaines de mètres, avec l'espoir de s'en tirer, mais il a filé droit devant lui, en direction des bois. Le Monstre s'est lancé immédiatement à sa poursuite. En voulant contourner un mur de buissons qui coupe la clairière en deux, Jean-Michel a donné le temps à son poursuivant de le rattraper. Le Monstre l'a rejoint douze mètres plus loin et l'a poignardé au dos, à la poitrine et au ventre, avant de lui trancher la gorge.

En examinant le corps qui repose toujours au milieu des buissons, Spezi remarque que les feuilles des branches basses de l'arbre devant lequel s'est déroulé le drame sont couvertes de sang, à un mètre quatre-vingts de hauteur.

Après avoir tué Jean-Michel, le Monstre a regagné la tente, tiré le corps de Nadine à l'extérieur et pratiqué deux mutilations, lui retirant le sein gauche et le vagin. Il a ensuite remis le corps dans la tente, redescendu la fermeture éclair, puis est retourné près du cadavre de l'homme qu'il a dissimulé sous des déchets récupérés dans la clairière. Il a complété le tableau en posant le couvercle d'un pot de peinture en plastique sur le visage de sa victime.

Malgré les efforts des spécialistes, la SAM ne relève quasiment aucun indice sur place. Une fois de plus, le Monstre a commis un crime quasiment parfait.

Le mardi, le bureau du juge reçoit une lettre anonyme rédigée à l'aide de caractères découpés dans un magazine.

À l'intérieur de l'enveloppe, emballé dans du papier absorbant, se trouve un lambeau du sein de la touriste française.

La lettre, mise à la boîte pendant le week-end dans un village proche de Vicchio, n'a été récupérée que le lundi par la poste italienne.

Silvia Della Monica est la seule femme juge travaillant sur l'affaire du Monstre. L'arrivée de ce courrier va bouleverser le cours de son existence. Terrifiée, elle demande à être déchargée du dossier et sa hiérarchie insiste pour que l'on mette à sa disposition deux gardes du corps qui ne la quittent jamais, même lorsqu'elle s'enferme dans son bureau du tribunal, de peur que le tueur ne pénètre dans le Palazzo di Giustizia en se mêlant au public. La lettre, reproduite dans les journaux, fait échafauder les hypothèses les plus folles, le Monstre ayant orthographié le mot italien *repubblica* avec un seul *b* au lieu de deux. Faut-il imputer cette faute à un illettré ou bien le Monstre est-il un étranger ? De toutes les langues romanes, l'italien est la seule à orthographier le mot république avec deux *b*.

Pour la première fois de sa carrière, le Monstre a voulu dissimuler ses victimes. Si les corps n'avaient pas déjà été découverts, l'envoi de l'enveloppe macabre se serait chargé de lancer les enquêteurs à la recherche d'un nouveau meurtre.

Ce fait pourrait expliquer les raisons qui ont poussé le Monstre à changer de technique : il a décidé d'humilier la police et son plan a bien failli réussir.

21

Au lendemain du crime de Scopeti, les maires de Florence et des communes avoisinantes lancent une campagne de prévention. Si la jeunesse de la région, traumatisée, a définitivement renoncé à se garer la nuit en dehors de la ville, il n'en faut pas moins avertir les étrangers qui traversent la Toscane par millions chaque année. Partout où les touristes sont susceptibles de faire halte, des panneaux en plusieurs langues les préviennent des risques qu'ils courent en dormant à la belle étoile. Toutefois, les autorités ont soigneusement veillé à ne pas utiliser l'expression « tueur en série » car il ne faudrait pas faire fuir les touristes en les effrayant.

À Florence, on peut voir sur les murs une affiche signée Mario Lovergine. Ce graphiste de renom a choisi de dessiner un œil grand ouvert, entouré de feuilles, accompagné de la mention « *Occhio ragazzi ! Watch our kids ! Attention jeunes gens ! Danger ! Atención chicos y chicas ! Pericolo di aggressione ! Danger of violence !* » Les autorités tirent plusieurs dizaines de milliers de cartes postales de l'affiche et les distribuent aux péages d'autoroute, dans les gares, les campings, les auberges de jeunesse, les autocars. Enfin, des spots publicitaires viennent compléter ce dispositif.

Malgré tous leurs efforts, les enquêteurs de la SAM ne trouvent rien de très probant dans la clairière de Scopeti. La pression de l'opinion publique est à son comble. Dans son roman *Hannibal*, Thomas Harris évoque certaines des mesures prises par la SAM : « Les allées isolées et les cimetières servant habituellement de lieux de rencontre comptaient plus de policiers que d'amoureux. Les forces de l'ordre manquaient de femmes pour simuler des couples, obligeant leurs collègues masculins à sacrifier leur moustache et à enfiler une perruque, malgré la chaleur. »

L'idée d'offrir une récompense, initialement rejetée, est reprise par le procureur Vigna, convaincu que le Monstre bénéficie de l'omerta et que seule une somme d'argent pourra aider à la briser. Le débat fait rage, la notion même de récompense, plus volontiers attachée à l'univers du western hollywoodien, ne faisant guère partie de la culture italienne. Beaucoup craignent qu'une telle mesure ne déclenche une véritable chasse aux sorcières tout en attirant les chercheurs d'or de tout poil. Face à la controverse, la décision finale est confiée au Premier ministre en personne, qui fixe la somme à un demi-milliard de lires, un montant extrêmement conséquent à l'époque.

Mais personne n'est en mesure d'apporter une information digne de ce nom et la mesure fait long feu.

Comme cela s'était produit auparavant, la SAM est inondée de dénonciations anonymes et de rumeurs infondées que les enquêteurs doivent vérifier les unes après les autres, aussi peu sérieuses soient-elles. Parmi celles-ci figure une lettre, en date du 11 septembre 1985, conseillant à la police « d'interroger notre concitoyen Pietro Pacciani, originaire de Vicchio ». La lettre poursuit sur le même ton : « Cet individu est soupçonné d'avoir fait de la prison pour le meurtre de sa fiancée. Il s'agit d'un homme particulièrement habile et malin. Un paysan d'apparence grossière, mais d'esprit vif, qui retient en otage tous les membres de sa famille. Sa femme est idiote, ses filles vivent enfermées chez lui et il n'a pas d'amis. »

En s'intéressant à Pacciani, les enquêteurs s'aperçoivent que, s'il n'a pas tué sa fiancée, il a en revanche assassiné en 1951 l'homme surpris en train de la séduire dans sa voiture. Il a même été condamné à une lourde peine pour ce crime.

Pacciani vit à Mercatale, à quelques kilomètres de la clairière de Scopeti. La police effectue chez lui une perquisition de routine sans rien trouver de concluant, mais l'homme n'en reste pas moins sur la liste des suspects potentiels.

Quelques semaines plus tard, une autre rumeur se répand, à Pérouse cette fois, à cent cinquante kilomètres au sud de Florence. Francesco Narducci, un jeune médecin de l'une des familles les plus riches de la ville, s'est récemment suicidé en se jetant dans les eaux du lac Trasimène. Le bruit court que Narducci n'est autre que le Monstre et qu'il a décidé d'en finir une fois pour toutes, bourrelé de remords. Une enquête rapide permet de conclure qu'il s'agit d'une fausse piste, une fois de plus, et les enquêteurs classent le dossier.

À force de ne donner aucun résultat, l'enquête est sur le point de s'effondrer et le fossé qui sépare le procureur Piero Luigi Vigna et le juge d'instruction Mario Rotella se creuse davantage.

Le désaccord entre les deux hommes porte avant tout sur la piste sarde. Rotella est convaincu que l'arme utilisée lors du crime de 1968 est restée en possession du clan sarde dont l'un des membres serait donc le Monstre. Ses soupçons se portent sur Salvatore Vinci dont il s'évertue à vouloir prouver la culpabilité avec l'aide des carabiniers. Vigna, à l'opposé, ne croit plus à cette piste et voudrait reprendre l'enquête de zéro, avec le soutien de la police.

L'unité spéciale mise en place autour de l'affaire, la SAM, est composée à la fois de policiers et de carabiniers. S'ils sont censés collaborer étroitement, les uns et les autres sont rarement d'accord et les deux services s'affrontent régulièrement. En Italie, les hommes de la Polizia di Stato sont des fonctionnaires civils alors que les carabiniers sont rattachés à l'armée, même si tous sont affectés au maintien de la loi. En cas de délit majeur, et de meurtre en particulier, il n'est pas rare que chacun des deux services cherche à tirer la couverture à lui en arrivant le premier sur les lieux, dans le seul but de s'approprier l'enquête. On évoque souvent l'histoire, peut-être apocryphe, de ce hold-up dont les coupables auraient été arrêtés simultanément par la police et les carabiniers au terme d'une course-poursuite ; au moment de remettre les voyous aux autorités judiciaires, ils se seraient violemment querellés en présence des gangsters avant de parvenir à un accord : aux policiers l'honneur de boucler les voleurs, les carabiniers emportant de leur côté armes, voiture et butin.

Le violent désaccord qui oppose Vigna et Rotella est un secret bien gardé depuis longtemps. Officiellement, on continue de privilégier la piste sarde, mais le juge Rotella, avec le temps, se fait de plus en plus critique.

En 1985, Stefano Mele est brièvement incarcéré sous un faux prétexte, Rotella ne désespérant pas de le faire parler. Cette décision provoque un tollé général et le juge se trouve accusé de vouloir persécuter un vieil homme dont les élucubrations ont déjà porté de graves préjudices à l'enquête, comme aux individus qu'il a injustement accusés. Rotella, fragilisé et de plus en plus isolé, est confronté aux attaques constantes de la presse. Le principal quotidien sarde, l'*Unione Sarda*, l'étrille régulièrement dans ses colonnes. « Il suffit que l'enquête sur le Monstre de Florence soit au point mort pour que l'on ressuscite la fameuse piste sarde », peut-on ainsi lire. Les associations sardes de Toscane crient au scandale, accusant les enquêteurs de racisme, et les déclarations alambiquées de Rotella ne font rien pour calmer la tempête.

Le juge d'instruction, porté par l'importance de sa charge, refuse pourtant d'en démordre. Malgré les critiques, l'arrestation et l'interrogatoire de Stefano Mele ont fini par lever un coin du voile en permettant de comprendre la raison pour laquelle il protégeait Salvatore Vinci depuis si longtemps, au point de passer quatorze années en prison. Pourquoi Mele a-t-il accepté de porter le chapeau pour les meurtres de Barbara Locci et d'Antonio Lo Bianco alors que le crime avait été planifié, organisé et exécuté par Salvatore ? Pourquoi avait-il gardé le silence tout au long du procès alors que Salvatore avait le culot de témoigner en affichant à son doigt la bague de fiançailles de sa femme ? Pourquoi, une fois sa peine de prison purgée, avoir refusé d'impliquer Salvatore ?

Stefano finit par admettre qu'il s'était tu sous l'emprise de la honte : à force de participer aux parties fines de Salvatore Vinci, il avait pris goût aux relations homosexuelles, en particulier avec ce dernier. Tel était donc le terrible secret qui avait lié Vinci et Mele pendant près de vingt ans, permettant au premier de tenir le second sous sa coupe depuis 1968.

Le double meurtre des touristes français dans la clairière de Scopeti sera le dernier crime connu du Monstre de Florence. Les habitants de la région mettront longtemps à l'accepter, mais l'effroyable série de meurtres qui les terrifie depuis si longtemps vient de prendre fin.

Loin de marquer la fin de l'affaire, l'année 1985 n'est que le début d'une longue enquête qui va devenir à son tour une sorte de monstre dévastant tout sur son passage, au prix de nombreuses vies innocentes.

22

Alors que l'année 1985 s'achève, le juge Mario Rotella est plus convaincu que jamais de la culpabilité de Salvatore Vinci. À force de lire et de relire le dossier du Sarde, il éprouve un sentiment de frustration croissant à l'idée qu'il n'a jamais saisi les occasions qui lui ont été données pour le confondre. Par exemple, lors de la perquisition effectuée au domicile de Vinci après les meurtres de 1984 à Vicchio, la police a trouvé dans sa chambre, au fond d'un sac de femme, un chiffon ensanglanté couvert de résidus de poudre. Les enquêteurs ont dénombré trente-huit taches de sang au total. En consultant ses archives, Rotella constate que le chiffon n'a jamais été analysé. Furieux, il dénonce aussitôt le manque de sérieux de l'enquête. Pour sa défense, le magistrat chargé de traiter les informations recueillies lors de la perquisition souligne le fait qu'un homme soupçonné de meurtre n'aurait jamais commis l'imprudence de conserver chez lui un indice susceptible de l'incriminer.

Rotella exige néanmoins un examen approfondi du chiffon. Le laboratoire chargé de l'analyse ne peut déterminer si les taches viennent d'un seul ou de deux groupes sanguins différents. Plus grave, les experts sont dans l'incapacité de comparer ce sang à celui des victimes de 1984, les enquêteurs ayant tout simplement négligé d'en conserver des échantillons. Le juge ordonne alors des analyses plus poussées. Le morceau de tissu est expédié dans un laboratoire au Royaume-Uni, mais les chercheurs britanniques se déclarent incompétents, les traces de sang ayant été gravement endommagées par les tests précédents. (Aujourd'hui, il serait sans doute possible d'obtenir des informations importantes en réalisant un test ADN, mais il ne semble pas en avoir été question jusqu'à présent.)

Rotella a une autre raison d'être mécontent. Depuis plus d'un an, il fait surveiller Salvatore Vinci par les carabiniers, en particulier le week-end. Se sachant suivi, Vinci s'est amusé à plusieurs reprises à brûler des feux rouges afin de semer ses anges gardiens. Il se trouve que, le week-end du double meurtre de la clairière de Scopeti, les carabiniers ont interrompu leur surveillance pour des raisons obscures et Rotella a le sentiment que le drame ne se serait probablement pas produit si la filature n'avait pas été suspendue.

À la fin de l'année 1985, Rotella met Salvatore Vinci sous le coup d'un *aviso de garanzia*, lui notifiant qu'il est officiellement soupçonné pour les seize meurtres commis depuis 1968.

Dans le même temps, le procureur Vigna ne cherche plus à dissimuler son agacement à l'égard de Rotella, à qui il reproche ses manières pompeuses et son obsession pour la piste sarde. Vigna et la police piaffent d'impatience, prêts à reprendre l'enquête de zéro, n'attendant qu'un faux pas de Rotella pour le mettre sur la touche.

Le 11 juin 1986, Mario Rotella ordonne l'arrestation de Salvatore Vinci pour meurtre. À la surprise générale, il n'est pas question des assassinats perpétrés par le Monstre, mais du meurtre de sa femme Barbarina commis le 14 janvier 1961 à Villacidro. La stratégie de Rotella consiste à faire condamner, dans un premier temps, Vinci pour un meurtre facile à prouver, en attendant de pouvoir apporter la preuve qu'il est le Monstre de Florence.

Salvatore sous les verrous, Rotella met à profit les deux années suivantes pour préparer méthodiquement l'acte d'accusation relatif au meurtre de Barbarina. Il est d'autant plus convaincu de tenir le coupable que le Monstre ne fait plus parler de lui.

Le procès de Salvatore Vinci pour le meurtre de sa femme débute le 12 avril 1988 à Cagliari, capitale de la Sardaigne. Mario Spezi s'y rend pour le compte de *La Nazione*.

Sur le banc des accusés, Vinci va se comporter de manière étrange tout au long des audiences. Debout, serrant dans ses poings les barreaux de la cage dans laquelle il est enfermé, il répond scrupuleusement aux questions des juges d'une voix de tête, sur un ton de la plus extrême courtoisie, profitant des interruptions de séance pour s'entretenir avec Spezi et ses confrères de sujets divers, qu'il s'agisse des vertus de la liberté sexuelle ou des inconvénients de la détention provisoire.

Son fils Antonio, alors âgé de vingt-huit ans, vient témoigner contre lui. Il purge à l'époque une peine de prison pour une affaire totalement différente et se présente à l'audience menotté, extrêmement tendu. Assis à la droite des juges, face à son père, les lèvres serrées, les narines de son nez aquilin dilatées par la haine, il n'ôte pas une seule fois les énormes lunettes de soleil qui dissimulent son regard. Derrière le mur de ses verres fumés, on sent bien qu'il ne quitte pas son père des yeux. Son interrogatoire se prolonge pendant plusieurs heures au cours desquelles Salvatore observe impassiblement son fils sans jamais se départir de son air énigmatique. Il règne dans la salle une atmosphère électrique provoquée par la brutalité muette de cet étrange face-à-face.

Car Antonio Vinci refuse de s'exprimer, se contentant de regarder fixement son père. Par la suite, il expliquera à Spezi qu'il l'aurait volontiers étranglé lors de leur transfert à la prison si plusieurs carabiniers n'avaient pas été assis entre eux.

Le procès tourne au désastre lorsque Salvatore Vinci, contre toute attente, est acquitté. Le crime dont on l'accuse est ancien, de nombreux témoins sont morts, d'autres ne se souviennent plus des événements, les indices ont disparu et il n'existe aucune preuve tangible contre l'inculpé qui sort libre du prétoire.

Vinci s'arrête sur les marches du palais de justice, le temps d'une brève déclaration à la presse : « Je suis très satisfait du résultat », dit-il avec le plus grand calme avant de rejoindre ses montagnes natales et de disparaître définitivement, comme les bandits sardes d'autrefois.

Rotella fait l'objet d'une pluie de critiques au lendemain de cet acquittement. Vigna et ses collègues, qui attendaient cette erreur depuis longtemps, s'attaquent aussitôt à lui, comme des requins, sans bruit ni publicité. Au cours des années suivantes, Vigna, Rotella, la police et les carabiniers vont s'affronter sans merci, tout en évitant d'attirer sur eux l'attention des médias.

L'acquittement de Vinci va surtout permettre à Vigna et à la police de reprendre l'affaire en main sans se soucier de Rotella. Décidés à jouer le tout pour le tout, ils recommencent l'enquête depuis le début. Pendant ce temps, Rotella et les carabiniers s'entêtent sur la piste sarde, et les deux équipes ne tardent pas à se nuire.

Il ne fait guère de doute qu'une telle situation ne pourra pas durer.

23

Dans un premier temps, la direction de la Squadra Antimostro est confiée à un autre commissaire, Ruggero Perugini. Quelques années plus tard, Thomas Harris s'inspirera largement de Perugini pour le personnage de Rinaldo Pazzi, dans son roman *Hannibal*. Profitant des recherches qu'il effectue à Florence, Harris a été reçu par le commissaire. On dit que ce dernier aurait peu goûté la façon dont Harris l'a remercié de son hospitalité en faisant subir à son alter ego un destin tragique ; il est vrai que Pazzi termine sa carrière éventré, pendu par l'une des fenêtres du Palazzo Vecchio.

Le véritable commissaire est d'ailleurs nettement plus digne que le personnage trouble interprété par l'acteur Giancarlo Giannini dans l'adaptation cinématographique d'*Hannibal*. Perugini s'exprime avec l'accent romain, mais ses gestes, ses tenues vestimentaires et la manière dont il tient sa pipe de bruyère évoquent plus un Anglais qu'un Italien.

En reprenant la direction de la SAM, le commissaire Perugini décide de tout recommencer depuis le début, avec la bénédiction de Vigna. Il part du postulat que l'arme et les cartouches ont quitté le clan des Sardes d'une façon ou d'une autre avant les premiers meurtres du Monstre, considérant d'emblée que la piste sarde est une impasse. Non sans raison, il fait preuve de la plus grande méfiance à l'égard des éléments recueillis sur les scènes de crime. En règle générale, le travail de la police scientifique a été bâclé. À l'exception de la clairière de Scopeti, aucun des autres lieux concernés n'a été sécurisé, la police et les journalistes circulant dans tous les sens, prenant des photos, écrasant par terre leurs cigarettes, semant cheveux et fibres textiles dans leur sillage. Quant aux rares indices qui ont pu être relevés, ils n'ont jamais été analysés, lorsqu'ils n'ont pas été perdus ou détruits, à l'image du chiffon sanglant retrouvé chez Salvatore Vinci. En outre, les enquêteurs ont rarement pensé à prélever des échantillons capillaires, sanguins ou vestimentaires sur les victimes, ce qui empêche toute comparaison future avec des éléments retrouvés chez des suspects potentiels.

Au lieu de s'intéresser aux éléments qui restent ou de relire les milliers de pages d'interrogatoires accumulées depuis le début de l'affaire, le commissaire Perugini, grand admirateur des techniques scientifiques du FBI, décide de résoudre l'affaire de façon moderne, à l'aide d'un ordinateur. Après avoir retrouvé dans un coin le vieux PC donné par le ministère de l'Intérieur lors de la création de la SAM, il le branche et l'allume.

Perugini commence par passer en revue les noms de tous les suspects de sexe masculin de trente à soixante ans arrêtés par la police dans la province de Florence, sélectionnant uniquement ceux qui ont été condamnés pour des crimes sexuels. Armé de cette première liste, il fait coïncider leurs périodes d'incarcération avec les dates des crimes du Monstre, s'intéressant de près à ceux qui se trouvaient en prison pendant les périodes au cours desquelles le tueur n'a pas fait parler de lui. Au bout du compte, sa liste se réduit à quelques dizaines de personnes. Et là, au milieu du lot, il retrouve le nom de Pietro Pacciani, le paysan qui a fait l'objet d'une dénonciation anonyme peu après le dernier double meurtre.

À l'aide de son ordinateur, Perugini cherche ensuite à savoir combien de suspects figurant sur sa liste ont vécu près des endroits où le Monstre a frappé. Cette fois encore, le nom de Pacciani fait surface, Perugini ayant une définition assez large du mot « près ».

Cette confirmation éclaire d'un jour nouveau la lettre du 11 septembre 1985 dont l'auteur anonyme recommandait à la police « d'interroger notre concitoyen Pietro Pacciani, originaire de Vicchio ». Perugini constate que la technique d'enquête la plus moderne, c'est-à-dire l'ordinateur, aboutit au même résultat que la bonne vieille dénonciation en pointant du doigt un individu : Pietro Pacciani.

Ce dernier devient aussitôt le suspect numéro un du commissaire qui va s'appliquer à réunir des preuves contre lui.

Le policier ordonne une perquisition de la maison de Pacciani et obtient des résultats concluants à ses yeux. Le premier indice qui tombe dans son escarcelle est une reproduction du *Printemps*, le célèbre tableau de Botticelli appartenant aux collections du musée des Offices à Florence, sur lequel on voit notamment une nymphe païenne avec des fleurs qui lui sortent de la bouche. Aux yeux de Perugini, ce tableau est évocateur de la chaîne en or retrouvée dans la bouche de l'une des premières victimes du Monstre. Fasciné par ce détail, Perugini fera figurer l'œuvre de Botticelli sur la couverture du livre qu'il consacrera à l'enquête, veillant toutefois à transformer les fleurs de la nymphe en un flot de sang. Sa conviction se trouve renforcée par la présence, au mur de la cuisine de Pacciani, au milieu de tableaux de la Vierge et de plusieurs saints, d'une photo tirée d'une revue pornographique représentant une femme torse nu, une fleur entre les dents.

Peu après le dernier double meurtre, Pacciani a été arrêté et emprisonné pour avoir violé ses filles. Cet élément constitue un fait aggravant du point de vue de Perugini puisque le Monstre n'a plus frappé depuis trois ans.

Mais c'est surtout le meurtre de 1951 qui a attiré l'attention du commissaire. Le drame s'est déroulé près de Vicchio, où Pacciani est né et où le Monstre a tué par deux fois. De plus, le crime de 1951 n'est pas sans faire penser à ceux du Monstre : deux jeunes gens en train de faire l'amour dans une voiture en pleine forêt de Tassinaia et un assassin qui les observe, caché derrière un buisson. La petite amie de

Pacciani, âgée de seize ans, était la plus belle fille du village ; quant à son amant, il s'agissait d'un colporteur qui vendait des machines à coudre en faisant du porte-à-porte.

À y regarder de plus près, le crime de 1951 est pourtant différent des autres. Il a été exécuté de façon brouillonne, par un assassin qui se trouvait sous l'emprise de la jalousie. Pacciani a frappé l'homme à la tête avec une pierre avant de le poignarder, puis il a traîné sa petite amie sur l'herbe et l'a violée à côté du corps de son rival. Ensuite, il a pris le cadavre sur son épaule avec l'intention de le jeter dans les eaux d'un lac voisin, mais il a dû y renoncer, épuisé, et s'est contenté d'abandonner sa victime au milieu d'un champ. Dans le langage des criminologues, on parle d'un crime « désorganisé », à l'inverse de ceux du Monstre, savamment planifiés. Un crime si désorganisé que Pacciani a été arrêté et condamné dans la foulée.

Le double meurtre des bois de Tassinaia porte en lui quelque chose de désuet. Il fait penser à un crime passionnel d'un autre âge, à l'une de ces histoires d'amour et de sang reprises sous forme de chansons par la tradition toscane d'autrefois. À l'époque, la région compte encore un *cantastorie*, un chanteur d'histoires. Vêtu d'une veste rouge vif, même en été, Aldo Fezzi est l'unique survivant d'une longue tradition de troubadours itinérants qui parcourent les routes en mettant en musique les faits divers de leur temps. Fezzi va de bourgade en bourgade, de fête de village en fête de village, chantant des histoires dont il illustre l'action avec des dessins qu'il montre au public. Le *cantastorie* s'inspire d'histoires recueillies au cours de ses pérégrinations et propose un répertoire allant du comique au grivois, en passant par les inévitables histoires d'amour, de jalousie, de meurtre et de vendetta.

Fezzi a notamment consacré au drame des bois de Tassinaia une chanson qu'il interprète lors de ses périples à travers le nord de la Toscane :

> *Laissez-moi vous chanter une histoire tragique*
> *Dans la ville de Vicchio, au cœur du Mugello*
> *Sur la ferme Iaccia du domaine de Paterno*

Là vivait un jeune homme si brutal et cynique
Vous tous, écoutez-moi, préparez vos mouchoirs
Il avait vingt-six ans et s'appelait Pietro Pacciani
Ô, écoutez l'histoire que je raconte ici
Une histoire si triste qu'elle va vous émouvoir...

Perugini accorde une importance capitale à l'un des aveux de Pacciani. Lors de son interrogatoire, ce dernier a reconnu qu'en observant les deux amants depuis le buisson derrière lequel il se cachait il a brusquement vu sa petite amie exhiber son sein gauche à son séducteur. Cette vision l'a rendu comme fou et il s'est rué sur son rival. Ce détail rappelle à Perugini les mutilations faites au sein gauche des deux dernières victimes du Monstre. Longtemps enfoui dans son subconscient, cet élément aura fini par ressurgir des années plus tard chaque fois qu'il voyait un jeune couple faire l'amour dans une voiture.

Des voix s'élèvent pour contester ce point, arguant que le sein gauche est plus facilement accessible à un droitier, ce qui est le cas du Monstre, mais Perugini juge l'explication simpliste.

Les reconstitutions effectuées par les enquêteurs au moment des crimes semblent contredire la thèse selon laquelle Pacciani serait le coupable, mais Perugini balaie l'argument d'un revers de main. Par exemple, comment imaginer qu'un vieil agriculteur d'à peine un mètre soixante, gros et alcoolique de surcroît, ait pu viser à travers une fenêtre située à près d'un mètre quatre-vingts de hauteur, comme c'était le cas à Giogoli? La culpabilité de Pacciani est encore moins probable dans la clairière de Scopeti, où le meurtrier a rattrapé un spécialiste du cent mètres de vingt-cinq ans qui s'enfuyait à toutes jambes. À l'époque, Pacciani était âgé de soixante ans et gravement cardiaque, au point d'avoir dû subir un pontage coronarien. Son dossier médical indique qu'il a une scoliose, un genou en mauvais état, de l'angine de poitrine et de l'emphysème, qu'il souffre d'une infection chronique de l'oreille, d'une hernie discale, de spondylarthrite, d'hypertension, de diabète, et qu'il a des polypes à la gorge et aux reins.

Parmi les autres indices « concluants » retrouvés par Perugini et ses hommes lors de la perquisition du domicile de Pacciani figurent une cartouche de fusil de chasse, deux douilles d'obus datant de la Seconde Guerre mondiale (dont l'un sert de vase), une photo de Pacciani jeune homme posant avec une mitraillette, cinq couteaux, une carte postale expédiée de Calenzano, un vieux cahier sur la page de garde duquel est grossièrement dessinée une route impossible à identifier et une pile de revues pornographiques. Plusieurs témoins interrogés par Perugini déclarent que Pacciani est violent, qu'il braconne à l'occasion et qu'il a la réputation de laisser traîner ses mains lorsqu'il croise des femmes lors des fêtes de village.

Mais le principal indice découvert chez Pacciani est d'une autre nature. Il s'agit d'un curieux tableau représentant un gros cube à l'intérieur duquel se trouve un centaure. La partie humaine du centaure figure un général à tête de mort brandissant un sabre de la main droite, l'autre moitié du corps figurant un taureau aux cornes en forme de lyre. Cette étrange créature est affublée d'immenses pieds de clown et d'organes sexuels mâles et femelles. Autour de lui se dressent des momies ressemblant à des agents de police dont l'une fait un geste grossier. Un serpent replié sur lui-même siffle dans un coin, un chapeau sur la tête. De manière plus significative, sept petites croix sont plantées dans la terre au premier plan du tableau, entourées de fleurs.

Sept croix pour les sept crimes du Monstre.

Le tableau est signé « Pacciani Pietro ». Le commissaire Perugini confie la toile à un expert psychiatrique qui conclut que l'œuvre est « compatible avec la personnalité du prétendu Monstre ».

En 1989, Perugini est prêt à inculper Pacciani. Mais avant de pouvoir lui accrocher une pancarte « Monstre » autour du cou, encore faut-il expliquer comment l'arme utilisée lors du crime sarde de 1968 a pu atterrir entre ses mains. Perugini résout le problème le plus simplement du monde en accusant Pacciani d'être l'auteur des meurtres de 1968.

En sa qualité de juge d'instruction, Mario Rotella a suivi l'enquête de Perugini avec effarement, persuadé que le policier tente de fabriquer un coupable uniquement en s'appuyant sur la personnalité trouble de Pacciani. Il juge que Perugini va trop loin en essayant d'accuser le paysan du double meurtre de 1968 sans l'ombre d'une preuve. Une telle hypothèse bat en brèche la piste sarde dans sa globalité et Rotella, en tant que juge d'instruction, ne peut l'accepter.

Le commissaire Perugini a dans son camp deux alliés de poids : le procureur Vigna et la police. De leur côté, les carabiniers continuent à soutenir Rotella.

La sourde lutte qui oppose les uns aux autres finit par éclater au grand jour. Vigna mène la charge en affirmant que la piste sarde n'est que la conséquence absurde des déclarations sans queue ni tête de Stefano Mele, une fausse piste qui leurre les enquêteurs depuis cinq ans. Rotella et les carabiniers, sur la défensive, n'en démordent pas, bien que les événements ne jouent pas en leur faveur, surtout depuis l'acquittement en Sardaigne de leur principal suspect, Salvatore Vinci. Rotella, par son manque de charisme et sa fâcheuse tendance à pontifier, a fini par se mettre à dos la presse et le grand public. Vigna, à l'inverse, fait figure de héros. Et puis il y a la personnalité de Pacciani lui-même, meurtrier, violeur et père incestueux, mari violent, alcoolique, tyran domestique qui oblige les siens à manger de la nourriture pour chiens. Un monstre dans tous les sens du terme. Pour beaucoup de Florentins, si Pacciani n'est pas le Monstre, il en a le profil.

Au terme d'un bras de fer, c'est Vigna qui remporte la bataille. Le colonel des carabiniers chargé de l'enquête sur le Monstre est muté et Rotella reçoit l'ordre de refermer ses dossiers, de rédiger un dernier rapport et de se retirer de l'affaire. Au passage, sa hiérarchie lui a bien précisé que son rapport devra blanchir les Sardes de toute implication dans les meurtres commis par le Monstre.

Les carabiniers, furieux du tour que prennent les choses, se retirent officiellement de l'enquête. « Si jamais le Monstre se présente un jour chez nous avec son arme et un morceau de l'une de ses victimes, nous lui conseillerons d'aller voir la police en lui disant que son histoire ne nous regarde plus », déclare à Spezi leur colonel.

Rotella rédige son rapport final comme demandé. Le document est pour le moins curieux. En un peu plus de cent pages rédigées avec sa logique méticuleuse, le juge dresse un réquisitoire contre les Sardes, détaillant le double meurtre de 1968, la façon dont il a été exécuté, les noms de ceux qui y ont participé. Il montre également comment le Beretta de calibre .22 est probablement passé de Hollande en Sardaigne avant d'atterrir en Toscane entre les mains de Salvatore Vinci. Avec beaucoup de pertinence, le rapport indique que les Sardes présents lors du drame de 1968 connaissent le nom de celui qui détient l'arme, et donc l'identité du Monstre de Florence. Et que celui-ci n'est autre que Salvatore Vinci.

Brusquement, à la dernière page, Rotella écrit la formule « PQM [*per questi motivi*, c'est-à-dire pour ces raisons], l'enquête ne peut aller plus loin ». En vertu de quoi, il rejette l'ensemble des charges pesant sur les Sardes et les disculpe de toute implication dans les crimes commis par le Monstre comme dans celui de 1968. Son rapport terminé, Mario Rotella se retire de l'affaire avant d'aller prendre de nouvelles fonctions à Rome.

— Je n'avais pas d'autre solution, explique-t-il dans un entretien accordé à Spezi. Même si la potion est amère pour moi et beaucoup d'autres.

À l'époque déjà, et aujourd'hui encore, il ne fait pourtant aucun doute que Rotella et les carabiniers étaient sur la bonne piste, en dépit de nombreuses maladresses. Le Monstre de Florence fait très certainement partie du clan des Sardes.

L'abandon officiel de la piste sarde ne peut signifier qu'une chose : quelle que soit le tournant pris par l'enquête, elle ira désormais dans la mauvaise direction.

24

Les carabiniers s'étant retirés de la SAM, l'unité spéciale anti-Monstre du commissaire Perugini devient de fait une division intégralement constituée de policiers. Désormais considéré comme le seul suspect, Pacciani est attaqué bec et ongles par les enquêteurs. Le commissaire, convaincu que la fin est imminente, met les bouchées doubles.

On est à présent en 1989, le Monstre ne s'est plus manifesté depuis quatre ans et les Florentins commencent à être persuadés que la police tient enfin son homme.

Perugini accède instantanément au rang de vedette le soir où, invité à une grande émission de télévision, il fixe la caméra avec ses Ray Ban en s'adressant directement au Monstre d'une voix à la fois ferme et compréhensive : « Vous n'êtes pas aussi fou que le disent les gens. Votre main est guidée par des fantasmes et des émotions qui vous dictent votre conduite. Je suis convaincu qu'à la minute où je vous parle vous faites tout pour échapper à leur emprise. Sachez que nous nous efforcerons de vous y aider. J'ai bien conscience que vous avez appris par le passé à vous méfier, à garder le silence. Aujourd'hui, je vous donne ma parole de vous aider si vous vous décidez enfin à vous débarrasser du Monstre qui vous tyrannise. » Après une pause dramatique, il conclut : « Vous savez où me trouver. Je vous attends. »

Ce joli discours, si spontané aux yeux de millions de téléspectateurs, a été soigneusement rédigé à l'avance par une équipe de psychologues et Perugini s'est contenté de l'apprendre par cœur. Le message s'adresse directement à Pacciani qui, le commissaire le sait, se trouve ce soir-là devant son poste de télévision. Au cours des jours précédents, les équipes de la SAM ont placé un micro chez lui dans l'espoir qu'il aura une réaction verbale en découvrant le petit speech de Perugini.

L'enregistrement réalisé par le mouchard est récupéré tout de suite après l'émission par les enquêteurs anxieux de savoir comment a réagi Pacciani. Ce dernier a bien eu une réaction. Au moment où Perugini achève de s'exprimer, Pacciani l'a traité de tous les noms, dans un vieux dialecte toscan quasi oublié qui aurait fait la joie des linguistes, avant d'ajouter, toujours en patois : « J'espère bien qu'il ne va pas prononcer mon nom, je ne suis qu'un pauvre innocent ! »

Trois nouvelles années s'écoulent, au cours desquelles l'enquête de Perugini piétine. Alors qu'on entre dans l'année 1992, le commissaire n'a toujours pas réussi à mettre la main sur l'arme du crime. Les perquisitions effectuées chez Pacciani et sur ses terres suffisent tout juste à alimenter les fantasmes des enquêteurs, sans qu'il soit envisageable pour autant d'arrêter le vieux paysan.

Les interrogatoires de Pacciani ont donné des résultats très différents de ceux des frères Vinci. Contrairement à ces derniers, impressionnants de sang-froid, Pacciani nie tout en bloc, ment sur des points de détail, se contredit continuellement, fond en larmes en hurlant qu'il n'est qu'un malheureux innocent, victime de persécutions injustes.

Plus Pacciani ment et crie, plus Perugini le croit coupable.

Au début des années 1990, désormais journaliste indépendant, Mario Spezi se rend au siège de la police pour saluer l'un de ses vieux contacts et, par la même occasion, aller à la pêche aux nouvelles. Quelques années plus tôt, Spezi a entendu dire que Perugini et la SAM ont sollicité l'aide du FBI, et l'on murmure que le Bureau a fait établir un profil du Monstre par l'Unité de science du comportement de

Quantico. Personne n'a jamais vu le rapport en question, si tant est qu'il existe.

Le contact de Spezi s'éclipse brusquement et revient une demi-heure plus tard avec un épais document.

— Je ne t'ai rien donné, recommande-t-il à Mario. Tu ne m'as même pas vu.

Spezi s'installe à une table d'un café de la piazza Cavour, commande une bière et entame la lecture du dossier.

> *Académie du FBI. Quantico, Virginie 22135. Demande d'assistance de la Polizia di Stato Italiana concernant l'enquête sur le MONSTRE DE FLORENCE, FPC-GCM FBIHQ 00 ; FBIHQ. Le rapport d'analyse qui suit a été réalisé par les agents John T. Dunn Jr., John Galindo, Mary Eileen O'Toole, Fernando M. Rivera, Richard Robley et Frans B. Wagner sous la direction de l'agent-chef Ronald Walker et de plusieurs autres membres du Centre national pour l'analyse des crimes violents.*

Le rapport porte la date du 2 août 1989. Intitulé « LE MONSTRE DE FLORENCE/Dossier 163A-3915 », il commence ainsi :

> *On notera que l'analyse jointe a été réalisée à partir de l'examen des éléments fournis par vos services. Elle ne saurait être considérée comme complète et définitive et ne saurait remplacer une enquête de terrain approfondie.*

Le rapport du FBI établit que le Monstre de Florence n'est pas un cas unique. Il relève d'une typologie de tueurs en série dûment répertoriée sur laquelle le Bureau possède une base de données : il s'agit d'un individu solitaire, sexuellement impuissant, possédant une haine pathologique de la femme, qui satisfait par le meurtre ses pulsions libidineuses. Dans le langage direct propre à tout service de police, le rapport du FBI dresse la liste des caractéristiques du Monstre et détaille ses motivations probables, tout en spéculant sur les raisons qui le pousseraient à tuer, les méthodes qu'il emploie, la façon dont il choisit ses cibles et ce qu'il fait des prélèvements opérés sur les corps. Cette analyse s'accompagne de détails précis sur l'endroit où il vit, et même sur ses moyens de locomotion.

En découvrant ce rapport avec un intérêt proche de la fascination, Spezi comprend pourquoi il a été enterré : le portrait du tueur qui y est dressé ne correspond en rien à la personnalité de Pietro Pacciani.

Les spécialistes du FBI affirment que le Monstre choisit les lieux et non les victimes, ne tuant que dans des endroits qu'il connaît parfaitement.

> *De toute évidence, l'agresseur surveille ses victimes jusqu'au moment où elles s'engagent dans une activité sexuelle. C'est à ce stade que l'agresseur choisit de frapper, tablant sur l'effet de surprise, la rapidité et l'usage d'une arme immédiatement invalidante. Cette technique d'approche caractérise généralement un agresseur doutant de sa capacité à maîtriser ses victimes, se jugeant peu apte à contrôler des victimes « vivantes » et à les affronter directement.*
>
> *L'agresseur agit avec soudaineté et tire à bout portant en concentrant tout d'abord son tir sur la victime masculine afin de neutraliser celui qui constitue à ses yeux le plus grand danger. Une fois la première victime neutralisée, l'agresseur se sent suffisamment rassuré pour s'attaquer à la victime féminine. L'utilisation de plusieurs projectiles indique que l'agresseur souhaite s'assurer que ses deux victimes sont décédées avant de pratiquer la mutilation sur le cadavre de la victime féminine. Cette opération constitue l'objectif réel de l'agresseur, l'homme ne représentant qu'un obstacle à son accomplissement.*

À en croire le rapport du FBI, le Monstre agirait seul. Les experts précisent que, s'il a un casier judiciaire, il se limite tout au plus à des délits mineurs tels que le vol ou l'incendie volontaire. En temps normal, le tueur n'est pas quelqu'un de violent, susceptible de commettre des agressions. Ce n'est pas non plus un violeur.

> *L'agresseur est un individu marqué par son incapacité et son immaturité sexuelles, quelqu'un qui aura eu peu de contacts avec les femmes de son entourage.*

Le rapport explique l'intervalle entre les meurtres de 1974 et ceux de 1981 par le fait que le tueur a dû s'absenter de Florence à cette époque-là.

> *On peut décrire l'agresseur comme possédant une intelligence moyenne, ayant effectué des études secondaires ou l'équivalent dans le système éducatif italien. Il possède une certaine expérience des travaux manuels.*

Un peu plus loin, on peut lire :

> *L'agresseur aura vécu seul dans un milieu ouvrier au cours de la période où ont été commis les crimes. En outre, il possède sa propre voiture.*

Le passage le plus pertinent du rapport, aujourd'hui encore, concerne la manière dont les meurtres ont été exécutés, ce que le FBI appelle la « signature » du Monstre.

> *La possession de l'autre et le rituel utilisé constituent des éléments essentiels pour ce type d'agresseurs. Cela explique que les victimes féminines soient généralement traînées à plusieurs mètres de la voiture dans laquelle repose leur compagnon. La possession de sa victime, en tant que rituel, traduit la haine des femmes en général. La mutilation des organes sexuels des victimes symbolise l'impuissance de l'agresseur, ou bien son ressentiment envers la femme.*

Le rapport du FBI fait remarquer que ce type de tueurs en série tente souvent d'influencer le cours de l'enquête, soit en se présentant à la police comme informateur, soit par le biais de lettres anonymes ou de communiqués à la presse.

Les agents américains consacrent un chapitre entier à ce qu'ils nomment des « souvenirs », c'est-à-dire les parties du corps, les babioles ou les bijoux prélevés par le Monstre.

> *Ces éléments constituent des souvenirs qui permettent à l'agresseur de revivre les événements de façon fantasmatique pendant un certain temps. Il conserve ces éléments longtemps, et les abandonne sur le lieu du crime ou sur la tombe de la victime lorsqu'il n'en a plus besoin. Il arrive qu'un agresseur, pour assumer des besoins d'ordre*

libidineux, mange les parties découpées sur le corps de sa victime afin d'assouvir pleinement son envie de la posséder.

Un paragraphe du rapport revient sur la lettre, envoyée à Silvia Della Monica, contenant un lambeau du sein de la victime.

> *Cette lettre pourrait symboliser l'envie éprouvée par l'agresseur de se moquer de la police ; cela suggérerait qu'il est sensible à la publicité faite à l'affaire et cela traduirait chez lui un sentiment de sécurité croissant.*

Quant à l'arme utilisée par le Monstre, le FBI suggère la possibilité que « le pistolet soit pour lui un fétiche ». L'utilisation de la même arme et des mêmes boîtes de munitions fait partie de la nature rituelle des crimes ; il est probable aussi que le Monstre réserve, pour accomplir les meurtres, certains vêtements et accessoires qu'il prend soin de dissimuler le reste du temps.

> *Son comportement général, y compris l'utilisation d'accessoires et d'instruments spécifiques, suggère que le rituel propre aux agressions revêt à ses yeux une telle importance qu'il lui faudra répéter les mêmes gestes jusqu'à obtenir entière satisfaction.*

Rien dans ce portrait ne correspond à la personnalité de Pacciani, ce qui explique que le rapport du FBI ait été purement et simplement enterré.

Les trois années qui séparent 1989 de 1992 se révèlent extrêmement frustrantes pour Perugini et ses équipes qui ne parviennent toujours pas à réunir suffisamment de preuves pour inculper Pacciani. En désespoir de cause, ils prennent la décision de fouiller à fond la maison et le petit terrain du paysan. Cette opération s'étalera sur douze jours.

Ce qui va devenir la perquisition la plus méthodique et la plus poussée de toute l'histoire criminelle italienne débute à 9 h 50, le 27 avril 1992, et s'achève le 8 mai suivant, à midi. Une unité entière, constituée des meilleurs enquêteurs de la police scientifique, passe au peigne fin le taudis et le jardin de Pacciani, examinant les murs centimètre par centimètre, sondant les sols, explorant jusqu'au moindre interstice. Les hommes de Perugini fouillent les tiroirs et inspectent les lits, les fauteuils, les canapés, les bureaux, les placards. Les tuiles du toit sont soulevées les unes après les autres, le jardin retourné intégralement sur un mètre de profondeur, les champs avoisinants sondés avec une machine à ultrasons.

Les pompiers sont invités à visiter les lieux à leur tour, tout comme les représentants de plusieurs entreprises privées, équipés de détecteurs de métaux et de sondes thermosensibles. Chaque nouvelle étape de la perquisition est filmée par des techniciens. Un médecin a été convoqué sur place afin de veiller sur l'état de santé de Pacciani, comme si les hommes de la SAM craignaient qu'il ne meure d'une crise cardiaque. Un spécialiste du « diagnostic en architecture » est appelé en renfort pour savoir si une cachette n'a pas pu être pratiquée dans les murs porteurs de la maison.

C'est à 17 h 56, le 29 avril, alors que les enquêteurs épuisés décident d'abandonner provisoirement les recherches sous « un ciel menaçant », qu'a lieu la découverte. Ruggero Perugini a décrit cet instant triomphal dans son livre *Un homme presque normal* (l'ouvrage sur lequel est reproduite la nymphe de Botticelli vomissant un flot de sang) : « Dans la lumière de cette fin d'après-midi, je crus voir briller quelque chose dans la terre. »

Il s'agit d'une cartouche Winchester de série H, complètement rouillée. Faute d'avoir servi, elle ne porte pas la signature laissée par le percuteur de l'arme du Monstre, mais des rayures montrent qu'elle a déjà été chargée. Les experts balistiques, après l'avoir examinée, concluent que ces rayures ne sont pas « incompatibles » avec celles qu'aurait pu laisser l'arme du Monstre, mais ils ne souhaitent pas s'aventurer plus loin, en dépit des pressions dont ils sont victimes, à en croire l'un d'eux.

Mais c'est tout ce qu'attendait Perugini, et Pacciani est arrêté le 16 janvier 1993 sous l'inculpation d'être le Monstre de Florence.

25

Le procès de Pietro Pacciani débute le 14 avril 1994. La salle d'audience, transformée en bunker, est littéralement prise d'assaut. Le public est divisé entre ceux qui sont persuadés de la culpabilité de Pacciani et ceux qui croient dur comme fer à son innocence. Des filles se promènent avec des tee-shirts marqués « I ♥ Pacciani » et la foule des photographes, des cameramen et des journalistes s'agite de tous côtés. Perdu au milieu du public, on reconnaît l'écrivain Thomas Harris sur qui veille le commissaire Perugini.

Même en temps ordinaire, la justice a quelque chose de théâtral. À l'image d'une pièce, un procès se déroule dans un lieu unique sur une période de temps précis et chacun y joue son rôle en récitant son texte, qu'il s'agisse du procureur, des avocats, des juges ou de l'accusé. Mais jamais on n'a vu de procès plus théâtral que celui de Pacciani : c'est un mélodrame digne de Puccini.

Le vieux paysan passe son temps à pleurnicher en se balançant, s'écriant régulièrement dans son antique patois toscan : « Je suis doux comme un agneau ! On me crucifie, comme le Christ ! » Il arrive au petit homme de se lever, de sortir de sa poche une icône du Sacré-Cœur et de la brandir en direction des juges jusqu'à ce que le président lui demande de se rasseoir en multipliant les coups de marteau. D'autres fois, il entre dans une colère noire, le visage en feu, la bave aux lèvres et se met à insulter un témoin ou à maudire le

Monstre, invoquant Dieu, les mains jointes et les yeux au ciel en hurlant : « Qu'il brûle à tout jamais en enfer ! »

Quatre jours après le début du procès, Spezi sort un premier article retentissant. L'un des éléments à charge contre Pacciani est ce curieux tableau représentant un centaure, dont les psychiatres affirment qu'il est « compatible » avec la personnalité d'un psychopathe tel que le Monstre. Le tableau lui-même a été mis en lieu sûr par les enquêteurs, mais Spezi a réussi à en obtenir une photo par le bureau du procureur. Il ne lui faudra que quelques jours pour retrouver le véritable auteur de la toile, un peintre chilien de cinquante ans nommé Christian Olivares, qui s'est réfugié en Europe après le coup d'État de Pinochet. Olivares ne cache pas son indignation en apprenant que son tableau est utilisé comme pièce à conviction lors du procès d'un tueur en série. « J'ai voulu représenter l'horreur grotesque de la dictature, explique-t-il à Spezi. C'est parfaitement ridicule de dire qu'il a été peint par un psychopathe. C'est comme si on disait que *Les Désastres de la guerre* de Goya, par exemple, est l'œuvre d'un fou bon à être enfermé. »

Spezi s'empresse de téléphoner à Perugini pour l'avertir.

— Je compte publier demain un article dans lequel j'explique que le tableau que vous attribuez à Pacciani est l'œuvre d'un artiste chilien. Qu'en dites-vous ?

L'article de Spezi est un coup de théâtre, et le procureur Vigna s'évertue aussitôt à atténuer la portée du tableau. « Son importance a été largement exagérée par les médias », déclare-t-il, tandis que l'un de ses collègues, Paolo Canessa, tente de sauver les meubles en expliquant que Pacciani a « signé le tableau et affirmé à plusieurs de ses amis qu'il est la représentation de l'un de ses cauchemars ».

Le procès va durer six mois. Depuis un coin de la salle d'audience, des caméras filment en gros plan Pacciani et les témoins à charge. Les images sont projetées sur un écran placé à la gauche de la cour afin que tout le monde dans le public puisse suivre le drame, même du fond de la salle. Les moments forts de la journée sont ensuite diffusés le soir à la télévision, avec des audiences records. Dans toute l'Italie, on se réunit en famille à l'heure du dîner pour suivre ce qui a fini par devenir une véritable sitcom.

Le témoignage des filles de Pacciani est le moment le plus attendu du procès. Ce soir-là, la Toscane tout entière est scotchée devant son téléviseur.

Les Florentins n'oublieront jamais la vision de ces deux filles en pleurs (dont l'une a rejoint un couvent), racontant avec force détails comment elles ont été violées par leur père. La Toscane profonde qui se trouve brusquement projetée sur le petit écran est décidément bien différente de celle que propose le film *Sous le soleil de Toscane*. Le témoignage des deux filles de Pacciani dresse un tableau sans concession d'une famille dont les femmes font quotidiennement les frais de la brutalité verbale, physique et sexuelle du patriarche.

— Il ne voulait pas de filles, explique en sanglotant l'une des deux. Quand maman a fait une fausse couche et qu'il a appris que c'était un garçon, il nous a dit : « Vous auriez mieux fait de mourir pour qu'il puisse vivre. » Un jour, il nous a donné à manger la chair d'une marmotte qu'il avait tuée pour sa fourrure. Il nous battait quand on refusait d'aller se coucher avec lui.

Mais rien de toute cette misère n'a le moindre rapport avec le Monstre de Florence. Questionnées à ce sujet, les deux filles sont dans l'incapacité de déclarer quoi que ce soit qui puisse incriminer leur père. Même lorsqu'il était saoul, c'est-à-dire tous les soirs, jamais il n'a fait allusion à une arme quelconque, à du sang ou à quelque chose qui puisse rappeler les meurtres du Monstre de Florence.

Inlassablement, le procureur et ses adjoints versent au dossier les maigres éléments dont ils disposent. On présente à la cour la fameuse cartouche et un vieux chiffon, ainsi qu'une écuelle en plastique retrouvée chez Pacciani et dont la mère d'une des victimes pense qu'elle ressemble à une assiette appartenant à son fils. On exhibe une photo de la nymphe de Botticelli à côté d'un agrandissement de la victime retrouvée avec sa chaîne en or dans la bouche. Un carnet à dessins fabriqué en Allemagne, également récupéré chez Pacciani, est présenté comme une preuve, certains proches des campeurs allemands ayant assuré que les victimes possédaient le même. De son côté, Pacciani affirme l'avoir trouvé dans une poubelle bien avant le crime, ainsi que peuvent en attester des notes prises par l'inculpé avant la date du drame. Ce à quoi le procureur répond que Pacciani est suffisamment malin pour avoir ajouté ces notes par la suite, histoire de détourner les soupçons. (Spezi, dans un article publié à l'époque, fait remarquer qu'il aurait été encore plus simple pour Pacciani de brûler le carnet en question.)

Au nombre des témoins figurent les vieux camarades de Pacciani de la Casa del Popolo, le centre social, financé par le parti communiste, où se retrouvent presque quotidiennement les citoyens les plus modestes de San Casciano. Tous sont de rustres illettrés, alcooliques et débauchés. Parmi eux, se trouve un certain Mario Vanni, ancien facteur un peu simplet de San Casciano surnommé *Torsolo* (Trognon de pomme) par ses concitoyens qui voient en lui un rebut plus qu'un fruit.

Vanni semble terrorisé et perd pied face à la cour. Au lieu de répondre à la première question du président, « Quelle profession exercez-vous actuellement ? », il se lance dans une explication fumeuse en disant qu'il connaît effectivement Pacciani, mais qu'il s'agit d'un simple « compagnon de pique-nique ». Soucieux de ne pas commettre d'erreur au tribunal, l'ancien facteur s'est contenté d'apprendre par cœur une réponse qu'il ressort à tout bout de champ, quelle que soit la question posée : « *Eravamo compagni di merende* », répète-t-il inlassablement, « Nous étions des compagnons de pique-nique ».

Nous étions des compagnons de pique-nique. Sans le savoir, le malheureux facteur vient d'inventer une expression qui ne tardera pas à entrer dans le langage courant. Depuis, *compagni di merende* est une expression qui désigne des complices désireux de dissimuler leurs turpitudes sous une apparence d'innocence. La phrase possède même sa propre entrée dans la version italienne de Wikipédia.

« Nous étions des compagnons de pique-nique », répond Vanni à chaque question, le menton tremblant, le regard apeuré.

Le procureur ne tarde pas à manifester son agacement, d'autant que Vanni revient sur l'ensemble des déclarations qu'il a faites lors de ses interrogatoires initiaux. Il nie avoir été à la chasse avec Pacciani, conteste les réponses antérieures qu'on lui attribue, dément tout en bloc et jure qu'il ne sait rien en criant que Pacciani et lui sont de simples compagnons de pique-nique et rien d'autre. Le président finit par perdre patience.

— Signor Vanni, en refusant de répondre aux questions de la cour, vous vous exposez à une inculpation pour faux témoignage.

— Nous étions juste des compagnons de pique-nique, pleurniche Vanni de plus belle tandis que le public éclate de rire et que le président donne des coups de marteau rageurs.

Le comportement de Vanni à la barre finit par attirer les soupçons de Michele Giuttari, le policier qui succédera au commissaire Perugini lorsque celui-ci, récompensé d'avoir arrêté le Monstre (c'est-à-dire Pacciani), sera nommé à Washington au poste hautement honorifique d'officier de liaison entre la police italienne et le FBI.

Ainsi qu'on le verra, Giuttari va donner à l'enquête sur le Monstre un tour spectaculaire. En attendant, il se contente d'observer en coulisses les tenants et les aboutissants de l'affaire tout en développant sa propre théorie sur l'assassin.

Le procès de Pacciani va bientôt connaître un tournant majeur, cet instant à la Perry Mason où un témoin clé appelé à la barre scelle le sort de l'accusé. Ici, il est incarné par Lorenzo Nesi, un personnage mince et obséquieux avec des cheveux gominés et tirés en arrière, des Ray Ban, une chemise largement ouverte sur un torse velu couvert de chaînes en or. Séducteur et baratineur impénitent, Nesi entame ce jour-là une carrière de témoin star. Que ce soit par narcissisme ou par envie de voir sa photo à la une des journaux, il se spécialise dans les procès délicats dont il bouleverse le déroulement en se souvenant brusquement d'événements oubliés depuis des lustres. Sa venue au procès Pacciani marque le début d'une longue carrière.

Lors de sa première déposition spontanée, Nesi affirme avoir entendu Pacciani se vanter de chasser le faisan la nuit avec un pistolet. Ce témoignage est capital car il apporte la preuve que le vieux paysan, contrairement à ce qu'il affirme, possède bien un pistolet, très probablement l'arme du crime.

Vingt jours plus tard, Nesi se souvient brusquement d'un autre détail.

Dans la soirée du dimanche 8 septembre 1985, le jour où les deux touristes français auraient été assassinés, Nesi rentrait chez lui lorsqu'une déviation sur l'autoroute Florence-Sienne l'a contraint à passer près de la clairière de Scopeti. (Il sera établi par la suite que les travaux en question ont en fait été effectués le week-end suivant.) Entre 21 h 30 et 22 h 30, Nesi se trouvait à un kilomètre de la clairière de Scopeti lorsqu'il s'est arrêté à un carrefour pour laisser passer une Ford Fiesta. L'auto était rose ou rouge, et Nesi est sûr à 90 % que Pacciani se trouvait au volant, en compagnie d'un passager qu'il n'a pas reconnu.

Pourquoi avoir attendu dix ans pour témoigner ?

Nesi réplique qu'il n'était sûr qu'à 70 ou 80 % et qu'il ne voulait pas affirmer quelque chose dont il n'était pas certain. À présent qu'il est sûr à 90 %, il trouve normal d'apporter son témoignage, ce qui lui vaudra par la suite les félicitations du juge pour son intégrité.

On a du mal à croire que Nesi, lui-même vendeur de pull-overs, puisse se montrer aussi peu précis quant à la couleur du véhicule. Le pire est qu'il s'est trompé : la voiture de Pacciani est blanche. Mais peut-être Nesi pensait-il à l'Alfa Romeo rouge décrite par les personnes dont les dépositions ont conduit au portrait-robot désastreux quelques années plus tôt ?

Aussi douteux soit-il, le témoignage de Nesi place soudainement Pacciani à moins d'un kilomètre de la clairière de Scopeti ce dimanche-là. Il n'en faut pas davantage pour sceller le sort du vieil homme qui est condamné à quatorze peines d'emprisonnement à vie. Les juges justifient l'erreur de couleur faite par le témoin en avançant que la carrosserie de l'auto a pu donner l'impression d'être rouge à cause de ses feux arrière. Pacciani est en revanche acquitté du double meurtre de 1968, faute de preuves, sinon la présence de la même arme. Quant à savoir comment Pacciani a pu se procurer le Beretta s'il n'est pas mêlé à cette affaire, les juges préfèrent ne pas répondre à la question.

Le 1er novembre 1994, à 19 h 02, le président entame la lecture du verdict et toutes les chaînes de télévision d'Italie interrompent leur programme :

— Reconnu coupable du meurtre de Pasquale Gentilcore et Stefania Pettini, commence le président. Coupable du meurtre de Giovanni Foggi et Carmela De Nuccio, coupable du meurtre de Stefano Baldi et Susanna Cambi, coupable du meurtre de Paolo Mainardi et Antonella Migliorini, coupable du meurtre de Friedrich Wilhelm Horst Meyer et de Uwe Jens Rüsch, coupable du meurtre de Pia Gilda Rontini et de Claudio Stefanacci, coupable du meurtre de Jean-Michel Kraveichvili et de Nadine Mauriot.

En entendant le juge prononcer pour la dernière fois d'une voix de stentor le mot « coupable », Pacciani pose la main sur sa poitrine, ferme les yeux et murmure :

— On fait mourir un innocent.

26

Par un jour glacial de février 1996, Mario Spezi traverse la petite piazza du village de San Casciano et se dirige vers la caserne des carabiniers. Le journaliste est essoufflé, et pas uniquement à cause des gauloises qu'il fume les unes après les autres. S'il a endossé ce jour-là un épais manteau aux couleurs voyantes, surchargé de fermetures éclair et de boucles métalliques, c'est dans l'intention de faire diversion : l'un des boutons situés près du col n'est autre qu'un minuscule micro et le badge en plastique plaqué au niveau de la poitrine camoufle l'œil d'une caméra vidéo. À l'intérieur de la doublure de son vêtement, courent les câbles reliant ces accessoires à un petit enregistreur équipé d'une batterie. Cet appareillage électronique, parfaitement silencieux, lui a été fourni par un technicien de la télévision qui s'est chargé de l'installer sur lui dans la Collegiata di San Cassiano, à l'abri d'un pilier, entre le confessionnal et les fonts baptismaux. L'église était déserte, à l'exception d'une vieille femme agenouillée en prière devant une forêt de cierges électriques qui peinaient à chasser l'obscurité régnant dans le bâtiment.

Depuis deux ans que Pacciani a été condamné, Spezi a multiplié les articles et exprimé ses doutes sur la culpabilité du vieil homme à de nombreuses reprises, mais le scoop qu'il prépare devrait définitivement réveiller les consciences.

Spezi dispose d'une heure d'autonomie. Il lui faut mettre à profit ce délai pour faire parler Arturo Minoliti, le responsable des carabiniers de San Casciano. Spezi veut savoir la vérité au sujet de la cartouche découverte par Perugini dans le potager de Pacciani. En tant que responsable local des carabiniers, Minoliti a été présent tout au long des douze jours qu'a duré la perquisition, il est donc le seul officiel, en dehors de la SAM et des services de police, à avoir assisté à l'opération.

Spezi n'a jamais été friand de ce genre de journalisme et il s'était toujours juré de ne pas le pratiquer lui-même. L'idée de piéger quelqu'un pour obtenir un scoop n'est guère reluisante, mais il a fini par faire taire ses scrupules à l'approche de son rendez-vous avec Minoliti. Filmer le carabinier à son insu est sans doute l'unique moyen de connaître la vérité, ou tout au moins une partie. L'enjeu est de taille car Spezi, en son âme et conscience, croit Pacciani victime d'une grossière erreur judiciaire.

Spezi s'arrête un instant devant l'entrée de la caserne et se place de façon à ce que la caméra puisse filmer la pancarte « *Carabinieri* », puis il appuie sur la sonnette et attend, le visage fouetté par un vent glacial. Un chien aboie quelque part. Il ne lui est même pas venu à l'esprit que l'opération puisse échouer, l'odeur du scoop semble lui donner des ailes.

La porte s'ouvre sur un homme au regard éteint, vêtu d'un uniforme bleu.

— Bonjour, je m'appelle Mario Spezi. J'ai rendez-vous avec le capitaine Minoliti.

On le fait patienter dans une petite pièce où il trompe l'attente en fumant une nouvelle gauloise. De son poste d'observation, Spezi aperçoit le bureau vide du fonctionnaire à qui il compte arracher la vérité. Le fauteuil de Minoliti est légèrement décalé sur la droite et Mario calcule que la caméra, installée du côté gauche, risque de filmer le mur. Lorsqu'il sera assis face à son interlocuteur, le mieux est encore de tourner discrètement son siège afin de cadrer au mieux le visage du capitaine.

« Ça ne marchera jamais, se dit Spezi, brusquement anxieux. On se croirait dans un film américain, il n'y a que les gens de la télé pour croire que ça puisse réussir dans la vraie vie. »

Minoliti arrive sur ces entrefaites. Grand, une petite quarantaine, un costume de confection, des lunettes de soleil à monture dorée suffisamment modeste pour laisser deviner un visage intelligent.

— Désolé de vous avoir fait attendre.

Spezi a mis au point une double stratégie pour amener le carabinier sur le terrain qui l'intéresse. En fonction de la personnalité de son interlocuteur, il s'agit de faire appel soit à sa conscience professionnelle, soit à sa vanité.

Minoliti lui désigne un siège que Spezi décale légèrement le plus naturellement du monde, puis il s'assied en face du capitaine et pose son paquet de cigarettes et son briquet sur le bureau. À présent, il est certain d'avoir Minoliti dans le champ de sa caméra.

— Je suis désolé de venir vous importuner, commence-t-il d'une voix hésitante, mais j'ai rendez-vous demain avec mon éditeur à Milan et je ne voudrais pas y aller les mains vides. Je cherche quelque chose de nouveau au sujet du Monstre de Florence. Ce n'est pas à vous que je vais l'apprendre, on a dit tout et son contraire sur cette affaire. Le problème, aujourd'hui, c'est que tout le monde s'en fiche.

Minoliti ne cesse de s'agiter sur son siège, tournant la tête de façon étrange. Son regard passe constamment de Spezi à la fenêtre et il finit par dissimuler son malaise en allumant une cigarette.

— Que voulez-vous savoir ? demande-t-il en soufflant un nuage de fumée par le nez.

— Arturo, répond Spezi en se penchant vers lui d'un air confidentiel, Florence est une petite ville, vous et moi fréquentons les mêmes gens. Nous avons tous les deux entendu les mêmes rumeurs, c'est normal. Excusez-moi de me montrer aussi direct, mais j'ai cru comprendre que vous aviez des doutes au sujet de l'enquête sur Pacciani. Des doutes sérieux…

Le capitaine se prend le menton dans la main et esquisse une moue curieuse. Soudain, les mots sortent, avec un certain soulagement.

— Eh bien, oui… Dans la mesure où… Pour dire les choses simplement, une coïncidence, on ne se pose pas trop de questions. Une deuxième, passe encore. Mais à la troisième… eh bien, on finit par se dire que ce ne sont peut-être pas des coïncidences. Ici, il y avait trop de coïncidences, ou de trucs bizarres.

Derrière la petite caméra, le cœur de Spezi fait un bond.

— Je ne comprends pas. Vous voulez dire que l'enquête n'a pas été menée normalement ?

— Eh bien, oui. Écoutez. Je suis persuadé que Pacciani est coupable, mais si j'avais dû en apporter la preuve… Il y a des choses qui ne se font pas.

— C'est-à-dire ?

— C'est-à-dire… Le chiffon, par exemple. Il y a quelque chose qui ne colle pas avec le chiffon.

Le chiffon dont il est question a joué un rôle de premier plan dans la condamnation de Pacciani. Un mois après la perquisition incroyablement poussée qui a permis l'exhumation de la cartouche, Minoliti a reçu un paquet anonyme. En l'ouvrant, il a découvert le guide du ressort de rappel d'une arme à feu, enveloppé dans un morceau de chiffon et accompagné d'un mot rédigé en lettres majuscules :

CECI EST UNE PIÈCE DU PISTOLET APPARTENANT AU MONSTRE DE FLORENCE. ELLE SE TROUVAIT DANS UN BOCAL DE VERRE MIS (QUELQU'UN L'AVAIT TROUVÉE AVANT MOI) AU PIED D'UN ARBRE À LUIANO. PACCIANI SE PROMENAIT SOUVENT LÀ-BAS. PACCIANI EST UN ÊTRE DIABOLIQUE, JE LE CONNAIS BIEN ET VOUS LE CONNAISSEZ AUSSI. DIEU VOUS BÉNIRA DE L'AVOIR PUNI, CE N'EST PAS UN ÊTRE HUMAIN, MAIS UN ANIMAL. MERCI.

L'affaire semble curieuse *a priori*, jusqu'à ce que les enquêteurs de la SAM, en fouillant une nouvelle fois le garage de Pacciani, mettent la main sur un morceau de chiffon qui leur a échappé lors de leur perquisition initiale. Placés l'un à côté de l'autre, les deux morceaux de tissu correspondent parfaitement.

La théorie de Perugini est que le Monstre, souhaitant inconsciemment se faire prendre, a envoyé lui-même la lettre contenant le bout de tissu.

— Cette histoire de chiffon sent mauvais, ajoute Minoliti en se tournant vers la caméra cachée. Personne ne m'a demandé de venir le jour où le chiffon a été retrouvé. La SAM était pourtant censée se faire assister par les carabiniers de San Casciano lors des perquisitions, mais personne ne m'a prévenu. Bizarre. Comme je vous dis, cette histoire sent le coup monté. On avait fouillé le garage de fond en comble et on avait établi une liste précise de tout ce qu'on y avait trouvé. Il n'y avait pas de chiffon.

Spezi allume une gauloise afin de dissimuler son excitation. Il tient déjà son scoop avant même d'en arriver à la cartouche retrouvée dans le potager.

— À votre avis, d'où venait le chiffon en question ?

Le carabinier écarte les bras.

— Allez savoir ! Je n'étais pas là et c'est bien ça le problème. Et puis, pourquoi envoyer le guide du ressort de rappel du pistolet ? De toutes les pièces détachées d'une arme à feu, c'est la seule qui ne soit pas identifiable lors d'un test balistique, et c'est précisément celle-là qu'on nous fait parvenir !

Spezi juge le moment venu de faire allusion à la cartouche Winchester.

— Et la cartouche ? Là aussi, vous trouvez que ça sent mauvais ?

Minoliti prend longuement sa respiration et conserve le silence pendant quelques secondes avant de se décider.

— Je n'ai toujours pas avalé la façon dont elle a été retrouvée. Je n'ai pas du tout apprécié que le commissaire Perugini nous mette dans une position aussi délicate…

Malgré son calme apparent, Spezi a le plus grand mal à calmer les battements de son cœur.

— On était dans le jardin de Pacciani, poursuit le capitaine. Moi, Perugini et deux autres agents de la SAM. Ils étaient en train de racler les semelles de leurs chaussures sur un poteau en ciment posé par terre, ils plaisantaient parce qu'ils avaient les mêmes souliers. À un moment, tout près du pied d'un des deux types, on voit l'extrémité inférieure d'une cartouche.

— Attendez une seconde, l'interrompt Spezi afin que tout soit bien clair sur son enregistrement. Ce n'est pas du tout de cette façon-là que Perugini décrit la chose dans son livre.

— Exactement ! Il dit : « J'ai vu l'éclat du soleil sur la cartouche. » Quel soleil ? Après tout, il a peut-être voulu embellir un peu la vérité.

— Minoliti, insiste Spezi, ce sont eux qui l'ont placée là ?

Le visage du capitaine s'assombrit.

— C'est une hypothèse. Et même plus qu'une hypothèse… Je n'affirme rien, mais quelle que soit la façon dont j'envisage la chose… Je dirais que j'en suis quasiment certain.

— Vous en êtes quasiment certain ?

— Euh… oui. Je ne vois pas comment ça aurait pu se produire autrement… Comme je vous l'ai dit, j'ai eu la chair de poule quand j'ai lu ce qu'avait écrit Perugini au sujet de cette cartouche et de l'éclat du soleil. Je lui ai dit : « Ce n'est pas convenable envers moi, commissaire. Si je vous contredis, c'est moi qui passe pour un con. » À qui vont se fier les juges ? À un capitaine des carabiniers ou à un commissaire ? À ce stade, je n'avais plus le choix, il fallait bien que je confirme son histoire.

Spezi se croirait presque sur le plateau d'un film hollywoodien. Minoliti, avec son accent napolitain, est parfait dans son rôle. Voyant que l'heure tourne et sachant que la durée de la vidéo est limitée, le journaliste enfonce le clou.

— Dites-moi franchement, Arturo, ils l'ont placée là eux-mêmes ?

Minoliti est sur des charbons ardents.

— J'ai du mal à accepter que des collègues, des amis…

Spezi n'a plus le temps de tergiverser.

162

— Oui, je vous comprends. Mais en oubliant un instant que ce sont des collègues que vous connaissez depuis long-temps et en examinant uniquement les faits, diriez-vous que cette cartouche a été mise là exprès ?

Minoliti ne respire quasiment plus.

— Si je regarde les choses en face, oui. À mon avis, elle a été mise là pour l'incriminer. Je suis persuadé que plusieurs indices sont bidon : la cartouche, le guide du ressort de rappel et le chiffon. Je me trouve dans une situation extrê-mement délicate, poursuit Minoliti dans un murmure, comme s'il se parlait à lui-même. Ils ont mis mon téléphone sur écoute… j'ai peur… j'ai vraiment peur…

Il s'agit à présent de savoir si le capitaine a fait part à qui-conque de ses soupçons.

— Vous en avez parlé à quelqu'un ?

— J'en ai parlé à Canessa, répond Minoliti en citant le nom de l'un des juges du bureau du procureur.

— Et qu'est-ce qu'il a dit ?

— Rien.

Quelques minutes après, Minoliti raccompagne son visi-teur jusqu'à l'entrée de la caserne.

— Mario, glisse-t-il à Spezi, oubliez ce que je vous ai dit. Il fallait que ça sorte. Je vous ai dit ça parce que j'ai confiance en vous, mais je peux vous garantir que, quand vos collègues viennent m'interviewer, je les fais fouiller avant de leur parler.

Spezi traverse la piazza en sens inverse, honteux, et pour-suit sa route en rasant les murs. Il en a oublié le froid.

« Seigneur, pense-t-il, ça a marché ! »

Il gagne la Casa del Popolo où l'attendent les techniciens de la télévision en éclusant des bières, se dirige droit vers leur table et s'assied sans un mot. Les autres le regardent, mais il continue de garder le silence et personne n'ose lui poser la moindre question. Tout le monde a compris que l'opération a réussi.

Ce soir-là, réunis autour d'un bon dîner après avoir visionné l'interview de Minoliti, ils laissent libre cours à leur euphorie : ils tiennent le scoop du siècle. Spezi, honteux de devoir sacrifier le malheureux Minoliti, fait taire ses scrupules en se convainquant que la vérité mérite tous les sacrifices.

Le lendemain, l'agence de presse italienne ANSA est la première à en parler et les trois chaînes de télévision nationales demandent aussitôt à Spezi de leur accorder une interview. À l'heure du journal du soir, Spezi s'installe sur son canapé, télécommande en main.

Pas un mot sur l'affaire.

Le lendemain, aucun journal ne reprend la nouvelle. Rai Tre, la troisième chaîne publique italienne dont les techniciens ont monté le coup avec Spezi, a tout simplement annulé la diffusion du reportage.

De toute évidence, quelqu'un de très influent est intervenu en haut lieu.

27

En Italie, un citoyen condamné à la prison à vie a automatiquement droit à un procès en appel devant la *Corte d'Assise d'Appello*, avec un procureur et des magistrats différents. En 1996, deux ans après sa condamnation, Pacciani se retrouve devant les juges. Cette fois, le procureur général est un Vénitien nommé Piero Tony, un personnage d'allure aristocratique, grand amateur de musique classique, au crâne chauve entouré de mèches qui lui tombent sur les épaules. Quant au président, il s'agit d'un homme âgé à l'allure imposante, Francesco Ferri, un magistrat confirmé bénéficiant d'une longue expérience.

Piero Tony n'a rien à gagner à voir confirmée la condamnation de Pacciani puisqu'il n'a aucune raison de perdre la face. Cette procédure d'appel constitue l'une des forces du système judiciaire italien, aucun des acteurs concernés, qu'il s'agisse des juges ou des procureurs, n'ayant rien à prouver.

Tony, à qui l'on demande d'examiner en toute conscience le cas Pacciani, étudie le dossier avec toute l'objectivité requise.

Il est d'emblée étonné de ce qu'il découvre.

— Si cette enquête n'avait pas des conséquences aussi dramatiques, elle mériterait de figurer dans un film de la Panthère rose, déclare-t-il à la cour.

Loin de requérir contre Pacciani, Tony s'évertue, tout au long de la procédure d'appel, à dresser un réquisitoire contre la façon dont l'enquête a été menée, pulvérisant avec une logique implacable l'ensemble des preuves accumulées par la SAM. Les avocats de Pacciani, voyant que le procureur s'empare de leurs arguments les uns après les autres, ne peuvent qu'attendre en silence le moment d'exprimer leur plein et entier accord avec le ministère public.

À mesure que se déroule le procès, un vent de panique se met à souffler sur les enquêteurs. Si le procureur lui-même clame l'innocence de l'accusé, il ne fait guère de doute que Pacciani sera acquitté, avec tout ce que cela implique d'humiliation pour la police. L'ordre de réagir est donc donné au commissaire Michele Giuttari.

Six mois plus tôt, à la fin du mois d'octobre 1995, le commissaire Giuttari s'est installé dans des locaux ensoleillés surplombant les eaux de l'Arno, à peu de distance du consulat américain. Son collègue Perugini ayant été nommé à Washington, c'est à lui que revient la charge de poursuivre le travail de son prédécesseur. La condamnation de Pacciani a officiellement mis un terme à l'affaire du Monstre de Florence et la SAM a été dissoute, mais Giuttari s'est empressé de remettre sur pied une autre unité spéciale. Mieux, le successeur de Perugini s'est personnellement embarqué dans un travail titanesque en consultant la montagne des dossiers accumulés depuis le début de l'affaire : les centaines d'interrogatoires de témoins, les rapports d'analyses, les comptes-rendus d'experts, les minutes du procès. Il a également ressorti des placards les indices recueillis sur les scènes de crime afin de les examiner un par un, quelle que soit leur insignifiance apparente.

Giuttari a pu s'apercevoir que quantité de questions restent sans réponse, que bien des éléments étranges et de nombreux mystères subsistent. Cette longue plongée dans les eaux troubles de l'affaire l'a surtout conduit à la conclusion que l'affaire n'est pas résolue. Personne à ses yeux, pas même Perugini, n'a pris la mesure d'une affaire qu'il juge infiniment plus inquiétante qu'il n'y paraît.

Michele Giuttari est originaire de Messine, en Sicile. C'est un personnage fringant et brillant, romancier à ses heures et grand amateur de théories du complot. Il mâchouille en permanence un cigare « toscan », le col de son manteau relevé, ses cheveux d'un noir brillant lissés en arrière, ce qui lui confère une certaine ressemblance avec le Al Pacino du film *Scarface*. En clair, il y a chez lui un côté cabot.

En fouillant les dossiers relatifs aux crimes du Monstre, Giuttari s'est aperçu que plusieurs pistes importantes n'ont jamais été explorées, dont certaines peuvent laisser croire que le tueur en série n'a pas agi seul. Le commissaire s'est notamment intéressé à la déclaration de Lorenzo Nesi qui a affirmé avoir vu « une autre personne » dans la voiture rouge – blanche, en réalité – de Pacciani le dimanche soir, à un kilomètre de la clairière de Scopeti. Giuttari a cherché à savoir qui pouvait être cet inconnu et ce qu'il pouvait bien faire dans cette voiture. Aurait-il participé au crime ?

Giuttari a parfaitement compris que découvrir la vérité, la *vraie* vérité, ne pourra que servir sa carrière. L'exemple de Perugini (et bientôt celui de Vigna) lui apporte la preuve que l'affaire du Monstre est un tremplin rêvé pour un fonctionnaire ambitieux, et ce ne sont pas les pistes inexplorées qui manquent.

Lorsque s'ouvre le procès en appel de Pacciani six mois plus tard, Giuttari comprend très rapidement que ses rêves de gloire ont du plomb dans l'aile. À moins de trouver d'urgence une solution, Pacciani risque fort d'être acquitté, le privant à jamais de l'opportunité de développer ses nouvelles thèses.

Au matin du 5 février 1996, le procureur Piero Tony va résumer pendant quatre heures les tenants et les aboutissants de l'affaire. D'après lui, le dossier de Pacciani ne repose sur aucune preuve sérieuse et solide. Tony ne croit ni au guide du ressort de rappel ni à la cartouche retrouvée dans le potager, et il ne bénéficie d'aucun témoignage sérieux sur lequel s'appuyer car le dossier est vide. À l'entendre, l'accusation ne s'est jamais intéressée à l'élément central de l'affaire, à savoir la façon dont le Beretta de calibre .22 utilisé lors du double meurtre de 1968 a pu passer des mains des Sardes à celles de Pacciani.

— Une moitié de preuve et une autre moitié de preuve ne font pas une preuve : elles comptent pour zéro !

Le 12 février, les avocats de Pacciani, à court d'arguments, se contentent de conclusions rapides et attendent que le juge Ferri et ses collègues se retirent pour délibérer.

Cet après-midi-là, le commissaire Giuttari enfile son manteau noir dont il relève le col ; un demi-cigare « toscan » aux lèvres, il réunit ses hommes et prend la tête d'un long cortège de voitures banalisées. Arrivés à San Casciano, les véhicules des policiers entourent le domicile de Mario Vanni, le facteur qui a répété tout au long du procès que Pacciani et lui étaient de simples « compagnons de pique-nique ». Quelques minutes plus tard, Giuttari et ses hommes poussent Vanni dans l'une des voitures sans même lui laisser le temps d'enfiler son dentier. Pour eux, le doute n'est plus permis : Vanni est bien « l'autre homme » aperçu par Lorenzo Nesi dans la voiture de Pacciani et il est aussitôt inculpé de complicité de meurtre.

Le timing est parfait. Le matin même du jour où les juges d'appel doivent rendre leur verdict, toute la presse italienne se fait l'écho de l'arrestation de Vanni, présenté comme le complice de Pacciani.

Au matin du 13 février 1996, la salle d'audience de la cour d'appel prend des allures de volcan à la veille d'une éruption majeure. En arrêtant Vanni, Giuttari défie les juges de prononcer l'acquittement de Pacciani.

Au début de l'audience, un policier envoyé par le commissaire Giuttari se présente à la cour, armé d'une pile de dossiers, et demande le droit d'être entendu. Sans chercher à cacher son agacement face à ce rebondissement de dernière minute, le président Ferri peut difficilement refuser la requête de l'émissaire de la police qu'il invite à s'exprimer.

Le policier annonce à la cour que quatre nouveaux témoins ont fait surface dans l'affaire du Monstre. Des noms de code, les quatre premières lettres de l'alphabet grec, leur ont été donnés : Alpha, Bêta, Gamma et Delta. Il est malheureusement impossible aux enquêteurs de dévoiler leur véritable identité pour des raisons de sécurité, mais leurs témoignages se révèlent décisifs, deux d'entre eux ayant été présents lors des meurtres des deux touristes français commis au cours de l'été 1985. La cour ne cache pas sa stupéfaction à cette annonce. À en croire l'émissaire de Giuttari, l'un des témoins aurait même avoué avoir aidé Pacciani, ce que corroborent les autres. Après s'être tus pendant plus de dix ans, les quatre témoins ont brusquement décidé de parler, à vingt-quatre heures du verdict final de la juridiction d'appel.

Un silence glacial s'abat sur la salle d'audience. Les journalistes restent comme pétrifiés, le stylo bille à la main, après avoir assisté à l'un de ces coups de théâtre qui n'arrivent qu'au cinéma.

À l'agacement de Ferri succède bientôt une colère froide. Tout en conservant son calme, il déclare d'une voix sarcastique :

— J'ai bien peur que nous ne soyons pas en mesure d'entendre Alpha et Bêta, car nous ne sommes pas ici pour suivre un cours d'algèbre. Il est hors de question d'attendre l'autorisation du bureau du procureur pour lever le voile sur les noms de vos témoins. De deux choses l'une : soit vous nous dites tout de suite qui sont Alpha, Bêta, Gamma et Delta, auquel cas nous les invitons à témoigner ; soit vous n'êtes pas en mesure de le faire et nous ne pourrons tenir compte de votre requête.

Comme le policier s'entête et refuse de lui donner les noms de ses témoins, le président Ferri, livide de rage, renvoie l'émissaire, puis se lève avec ses collègues et se retire pour délibérer.

Certains prétendront par la suite que le piège était habile et que Ferri y est tombé la tête la première. En présentant ses témoins d'une façon aussi brutale, Giuttari sait d'avance que Ferri refusera de les entendre, ce qui va l'autoriser à contester le jugement de la cour d'appel devant la Cour de cassation.

Il est 11 heures. À 16 heures, la rumeur bruit dans les couloirs du tribunal que la cour s'apprête à rendre son verdict. Dans tous les bars d'Italie, les postes de télévision sont réglés sur la même chaîne. Pro-Pacciani et anti-Pacciani s'invectivent en engageant des paris sur le résultat, les tee-shirts « I ♥ Pacciani » sont ressortis pour l'occasion.

Debout, la voix chevrotante, le président Ferri annonce alors l'acquittement entier et sans condition de Pacciani pour les crimes imputés au Monstre de Florence.

Le vieux paysan toscan est aussitôt libéré. Entouré de ses avocats, les larmes aux yeux, les mains écartées dans un geste de bénédiction papale, il accueille le jour même ses supporters depuis la fenêtre de sa petite masure.

Le procès public terminé, reste celui qui se poursuit dans tous les foyers d'Italie. Le stratagème de Giuttari a fonctionné. L'arrestation de Vanni et le défi lancé aux juges de la cour d'appel ont suffi à ranimer la flamme : Pacciani vient d'être acquitté pour un crime que deux de ses complices l'ont vu commettre. L'indignation est à son comble. Pacciani est coupable, il ne peut en être autrement, ce qui n'a pas empêché les juges de l'acquitter. Ferri fait l'objet, du jour au lendemain, de l'opprobre général et des voix s'élèvent de toutes parts pour dénoncer ce déni de justice.

La parade sur laquelle comptait Giuttari existe bel et bien, Ferri ayant refusé d'entendre les quatre témoins. Saisie, la Cour de cassation italienne invalide la décision des juges d'appel et ordonne un nouveau procès.

Giuttari passe immédiatement à l'action, armé de preuves, prêt à lancer une nouvelle série d'inculpations. Cette fois, Pacciani n'est plus un tueur en série solitaire car il était entouré de complices : ses compagnons de pique-nique.

28

Spezi et ses collègues entreprennent aussitôt d'identifier les quatre témoins qui se dissimulent derrière les lettres grecques. Le secret qui les entoure n'est pas épais et ils n'ont aucun mal à découvrir qu'il s'agit d'un ramassis de simples d'esprit et de voyous. Alpha est un handicapé mental nommé Pucci, Gamma une prostituée gravement alcoolique, Ghiribelli, qui accepte de faire des passes pour un verre de mauvais vin, et Delta est un petit maquereau appelé Galli.

Le plus important de tous est cependant Bêta, l'homme qui a avoué avoir aidé Pacciani à tuer les touristes français. Il s'appelle Giancarlo Lotti et vient de la même bourgade que Vanni, San Casciano. Tout le monde le connaît dans le village où on le surnomme Katanga, une épithète raciste équivalente de nègre, bien qu'il soit blanc. Lotti est l'idiot du village par excellence, tel qu'il a disparu dans le monde urbain actuel. Un personnage vivant de la charité publique que ses concitoyens nourrissent, habillent et logent parce qu'il les fait rire avec ses clowneries involontaires. Lotti passe son temps sur la place du village, un sourire niais aux lèvres, interpellant les passants. Il fait souvent les frais des gamins de San Casciano qui se moquent de lui et lui font des niches avant de se lancer à sa poursuite : « Katanga ! Katanga ! Va-t'en vite ! Les Martiens viennent de débarquer sur le terrain de foot ! » Lotti s'exécute, ravi qu'on s'intéresse à lui, toujours entre deux vins grâce à ses deux bouteilles quotidiennes, davantage les jours fériés.

Désireux d'en savoir plus, Spezi passe une longue soirée avec le propriétaire de la trattoria où Lotti mangeait gratuitement jusqu'à son arrestation. Le restaurateur est une mine d'anecdotes amusantes. Il évoque le jour où le serveur, qui pose chaque soir un bol de *ribollita* devant un Lotti aux yeux injectés de sang, s'est déguisé en femme. Une serviette sur la tête en guise de fichu et des chiffons fourrés sous sa chemise à la place des seins, le serveur s'est approché de Lotti d'une démarche chaloupée en lui lançant des œillades. Le malheureux a aussitôt mordu à l'hameçon et la « belle » lui a fixé rendez-vous dans un bosquet la nuit suivante. Le lendemain, à l'heure du dîner, un Lotti en pleine forme se vante de sa future conquête, buvant et mangeant comme quatre, lorsque le patron de la trattoria le prévient qu'on le demande au téléphone. Lotti, gonflé d'importance à l'idée d'être appelé au téléphone en plein restaurant, titube jusqu'à l'appareil. Au bout du fil, un autre serveur lui parle depuis la cuisine, se faisant passer pour le père de la jeune fille.

— Si jamais tu touches à un cheveu de ma fille, rugit le faux père, je te défonce la tronche.

— Quelle fille ? balbutie un Lotti terrorisé, les genoux tremblants. Je vous jure, je connais la fille de personne, je vous supplie de me croire.

Ce soir-là, la plaisanterie a fait hurler de rire la trattoria tout entière.

L'histoire que Lotti et les autres témoins « grecs » ont racontée à Giuttari est nettement moins amusante. Leur confession n'a pas tardé à transpirer dans la presse.

Pucci a expliqué au commissaire qu'il rentrait à Florence, en compagnie de Lotti, le soir du 8 septembre 1985. Il s'agit du dimanche où les touristes français auraient été assassinés, d'après les enquêteurs. Le même soir où Lorenzo Nesi prétend avoir vu Pacciani dans sa voiture en compagnie d'un inconnu. Les deux hommes se sont arrêtés dans la clairière de Scopeti pour se soulager.

— Je me souviens très bien d'avoir vu une voiture de couleur claire garée à quelques mètres d'une tente, a expliqué Pucci. Les deux passagers de la voiture sont descendus et nous ont crié dessus avec des gestes menaçants, alors on est partis. Ils disaient qu'ils allaient nous tuer si on repartait pas tout de suite. « Venez pas nous casser les couilles ! Foutez le camp ou bien on vous fait la peau ! » On a pris peur et on a déguerpi.

Pucci prétend être arrivé dans la clairière avec Lotti au moment où le Monstre commettait son dernier crime. Son témoignage est confirmé par Lotti qui assure avoir reconnu les deux hommes : Pacciani et Vanni, le premier avec un pistolet, le second un couteau à la main.

Lotti accuse également Pacciani et Vanni d'être les auteurs du double meurtre de Vicchio en 1984, avant d'expliquer qu'il ne s'est pas arrêté par hasard dans la clairière de Scopeti. Il savait que le meurtre devait avoir lieu ce soir-là et il venait aider les assassins. Oui, insiste Lotti, désireux de soulager sa conscience, lui aussi est complice du Monstre de Florence, comme Vanni.

Toute la thèse de la police repose sur cette confession. En tant que témoin clé, Lotti fait l'objet de toutes les attentions des hommes de Giuttari qui l'ont conduit dans un endroit secret dont on apprendra beaucoup plus tard qu'il s'agit des locaux de la police d'Arezzo, une splendide cité médiévale située au sud de Florence. Après de long mois entre les mains de la police, Lotti ne se contredit quasiment plus et sa version des faits coïncide presque en tous points avec celle des enquêteurs. Il manque pourtant à ces derniers une preuve irrécusable, d'autant que la version initiale de Lotti, avant son long séjour à Arezzo, s'est trouvée contredite par plusieurs éléments découverts dans la clairière. Lotti affirme par exemple avoir vu Vanni pratiquer une ouverture dans la tente avec son couteau afin que Pacciani y pénètre. Au même moment, Kraveichvili aurait jailli de la tente et se serait enfui dans les bois, poursuivi par le gros sexagénaire qui lui aurait tiré dessus avec son pistolet et l'aurait abattu.

Cette version ne correspond pas aux éléments retrouvés sur place. L'ouverture pratiquée dans la tente mesure une vingtaine de centimètres et n'a pas entamé le double toit. Personne n'a donc pu s'introduire dans la tente de cette façon-là. Quant aux douilles des projectiles tirés lors de l'attaque, elles ont toutes été retrouvées à l'entrée de la tente, contrairement à ce qui se serait produit si le Français avait été blessé pendant la poursuite, ainsi que l'affirme Lotti. En outre, la description de Lotti est infirmée par les psychiatres et les spécialistes du comportement, par les résultats des autopsies et par la reconstitution effectuée après le double meurtre.

Quant au drame de Vicchio, la « confession » de Lotti est encore moins crédible. Selon lui, la jeune victime aurait uniquement été blessée par les premiers coups de feu. Vanni, soucieux de ne pas se salir, aurait alors pris le temps d'enfiler une blouse avant de sortir de force sa victime de la voiture, de la traîner jusqu'à un champ malgré ses cris et de l'achever à l'aide d'un couteau. Cette fois encore, rien ne colle. La jeune fille a été tuée d'une balle en pleine tête dès le premier coup de feu et n'a donc pas eu le temps de crier.

Le médecin légiste a confirmé que les coups de couteau ont été donnés après la mort. Enfin, rien n'indiquait la présence sur place de plus d'un tueur.

Pour en revenir aux meurtres de 1985, il reste une pierre d'achoppement majeure. Les enquêteurs ont toujours affirmé que le drame avait eu lieu le dimanche soir. La date est corroborée par Lotti, comme par le témoignage de Nesi, mais de nombreux indices tendent à prouver que les deux touristes français ont été tués dès le samedi, à commencer par le témoignage de Sabrina Carmignani.

Comment expliquer que Lotti ait avoué un crime dont il est innocent? On devine aisément la réponse en constatant que son témoignage a permis à l'idiot du village de devenir une star. L'Italie tout entière s'intéresse à l'acolyte du Monstre de Florence, sa photo fait la une des journaux et les enquêteurs sont suspendus à ses lèvres. Sans oublier qu'il est nourri et logé à Arezzo, et peut-être même abreuvé.

En marge de l'enquête principale, Giuttari et ses hommes se sont intéressés à la curieuse vie sexuelle de Vanni, avec des résultats parfois hilarants. À en croire l'un des témoins « grecs », alors que l'ancien facteur se rendait un jour en bus à Florence afin d'y trouver une prostituée, un virage négocié un peu trop brutalement par le chauffeur aurait fait tomber de sa poche un vibromasseur. À quatre pattes dans le bus, Vanni se serait lancé à la poursuite de l'appareil qui roulait dans tous les sens au gré des soubresauts de la route.

« La seconde enquête sur le Monstre de Florence tendrait à montrer que les crimes concernés n'ont pas été commis par un tueur en série isolé, mais par plusieurs personnes », déclare à la presse le procureur Vigna. Au lieu d'avoir affaire à un seul psychopathe, les Florentins se trouvent désormais en présence d'une bande de Monstres qui écument la campagne toscane : les fameux « compagnons de pique-nique ».

Ghiribelli, la prostituée alcoolique, a de son côté raconté aux enquêteurs une histoire qui prendra par la suite beaucoup d'importance. Elle prétend en effet que Pacciani et ses compagnons de pique-nique se retrouvaient régulièrement dans la maison d'un prétendu druide, maquereau de profession et adepte du culte satanique, qui pratiquait des messes noires.

— À l'entrée de la pièce, explique Ghiribelli, il y avait de vieux cierges et une étoile à cinq branches dessinée par terre au charbon au milieu de bouteilles d'alcool, de capotes et d'un foutoir innommable. Il y avait un grand lit avec des draps souillés de sang. Des taches grandes comme du papier à lettres. J'ai assisté à ça tous les dimanches entre 1984 et 1985.

Le mage et maquereau dont parle Ghiribelli est mort dix ans auparavant, de sorte qu'il est impossible de vérifier les dires de la prostituée. Giuttari n'en remplit pas moins ses dossiers, convaincu d'être sur la bonne piste.

Francesco Ferri, le président de la cour d'appel qui a prononcé l'acquittement de Pacciani, voit progresser la nouvelle enquête avec une fureur croissante et finit par démissionner pour se consacrer à l'écriture d'un livre intitulé *L'Affaire Pacciani.*

Publié précipitamment à la fin de l'année 1996, l'ouvrage de Ferri dénonce l'enquête menée par la police sur les compagnons de pique-nique. « Le pire n'est pas tant leur peu de crédibilité, écrit-il, que l'incompatibilité de leurs témoignages avec les éléments dont on dispose. Voilà deux individus [Pucci et Lotti] qui décrivent en détail deux meurtres dont ils prétendent avoir été les témoins et que tous les faits contredisent. […] Il est clair que Pucci et Lotti sont de vulgaires menteurs patentés. […] On a le plus grand mal à croire que leurs affirmations puissent contenir un quelconque fond de vérité. » Le juge ne s'arrête pas là : « Toute cette histoire respire le mensonge. […] Il est d'ailleurs incroyable que personne à ce jour n'ait pointé du doigt les graves incohérences des affirmations de Pucci et Lotti, qu'il s'agisse des enquêteurs, des avocats de la défense ou des journalistes. […] Plus extraordinaire encore est le fait que Lotti, sans que personne ne s'en émeuve, soit retenu depuis des mois dans un lieu inconnu, loin de la presse, où il dort, mange, boit sans doute, peut-être même en échange de compensations financières. Telle une poule miraculeuse à laquelle on demanderait régulièrement de pondre des œufs en or, le voici libre de distiller une à une des informations plus ou moins contradictoires. »

Le juge avance une interprétation de la cacophonie ambiante : « La faiblesse mentale des intéressés et leur absence complète de repères moraux, ajoutées à l'espoir d'obtenir l'impunité et d'autres avantages, suffisent à expliquer leurs témoignages fluctuants. Je n'ai pu me résoudre à garder le silence face à une enquête aussi peu respectueuse de la logique et de la justice, menée sans aucune objectivité, et débouchant sur des confessions jamais remises en cause. »

Ferri est malheureusement un piètre auteur et il ne connaît rien au monde de l'édition. Il a confié son manuscrit à une petite maison mal distribuée qui procède à un tirage confidentiel et *L'Affaire Pacciani* passe inaperçu, ignoré par la presse et le grand public. Pendant ce temps, la nouvelle enquête sur le Monstre de Florence poursuit son cours sous la direction d'un commissaire Giuttari sourd aux critiques de Ferri.

En octobre 1996, le procureur Vigna est nommé à la tête du service de lutte anti-Mafia, le poste le plus prestigieux et le plus convoité d'Italie pour un magistrat. Perugini, on s'en souvient, s'était déjà servi de l'affaire pour obtenir une nomination à Washington, et ce n'est pas la première fois que l'enquête sert de tremplin personnel aux ennemis de Pacciani. Cette constatation va même fournir une théorie à un haut responsable des carabiniers qui décide de se confier à Spezi.

— Vous ne vous êtes jamais posé la question ? demande-t-il un jour au journaliste. Vous n'avez jamais pensé que le procès de Pacciani pourrait cacher autre chose que de simples enjeux de pouvoir ?

29

Officiellement reconnu innocent, Pacciani reste libre tandis que Giuttari s'évertue à accumuler des preuves contre lui. La pression est trop forte pour le « pauvre agneau » qui meurt d'une crise cardiaque le 22 février 1998.

Il ne faut pas longtemps pour que commence à courir le bruit que Pacciani n'est pas mort naturellement, mais qu'il a été assassiné. Giuttari passe immédiatement à l'action en faisant exhumer le corps pour rechercher des traces de toxiques. Les résultats des examens montrent que sa mort est « compatible » avec la théorie d'un empoisonnement, le patient ayant abusé de son traitement pour le cœur. Les médecins ont beau arguer que les cardiaques ont tendance à abuser de leurs médicaments en période de crise, le commissaire Giuttari s'empresse de trouver l'explication trop prosaïque et avance la théorie selon laquelle Pacciani a été assassiné par un ou plusieurs inconnus désireux de le faire taire à jamais.

Le procès de Vanni et de Lotti, les compagnons de piquenique de Pacciani, a débuté au printemps 1997. Les preuves contre les accusés se limitent aux affirmations de Lotti et à celles de Pucci, un handicapé mental, malgré les dénégations farouches et désorganisées de Vanni. Le spectacle est pitoyable, mais Vanni et Lotti vont être condamnés pour les quatorze meurtres commis par le Monstre, le premier à la prison à vie et le second à une peine de vingt-six ans. Ni la presse ni l'opinion publique ne semblent trouver étrange que trois alcooliques illettrés, d'intelligence limitée, aient pu réussir à assassiner quatorze personnes sur une période de onze ans sans jamais se faire prendre, dans le seul but de prélever des organes sexuels féminins.

Le procès ne s'est, en effet, jamais intéressé à cette question capitale : pourquoi Pacciani et ses compagnons de pique-nique collectionnaient-ils les organes sexuels féminins ? Le commissaire Giuttari s'est personnellement penché sur le problème et il est arrivé à la conclusion que les meurtres du Monstre sont liés à un culte satanique. Cette cabale mystérieuse aurait été montée par une coterie intouchable de riches et de puissants. Ces notables, implantés dans les hautes sphères de la justice, de la médecine et du monde des affaires, auraient engagé Pacciani, Vanni et Lotti pour prélever sur des jeunes filles des organes sexuels qui servaient ensuite d'« hosties » lors de messes noires.

Giuttari a été jusqu'à créer une unité d'élite afin de suivre cette piste : le GIDES, Gruppo Investigativo Delitti Seriali, ou Groupe d'enquête sur les crimes en série. Le GIDES s'est installé au dernier étage d'un bâtiment moderne situé près de l'aéroport ; ce building horrible a paradoxalement été baptisé Il Mignifico, en hommage à Laurent le Magnifique. Le service regroupe une équipe d'enquêteurs triés sur le volet dont la seule mission consiste à identifier et arrêter les *mandati*, c'est-à-dire les commanditaires des crimes du Monstre de Florence.

De la montagne d'informations réunies tout au long de l'enquête, Giuttari a tiré quelques pépites sur lesquelles il appuie ses convictions. Dans l'une de ses déclarations, Lotti a incidemment fait allusion à « un docteur qui a demandé à Pacciani de lui rendre quelques petits services ». Ce détail conforte Giuttari dans l'idée qu'un médecin est l'un des commanditaires des crimes. Et puis il y a le problème de l'argent de Pacciani. À sa mort, on a découvert que le vieux paysan était riche : propriétaire de deux maisons, il possédait également des bons de la poste italienne pour une valeur de 80 000 euros. Giuttari est bien en peine d'expliquer

179

la provenance de cet argent, bien que la chose ne soit pas si inhabituelle dans un pays où l'économie parallèle est florissante. En Italie, on le sait, bon nombre de citoyens vivent bien au-dessus de leurs moyens officiels. Giuttari donne une explication infiniment plus sinistre à l'origine de cette fortune, affirmant que le vieux paysan s'est enrichi en vendant les trophées humains prélevés avec ses compagnons de pique-nique.

Dans le livre qu'il consacrera par la suite à l'affaire, le commissaire Giuttari détaille sa théorie : « Lorsqu'il s'agit d'invoquer les démons, les meilleurs sacrifices sont les sacrifices humains, la mort *la plus favorable* [ses italiques] pour de tels sacrifices étant la *mors iusti*, survenue au cours de l'orgasme. Les crimes du "monstre" répondaient à cet impératif, puisqu'il frappait ses victimes pendant qu'elles faisaient l'amour. [...] Ce moment précis [l'orgasme] permet de libérer des énergies particulièrement fortes qui donnent un grand pouvoir aux adeptes des rituels sataniques. »

À force de chercher dans les légendes du Moyen Âge, Giuttari a même pu mettre un nom sur la secte impliquée dans les meurtres : il s'agirait de l'école de la Rose rouge, un ordre diabolique oublié qui a marqué de son empreinte plusieurs siècles d'histoire florentine, une sorte d'antithèse du Prieuré de Sion, placée sous le signe du pentacle, pratiquant messes noires et sacrifices rituels autour d'autels démoniaques. À en croire les spécialistes, cette école est elle-même une branche d'un ordre très ancien, l'Ordo Rosae Rubae et Aurae Crucis, une secte maçonnique ésotérique liée à l'ordre de l'Aube dorée. À travers celle-ci, la filière s'étend jusqu'à Aleister Crowley, le plus célèbre sataniste du siècle dernier qui avait lui-même choisi le nom de Grande Bête 666 ; fondateur dans les années 1920 d'une église à Cefalù en Sicile, l'abbaye de Thelema, Crowley pratiquait des rituels magiques et sexuels pervers, à en croire la rumeur.

D'autres éléments ont guidé Giuttari dans sa démarche, à commencer par sa découverte de Gabriella Carlizzi, une Romaine énergique et souriante, auteur de plusieurs livres publiés à compte d'auteur, qui tient sur Internet un site consacré aux théories du complot. Carlizzi affirme posséder des détails inédits sur de nombreux crimes perpétrés à travers l'Europe au cours des dernières décennies, parmi lesquels l'enlèvement et l'assassinat de l'ancien Premier ministre italien Aldo Moro ou encore le réseau pédophile belge. Carlizzi est persuadée que l'école de la Rose rouge se cache derrière toutes ces affaires. Quelques années plus tard, Carlizzi enverra à la presse italienne un fax accusant la Rose rouge d'avoir voulu s'attaquer au président Bush en commettant les attentats du 11 septembre 2001. Selon elle, la Rose rouge est à l'origine des crimes du Monstre. Carlizzi a déjà perdu un procès en diffamation pour avoir accusé le célèbre écrivain Alberto Bevilacqua d'être le Monstre de Florence, mais sa théorie semble avoir évolué depuis. Pour ne rien gâcher, son site regorge d'histoires morales et religieuses et compte même une section consacrée à ses conversations avec la Vierge de Fatima.

Carlizzi va devenir l'un des principaux experts de la nouvelle enquête. Giuttari et les hommes du GIDES prennent contact avec elle et passent des jours entiers, voire des semaines à l'entendre détailler les activités de la secte satanique au milieu des collines verdoyantes de Toscane. Elle se vantera par la suite de bénéficier d'une escorte policière spéciale afin d'échapper aux menaces que font peser sur elle les membres de la secte.

En cherchant dans les placards où sont stockés les éléments de l'enquête, Giuttari finit par dénicher des preuves qui confirment sa théorie. La première est le vieux cale-porte découvert à Bartoline, à quelques dizaines de mètres de l'endroit où le Monstre a assassiné un jeune couple en octobre 1981. Le commissaire y voit bien autre chose qu'un simple bloc de pierre et il en fait la démonstration à un journaliste du *Corriere della Sera*, l'un des principaux quotidiens italiens : d'après lui, il s'agit en fait d'une « pyramide tronquée avec une base hexagonale destinée à servir de passerelle entre ce monde et les Enfers ».

Giuttari exhume ensuite de ses archives une photo prise par la police représentant de curieux cercles tracés avec des cailloux et des baies sauvages, le tout orné d'une croix, remarqués par un vieux garde-chasse à l'endroit où les touristes français auraient planté leur tente quatre jours avant leur assassinat. (De nombreux témoins affirment pourtant que les Français campaient dans la clairière de Scopeti depuis plus d'une semaine lorsqu'ils ont été attaqués par le Monstre.) Les enquêteurs ont fini par conclure que les cercles en question n'avaient aucun rapport avec l'affaire, mais Giuttari n'est pas de cet avis et il confie le document à un « spécialiste » de l'occultisme dont le commissaire publiera les conclusions dans son ouvrage : « Lorsqu'il est fermé, le cercle de pierres représente l'union entre deux personnes, c'est-à-dire entre deux amants. À l'inverse, un cercle de pierres ouvert signifie que le couple a été choisi. L'ajout de baies et d'une croix est synonyme de meurtre : les baies figurent le couple, la croix est le symbole de leur mort. La photo des cailloux éparpillés montre la destruction du cercle suite à l'exécution des deux amants. »

Parce que Pacciani et ses pique-niqueurs sont tous originaires de San Casciano, Giuttari s'imagine que la secte satanique qu'il recherche doit être basée dans les environs de ce charmant village toscan, au cœur des collines du Chianti. Une fois de plus, il s'immerge dans les dossiers du Monstre et déniche un indice surprenant. Au printemps 1997, une mère et sa fille se sont présentées à la police en rapportant une curieuse histoire. Les deux femmes dirigent une maison pour personnes âgées baptisée Villa Verde, une vieille demeure entourée de jardins au milieu d'un parc, située à quelques kilomètres de San Casciano. Elles viennent signaler la disparition de l'un des hôtes de la villa, un peintre d'origine belgo-suisse nommé Claude Falbriard. Ce dernier a laissé sa chambre dans le plus grand désordre, abandonnant derrière lui plusieurs objets suspects, peut-être en rapport avec le Monstre de Florence, parmi lesquels un pistolet ainsi que d'horribles dessins de femmes démembrées et décapitées.

Les deux femmes ont entassé le tout dans une caisse qu'elles apportent à la police.

Les autorités n'y ont prêté qu'une attention distraite à l'époque, mais Giuttari voit les choses d'un autre œil. Il décide de s'intéresser de plus près aux deux femmes et il est immédiatement récompensé de ses efforts en découvrant que Pacciani travaillait comme jardinier à la Villa Verde au moment des meurtres !

Giuttari et ses hommes sont convaincus que la villa a servi de quartier général à l'ordre de la Rose rouge, dont les membres auraient engagé Pacciani et ses acolytes afin de se procurer les morceaux de corps féminins dont ils avaient besoin pour leurs rituels sataniques. Dans l'esprit de Giuttari, il ne fait aucun doute que la mère et la fille font partie de cette secte (même si l'on a du mal à imaginer les raisons qui ont pu les pousser à se rendre spontanément à la police).

Depuis l'époque des meurtres, la Villa Verde a été transformée en hôtel-restaurant avec piscine et rebaptisée Poggio ai Grilli, la Colline des grillons. (L'enseigne, à peine installée, a été transformée par un petit malin en Poggio ai Grulli, la Colline des crétins.)

La presse, à commencer par *La Nazione*, s'empare de l'affaire avec délectation et les nouveaux propriétaires voient d'un assez mauvais œil l'attention dont ils font l'objet.

LES PROPRIÉTAIRES D'UNE MAISON
DE RETRAITE SOUPÇONNÉS
LA « VILLA DES HORREURS »
AURAIT ABRITÉ LES SECRETS
DU MONSTRE DE FLORENCE

À 22 heures, la villa fermait officiellement ses portes et devenait le cadre de rites magiques et sataniques. C'est ce que prétend l'une des anciennes infirmières de Poggio ai Grilli, la villa située entre San Masciano et Mercatale où Pietro Pacciani, accusé autrefois d'avoir commis les crimes du Monstre de Florence, a exercé un temps les fonctions de jardinier. À l'époque des meurtres, la « Villa des horreurs », alors une maison pour personnes âgées, a accueilli pendant plusieurs mois le peintre

Claude Falbriard, qui a fait l'objet d'une enquête pour posses-
sion illégale d'armes à feu. Falbriard est par la suite devenu
l'un des témoins clés de l'enquête sur les véritables instigateurs
des crimes du Monstre.

À l'époque, Falbriard parcourt l'Europe sans se douter qu'il est considéré comme un « témoin clé » de l'affaire, et encore moins comme l'un des commanditaires des crimes du Monstre. Avec l'aide d'Interpol, le GIDES parvient à le localiser sur la Côte d'Azur, près de Cannes. Les enquêteurs sont déçus d'apprendre que Falbriard s'est rendu en Toscane pour la première fois en 1996, onze ans après le dernier crime du Monstre. Le peintre, conduit à Florence afin d'y être interrogé, se révèle un piètre témoin. Passablement dérangé d'esprit, le vieil homme passe son temps à proférer des accusations.

— Les gens de la Villa Verde me droguaient et m'enfermaient dans ma chambre, affirme-t-il aux enquêteurs. Ils m'ont volé des milliards de lires. Il se passait de drôles de choses là-bas, surtout la nuit.

D'après lui, la propriétaire et sa fille se trouvent derrière tout ce mystère. Sur la foi de son témoignage, les deux femmes sont accusées d'enlèvement et d'escroquerie.

La Nazione consacre une série d'articles à la villa.

Les dépositions des anciens employés de la maison de retraite ont permis de recueillir de nombreux indices, peut-on lire dans les colonnes du journal. *Cinquante pages de témoignages ont permis de mettre en évidence un certain nombre de secrets dérangeants. Les pensionnaires de Poggio ai Grilli étaient abandonnés sans soins dans leurs excréments. Le personnel était strictement interdit de séjour à la villa pendant la nuit alors qu'étaient célébrées les messes noires. Le commissaire Giuttari soupçonne que les organes génitaux et les morceaux de seins prélevés sur les victimes du Monstre ont été utilisés lors de ces cérémonies sataniques.*

En dépit des travaux dont la villa a fait l'objet depuis sa reconversion en hôtel, Giuttari espère pouvoir y retrouver des traces de la présence de l'ordre de la Rose rouge. En

Toscane, il n'est pas rare que les anciennes villas soient construites sur de vastes sous-sols servant à entreposer du vin et des salaisons. Giuttari est persuadé de retrouver dans les souterrains de la Villa Verde le temple aux sacrifices.

Par une belle journée d'automne, le GIDES effectue une descente au Poggio ai Grilli. Après la perquisition de l'immense villa, les hommes de Giuttari trouvent enfin la pièce qui aurait servi de saint des saints aux membres du culte, d'après leurs informateurs. À leur grande surprise, ils y découvrent plusieurs squelettes en carton et des chauves-souris en plastique, ainsi que d'autres décorations du même acabit achetées en prévision de la fête d'Halloween qui doit avoir lieu quelques jours plus tard.

« Il ne fait aucun doute qu'on a voulu lancer les enquêteurs sur une fausse piste », fulmine Giuttari, interviewé dans *La Nazione.*

Au cours des mois suivants, l'enquête du GIDES marque le pas et tout indique qu'elle risque de piétiner encore longtemps.

C'est à cette époque que je viens m'installer en Italie avec ma famille, en août 2000.

DEUXIÈME PARTIE

L'HISTOIRE DE DOUGLAS PRESTON

30

Le 4 novembre 1966, après quarante jours de pluie ininterrompue, les eaux de l'Arno débordent et envahissent Florence, mettant en péril l'une des plus belles villes du monde.

La crue est spectaculaire. En l'espace d'un éclair, l'eau franchit les quais des Lungarni et s'engouffre dans les rues de la ville à plus de 50 kilomètres heure, emportant sur son passage des centaines d'arbres, de voitures, de cadavres d'animaux morts. Les immenses portes de bronze du baptistère de Ghiberti se disloquent, le *Crucifix* de Cimabue, chef-d'œuvre de l'art médiéval italien, est réduit en miettes et le *David* de Michel-Ange se retrouve jusqu'à la taille dans un bain de fuel. Les dizaines de milliers d'incunables et de manuscrits enluminés qui constituent le fonds de la Biblioteca Nazionale flottent dans la gadoue tandis que des centaines de tableaux de maîtres, entreposés dans les sous-sols du musée des Offices, se délitent dans un mélange d'eau et de boue.

Lorsque les eaux se retirent enfin, le monde découvre avec horreur le berceau de la Renaissance transformé en un cloaque épouvantable, ses trésors artistiques dévastés. Des milliers de volontaires – étudiants, enseignants, peintres, historiens de l'art – convergent de tous les coins de la planète vers la Toscane pour participer au sauvetage de la ville. Ils travaillent sans relâche dans une cité sans chauffage, sans eau, sans électricité, sans nourriture ni services. Au bout d'une semaine, certains d'entre eux sont contraints de porter des masques pour se protéger des vapeurs délétères émanant des tableaux et des livres putréfiés.

On a baptisé ces volontaires les Angeli del Fango, les Anges de la fange.

J'ai toujours voulu écrire un roman policier qui se déroulerait dans le décor de la Florence inondée. Je lui ai même trouvé un titre : *La Madone de Noël*. L'histoire est celle d'un historien de l'art qui se précipite à Florence au lendemain de la catastrophe et rejoint les rangs des Anges de la fange. Le héros est un spécialiste du mystérieux peintre Masaccio, le génie qui a lancé à lui seul le mouvement de la Renaissance italienne avec ses formidables fresques de la chapelle Brancacci, avant de mourir brusquement, empoisonné d'après la rumeur. Mon personnage travaille comme volontaire dans les sous-sols de la Biblioteca Nazionale où il tente de sauver du désastre livres et manuscrits. Il tombe un jour sur un document extraordinaire contenant des indications susceptibles de le conduire à un tableau disparu de Masaccio. Baptisée *La Madone de Noël*, l'œuvre se trouve au centre d'un triptyque, décrit par Vasari au XVIIe siècle, qui s'évanouit ensuite dans la nature. Ce tableau est considéré comme l'une des principales œuvres perdues de la Renaissance.

Mon historien de l'art abandonne son travail de sauveteur et se lance à la poursuite du tableau avant de disparaître à son tour. Quelques jours plus tard, on retrouve son corps sur le bord d'une route, dans le massif du Pratomagno. On lui a arraché les yeux.

Le meurtre n'est jamais élucidé et le tableau manque toujours à l'appel. L'histoire fait un bond dans le temps de trente-cinq ans et l'on découvre le fils de mon personnage, peintre new-yorkais de renom, en pleine crise de la quarantaine. La seule façon d'apaiser son angoisse est de découvrir ce qui est arrivé à son père ; le meilleur moyen d'y parvenir est encore de mettre la main sur le tableau disparu. Il se rend donc à Florence où il entame des recherches qui vont le conduire jusqu'à d'obscures salles d'archives, dans une nécropole étrusque, et enfin au milieu d'un village en ruine du Pratomagno où l'attend le terrible secret qui fait basculer son destin…

En l'an 2000, je vais en Italie afin d'écrire cette histoire. Emporté par l'affaire du Monstre de Florence, je n'ai jamais pu m'y atteler.

Cette installation dans la péninsule va devenir l'aventure de notre vie, une expérience à laquelle nous n'étions pas préparés. Aucun de nous ne maîtrise la langue de Dante. J'ai bien passé quelques jours à Florence l'année précédente, mais ma femme, Christine, ne s'est jamais rendue en Italie auparavant. Nos enfants, en revanche, sont à l'âge où l'on envisage les défis de l'existence avec flegme et enthousiasme. Faute d'avoir eu le temps de se conformer à un modèle, tout ce qui leur arrive est naturel, et avec la plus grande insouciance ils montent dans l'avion le jour venu. À l'inverse, leurs parents sont deux boules de nerfs.

Nous arrivons tous les quatre à Florence en août 2000. À l'époque, Isaac et Aletheia ont respectivement cinq et six ans. Nous les inscrivons dans des écoles du cru, Aletheia en première année de primaire et Isaac en maternelle, tandis que leur mère et moi prenons des cours d'italien.

La transition ne se fait pas sans heurts. L'institutrice d'Aletheia se réjouit d'avoir dans sa classe une enfant aussi joyeuse qui passe son temps à chanter, mais elle aimerait bien comprendre les paroles de sa ritournelle. Nous n'allons pas tarder à les découvrir :

> *Je comprends rien à ce qu'elle dit*
> *Elle parle toute la journée*
> *Et je comprends pas un mot…*

Il nous faudra quelques semaines à peine pour mesurer la profondeur du fossé culturel qui sépare l'Amérique de l'Italie. Peu après la rentrée des classes, Isaac revient à la maison en nous expliquant que l'institutrice fume pendant la récréation et qu'elle jette ses mégots dans la cour, ce qui ne l'a pas empêchée de donner une fessée – une fessée ! – à un enfant de quatre ans qui en avait ramassé un pour le fumer. Pour couronner le tout, Isaac a surnommé sa maîtresse le Lézard hurlant. Nous nous empressons de transférer nos deux enfants dans une école privée tenue par des religieuses à l'autre bout de la ville, avec l'espoir que les sœurs ne fument pas et ne pratiquent pas les châtiments corporels. Le temps nous donnera raison sur le premier point ; quant au second, nous apprendrons à accepter les fessées sporadiques au nom de l'exception culturelle italienne, au même titre que la présence de fumeurs dans les restaurants, de casse-cou sur les routes et de queues interminables dans les bureaux de poste où se rendent les Italiens dès qu'ils ont une facture à payer.

L'école, protégée par une enceinte en pierre de taille, est située dans une superbe villa du XVIIIe siècle transformée en couvent par les sœurs de l'ordre de San Giovanni-Battista. La cour de récréation est un admirable jardin à l'italienne de près d'un hectare, avec des cyprès, des haies taillées au cordeau, des plates-bandes abondamment fleuries, des fontaines et quelques statues en marbre de femmes nues. On s'en doute, le jardinier et les enfants se livrent une guerre sans pitié. Et personne ne parle l'anglais dans l'établissement, pas même la prof d'anglais.

La directrice est une sœur austère aux yeux de fouine à qui il suffit d'un regard pour terroriser ses interlocuteurs, enfants et parents confondus. Elle nous prend à part un jour afin de nous avertir que notre fils est un *monello*. Nous la remercions chaleureusement du compliment avant de rentrer précipitamment chez nous à la recherche d'un dictionnaire. En apprenant que *monello* signifie canaille, nous nous promettons de ne plus jamais nous rendre aux réunions parents professeurs sans un dictionnaire de poche.

Comme nous l'espérions, nos enfants ne vont pas tarder à apprendre l'italien. Un soir, en se mettant à table, Isaac regarde l'assiette de pâtes posée devant lui avant de laisser tomber d'un air dégoûté : « *Che schifo !* », une expression vulgaire laissant planer peu de doute sur la qualité du plat qui lui est servi. J'aurais du mal à vous décrire notre fierté.

À Noël, ils font des phrases complètes et, en fin d'année scolaire, leur italien a atteint un degré de perfection qui les autorise à se moquer du nôtre. Lorsque nous recevons à dîner des amis italiens, Aletheia fait le tour de la pièce en moulinant des bras, imitant à la perfection notre épouvantable accent américain : « Monsieur et Madame Coccolini ! Quel plaisir de vous rencontrer ! Comment allez-vous ? Entrez, je vous en prie. Mettez-vous à l'aise. Vous prendrez bien un verre de vin ? » Comme de juste, nos invités italiens ont du mal à garder leur sérieux.

Peu à peu, nous nous adaptons à la vie italienne. Florence et ses environs forment un microcosme merveilleux où tout le monde se connaît. Là-bas, l'insouciance du quotidien semble avoir pris le pas sur l'avenir. Au lieu d'aller au supermarché une fois par semaine avec une liste de courses bien précise, chacun fait la tournée d'une kyrielle de petits commerçants spécialisés dans la vente d'un seul produit. Cela permet d'échanger les dernières nouvelles, de discuter des mérites de la marchandise, d'apprendre la façon dont la *mamma* du vendeur prépare le produit qu'il vous propose, et dont il affirme que c'est la meilleure, quoi qu'en disent les autres. Toucher un produit relève de l'interdit le plus absolu : c'est un crime impardonnable de tâter une prune pour juger de son degré de mûrissement ou de mettre un oignon soi-même dans son cabas. Faire les courses est un excellent moyen pour nous d'améliorer notre italien, mais l'exercice n'est pas sans danger. Christine laisse un souvenir impérissable à un beau *fruttivendolo*, le jour où elle lui demande des *pesce* et des *fighe* mûres au lieu de *pesche* et de *fichi* – du poisson et de la chatte en guise de pêches et de figues. Il nous faudra de longs mois pour entrer, ne serait-ce qu'un peu, dans la peau des Florentins alors même que nous avons très vite appris, à l'image des natifs, à regarder avec mépris les touristes qui parcourent la ville par grappes, les yeux écarquillés et la bouche ouverte, avec leurs chapeaux mous, leurs shorts kaki, leurs chaussures de sport couleur marshmallow et une bouteille d'eau géante à la ceinture, comme s'ils se trouvaient en plein Sahara.

La vie en Italie est un curieux mélange de banal et de sublime. Quand je conduis les enfants à l'école en plein hiver, mal réveillé, il suffit que je franchisse la colline de Giogoli pour voir émerger de la brume, comme par miracle, le cloître et les tours du monastère de La Certosa. Lorsque je me promène dans les petites rues pavées de Florence, il m'arrive parfois de me glisser dans la chapelle Brancacci afin d'y admirer les fresques qui annoncent le début de la Renaissance, ou bien de pénétrer dans la Badia Fiorentina, l'église où le jeune Dante couvait des yeux sa muse Béatrice, pour y écouter les chants grégoriens à l'heure des vêpres.

Nous ne tardons pas à nous familiariser avec la notion très italienne de *fregatura*, indispensable à qui veut survivre dans la péninsule. Ce terme caractérise la façon de contourner la loi sans trop la bousculer. En Italie, la *fregatura* est un art de vivre. Notre initiation se fait le jour où nous voulons prendre des billets pour assister à une représentation du *Trouvère* de Verdi à l'opéra local. Le soir du spectacle, on nous explique à la caisse que personne ne trouve trace de nos billets, dont nous avions pourtant les numéros. Il n'y a rien à faire, la salle est comble, la queue qui s'allonge dans notre dos nous le confirme.

Nous sommes sur le point de repartir lorsque nous croisons la propriétaire d'Il Cantuccio, le petit magasin où nous achetons nos biscuits. Resplendissante dans son manteau de vison, couverte de diamants, on dirait une comtesse.

— Comment? s'écrie-t-elle. Plus une place?

Nous lui racontons notre mésaventure.

— Bah, ils auront donné vos places à quelqu'un d'autre! Quelqu'un d'important. On va régler ça.

— Vous connaissez quelqu'un ici?

— Je ne connais personne, mais je sais comment ça marche, dans cette ville.

Sur ces mots, elle s'éloigne et revient cinq minutes plus tard avec un monsieur très gêné qui se révèle être le directeur de l'opéra en personne. L'homme me prend chaleureusement la main.

— Monsieur Harris ! Je suis sincèrement désolé. Nous ne savions pas que vous étiez des nôtres, ce soir ! Personne ne nous avait prévenus ! Veuillez accepter toutes nos excuses pour cet embrouillamini !

Monsieur Harris ?!!

— M. Harris préfère voyager incognito, sans entourage, enchaîne notre marchande de biscuits d'un air impérial.

— Mais bien sûr ! Je comprends très bien !

En voyant mon air effaré, la commerçante m'avertit d'un clin d'œil que ce n'est pas le moment de tout faire rater.

— Nous avons toujours quelques billets de côté, poursuit le directeur. J'espère que vous nous ferez le plaisir de les accepter avec les compliments du Maggio Musicale Fiorentino !

En le voyant sortir deux billets de sa poche, Christine fait preuve de plus de présence d'esprit que moi.

— C'est très gentil à vous, dit-elle en lui prenant les billets des mains avant de m'entraîner vers la salle. Viens, *Tom* !

— Bien sûr, balbutié-je, mortifié. C'est très aimable à vous. Combien… ?

— *Niente, niente !* Tout le plaisir est pour nous, monsieur Harris ! *Le Silence des agneaux* est l'un des meilleurs films que j'ai vus ! Tout le monde à Florence attend impatiemment la sortie de *Hannibal*.

Deux places dans la plus belle loge, juste en face de la scène.

Depuis notre ferme de Giogoli, quelques minutes en voiture ou à bicyclette suffisent pour rejoindre la Porta Romana, à l'entrée sud de Florence. De là s'ouvre un labyrinthe de ruelles et de maisons médiévales qui forment le quartier le plus authentique de la vieille ville, l'Oltrarno. À force d'explorations, j'y découvre un curieux personnage, une petite vieille sèche, couverte de fourrures et de diamants, le visage lourdement maquillé, un petit chapeau muni d'une voilette à perles sur la tête, qui déambule tous les après-midi dans les rues du quartier. Perchée sur des talons aiguilles et ce malgré les pavés, elle avance d'une démarche pleine d'assurance en regardant droit devant elle, répondant aux salutations de ceux qu'elle croise d'un mouvement des yeux à peine perceptible. La Marchesa Frescobaldi, héritière de l'une des plus vieilles familles florentines qui a financé plusieurs croisades et donné au monde un compositeur de renom, possède la moitié de l'Oltrarno et des alentours.

Christine aime pour sa part faire du jogging dans les ruelles de la vieille ville. Elle s'arrête un jour devant le Palazzo Capponi, l'un des plus beaux palais de la ville, propriété d'une autre grande famille de l'Oltrarno, parmi les plus titrées de la noblesse italienne. La façade néoclassique du palais court sur plusieurs dizaines de mètres le long des rives de l'Arno et l'arrière du bâtiment, d'allure plus austère, donne sur la Via de' Bardi, la rue des Poètes. Tandis qu'elle admire le grand *portone* du palais, une Anglaise sort du bâtiment, s'approche d'elle et engage la conversation. La jeune femme travaille pour la famille Capponi et a entendu dire que j'étais en train d'écrire un livre sur Masaccio. Elle tend une carte à Christine et lui suggère que j'appelle le comte Niccolò Capponi, éminent spécialiste de l'histoire florentine.

— C'est quelqu'un de très affable, précise-t-elle à ma femme.

Lorsque Christine me transmet la proposition, je mets la carte de côté, me voyant mal appeler ce représentant de la grande noblesse sans lui avoir été présenté, si affable soit-il.

La vieille ferme que nous occupons à Giogoli est perchée à flanc de colline, sous une rangée de cyprès et de pins parasols. J'ai transformé en bureau l'une des chambres donnant sur l'arrière, où je compte écrire mon roman. Depuis l'unique fenêtre de la pièce, derrière un bouquet d'arbres, au-delà du toit de tuiles romaines du voisin, j'aperçois les collines verdoyantes de la Toscane.

Je me trouve au cœur du territoire du Monstre.

Au cours des semaines qui suivent ma rencontre avec Spezi, je ne peux m'empêcher de repenser à l'affaire dont il m'a parlé, à ce crime qui s'est déroulé tout près de l'endroit où je vis. À l'automne, un jour où je me débats avec mon roman, je décide d'aller faire un tour sur le lieu du drame. Il s'agit d'un pré ravissant d'où l'on a une vue spectaculaire sur les collines du sud de Florence. Il fait frais, l'air embaume la menthe et la paille brûlée. On dit souvent que le mal continue longtemps d'imprégner les lieux maudits, mais je ne ressens rien d'autre qu'une impression de paix et de sérénité. Je me promène longuement, à la recherche d'une explication improbable, jusqu'au moment où je me surprends à reconstituer la façon dont les événements se sont déroulés. Je vois le minibus Volkswagen, j'entends la bande originale de *Blade Runner* diffusée en boucle sur un mauvais autoradio.

Je prends ma respiration. En contrebas, dans la vigne de nos voisins, c'est l'heure des vendanges, des silhouettes circulent entre les rangées de ceps et déversent leurs grappes dans la benne d'un triporteur. Je ferme les yeux, attentif aux bruits qui m'entourent : un coq, les cloches d'une église au loin, un chien qui aboie, une voix de femme appelant ses enfants.

L'affaire du Monstre de Florence commence à m'envahir.

31

Spezi et moi, nous nous sommes liés d'amitié. Trois mois après notre rencontre, incapable d'oublier l'affaire, je lui propose d'écrire ensemble un article consacré au Monstre de Florence. Il m'arrive de proposer des papiers au *New Yorker*, je décide donc d'en parler au rédacteur en chef qui nous donne son feu vert.

Avant d'entamer l'écriture de l'article, il me faut suivre des cours auprès du « Monstrologue ». Deux fois par semaine, je glisse mon ordinateur portable dans un sac à dos, je sors mon vélo et parcours les dix kilomètres qui séparent la ferme de Giogoli de l'appartement de Spezi. Le dernier kilomètre est une côte infernale qui grimpe à travers des champs d'oliviers aux troncs tordus. L'appartement que Spezi partage avec sa femme Myriam et leur fille se trouve au dernier étage d'une vieille villa. Le salon, la salle à manger et la terrasse dominent Florence. Spezi a installé dans les combles une tanière remplie de livres, de papiers, de dessins et de photos.

À mon arrivée, je trouve invariablement Spezi dans la salle à manger, au milieu d'un nuage de fumée, une gauloise aux lèvres, ses archives étalées sur la table. Tout au long de ces séances de travail, Myriam nous fournit en minuscules expressos et Spezi veille scrupuleusement à dissimuler les photos des scènes de crime à chacun de ses passages.

La première tâche de Mario Spezi est de me familiariser avec l'affaire. Il commence par m'exposer le détail de chacun des crimes, par ordre chronologique, illustrant régulièrement son propos par des photos et des documents. Nos séances se déroulent en italien, autant à cause de l'anglais rudimentaire de Spezi que pour me permettre de progresser. Tout en l'écoutant, je m'applique à prendre des notes à toute vitesse sur mon ordinateur.

— Pas mal, hein ? me dit-il souvent après m'avoir raconté un épisode illustrant l'incompétence des enquêteurs.

— *Si, professore.*

Spezi a une vision assez simple de l'affaire. Il trouve parfaitement ridicules les théories du complot et autres explications ésotériques sur fond de rituels sataniques et cultes moyenâgeux. L'explication la plus évidente à ses yeux est encore celle d'un psychopathe solitaire agissant par déviance.

— Le seul moyen de l'identifier est de retrouver l'arme utilisée lors du double meurtre de 1968, répète-t-il à tout bout de champ. Une fois qu'on aura l'arme, on tiendra le Monstre.

Un jour d'avril, alors que les vignes reverdissent sur les collines de Toscane, Spezi m'emmène voir l'endroit où a eu lieu le meurtre de Pia Rontini et de Claudio Stefanacci, à quelques kilomètres de Vicchio. Cette bourgade située au nord de Florence se trouve au cœur d'une région vallonnée et sauvage, au pied des Apennins, le Mugello. Des bergers sardes s'y sont installés pour y élever des moutons au moment de la grande migration des années 1960. Ils y fabriquent du pecorino qui a fini par devenir le fromage le plus réputé de Toscane.

Nous suivons une petite route de campagne longeant un torrent. Spezi n'est pas venu là depuis des années et doit s'y reprendre à plusieurs fois avant de retrouver l'emplacement exact du double meurtre. Il faut quitter la route et emprunter un petit chemin envahi par l'herbe jusqu'au lieu-dit La Boschetta, le Bosquet. La voiture garée, nous continuons à pied. Le chemin se termine en cul-de-sac au pied d'une colline couverte de chênes et s'ouvre sur un champ d'herbes médicinales. Une très vieille ferme au toit ocre se dresse à quelques centaines de mètres de là. Caché derrière un rideau de peupliers, un ruisseau court jusqu'à la vallée. Derrière la ferme, une succession de collines grimpent jusqu'à la montagne, traversées de prés émeraude que le peintre Giotto a parcourus tout au long de sa jeunesse, à la fin du XIIIᵉ siècle, à l'époque où il gardait les moutons en rêvassant et en traçant des dessins à même la terre.

Au bout du chemin, se dresse un monument érigé en l'honneur des victimes, deux croix blanches dans un écrin de verdure. Des fleurs en plastique, décolorées par le soleil, sont arrangées en bouquets dans des bocaux de verre. L'endroit sert de lieu de pèlerinage aux couples des environs qui se jurent un amour éternel en déposant des pièces de monnaie sur les bras des deux croix. Le soleil inonde la vallée, faisant monter jusqu'à nous un parfum de fleurs et d'herbe fraîchement coupée. Les oiseaux chantent dans les bois, des papillons volent autour de nous dans le bleu d'un ciel traversé par des nuages duveteux.

Une gauloise à la main, Mario me détaille le déroulement des deux meurtres tandis que je prends des notes. Il me montre l'emplacement où se trouvait la Panda bleu clair des deux victimes, les buissons derrière lesquels a dû se cacher l'assassin. Il me désigne l'endroit où ont été repérées les douilles usagées, leur disposition résumant la chronologie du drame. Le garçon a été découvert sur la banquette arrière, recroquevillé sur lui-même en position fœtale, comme pour mieux se protéger. Le meurtrier l'a abattu, puis il est revenu un peu plus tard et a poignardé le corps à plusieurs reprises au niveau des côtes, pour s'assurer qu'il était bien mort, ou bien pour afficher son mépris.

— Les meurtres ont eu lieu vers 21 h 40, me précise Spezi avant de m'indiquer du doigt un champ de l'autre côté du ruisseau. On le sait parce qu'un paysan qui profitait de la fraîcheur du soir pour labourer ses terres a entendu les détonations. Sur le moment, il a cru que c'était un *motorino* qui avait des ratés.

Mario s'éloigne de quelques pas et je le suis.

— Il a traîné le corps jusqu'ici, bien en vue de la maison. Un endroit incroyablement exposé.

D'un geste de la main, dessinant une traînée de fumée, il désigne la ferme.

— C'était une scène effroyable. Je m'en souviendrai toute ma vie. Pia gisait sur le dos, les bras en croix, ses yeux bleu clair grands ouverts en direction du ciel. C'est horrible à dire, mais je n'ai pas pu m'empêcher de constater à quel point elle était belle.

J'ai fini de prendre des notes. Les abeilles butinent les fleurs autour de nous et le murmure du ruisseau nous parvient à travers les arbres. Cette fois encore, rien ne trahit l'horreur de ce qui s'est passé ici. Au contraire, la sérénité du lieu a presque quelque chose de sacré.

Nous nous rendons ensuite à Vicchio, une petite ville au milieu des champs, au bord de la Sieve. Une immense statue en bronze de Giotto, une palette et des pinceaux à la main, se dresse au milieu de la piazza pavée. À quelques mètres de là, le magasin d'appareils ménagers où travaillait le jeune Claudio est toujours tenu par des membres de la famille Stefanacci.

Nous déjeunons dans une petite trattoria toute proche, puis nous allons rendre visite à Winnie Rontini, la mère de la jeune fille assassinée. Elle vit dans l'une des plus imposantes villas de Vicchio, derrière une enceinte de pierre. À travers la grille de fer forgé, on aperçoit un jardin à l'abandon au fond duquel se dresse la façade d'une bâtisse de deux étages. Le crépi jaune pâle se détache par plaques et les fenêtres fermées donnent l'impression d'une demeure abandonnée.

Nous sonnons à la grille et une voix s'échappe d'un petit haut-parleur. Mario prononce son nom et le portail s'ouvre avec un grincement. Winnie Rontini nous attend sur le pas de la porte et nous invite à entrer dans la maison plongée dans la pénombre. Elle avance lourdement, à la façon d'un plongeur sous l'eau.

Elle nous conduit dans un salon quasiment vide. Un rayon de soleil pénètre dans la pièce par l'un des volets entrouverts, dessinant dans l'obscurité un mur de lumière où tourbillonnent des grains de poussière. Une odeur de vieux tissu et de cire flotte autour de nous. Le mobilier de la maison se réduit au strict minimum, Winnie Rontini ayant vendu son argenterie et ses antiquités depuis longtemps pour payer les détectives privés qu'elle a chargés de retrouver le meurtrier de sa fille. Quasiment ruinée, elle n'a même plus le téléphone.

Nous prenons place sur des sièges usés dans un nuage de poussière tandis que notre hôtesse s'assied avec dignité sur une vieille chaise. Son teint pâle, ses cheveux fins et ses yeux bleus trahissent ses origines danoises. Elle porte autour du cou un collier en or sur lequel se détachent les initiales P et C, pour Pia et Claudio.

Elle s'exprime d'une voix lente et les mots sortent de sa bouche péniblement, comme retenus par un poids insurmontable. Mario lui expose le but de notre visite en lui exprimant notre désir de publier un article et de découvrir la vérité. D'une voix morne, presque indifférente, elle affirme sa conviction que le coupable est bien Pacciani, avant de nous expliquer que son mari, un ingénieur naval de haut niveau, a donné sa démission au lendemain des meurtres afin de se consacrer à l'affaire. Il se rendait toutes les semaines à Florence dans les locaux de la police pour y recueillir les derniers éléments et s'entretenir avec les enquêteurs. Il avait même offert une prime substantielle en échange de tout renseignement susceptible de conduire à l'assassin de sa fille. Il faisait de fréquentes apparitions à la télévision et à la radio, sollicitant l'aide du public. Escroqué à plusieurs reprises, il a fini par y laisser sa fortune et sa santé. Depuis que Renzo Rontini est décédé d'une crise cardiaque devant le bâtiment de la police, un jour où il allait voir les enquêteurs, sa femme vit seule dans cette grande villa dont elle vend les meubles les uns après les autres.

Mario lui demande ce que symbolise son collier.

— Ma vie s'est arrêtée ce jour-là, dit-elle en portant machinalement la main à son cou.

32

Même avec l'assurance d'y être en sécurité, accepteriez-vous d'y pénétrer ? Entreriez-vous dans ce palais au parfum de sang et de gloire, vous enfonceriez-vous dans sa pénombre étoilée... ? Dans le hall, l'obscurité est quasiment impénétrable. Un escalier de pierre interminable, une rampe glacée au toucher, des marches usées par des siècles de va-et-vient.

Par un froid matin de janvier, Christine et moi nous retrouvons dans l'escalier si bien décrit par Thomas Harris dans son roman *Hannibal*. Nous avons rendez-vous avec les occupants du Palazzo Capponi, le comte Niccolò Piero Uberto Ferrante Galgano Gaspare Calcedonio Capponi et sa femme, la comtesse Ross. Malgré mes réticences, j'ai fini par me résoudre à téléphoner au comte. La version cinématographique de *Hannibal*, réalisée par Ridley Scott, a été projetée au Palazzo Capponi où Hannibal Lecter, alias docteur Fell, occupait le poste de conservateur de la bibliothèque de la famille Capponi. J'ai pensé qu'il serait intéressant d'interviewer le véritable conservateur de ces archives, le comte Niccolò lui-même, pour la rubrique « Talk of the Town » du *New Yorker*, à l'occasion de la sortie du film.

Le comte nous accueille en haut des marches et nous conduit dans la bibliothèque où nous attend la comtesse. La quarantaine, élancé et puissant, des cheveux bruns frisés, une barbiche à la Van Dyck, un regard d'un bleu perçant et des oreilles décollées, le comte ressemble de façon frappante au portrait de son ancêtre Lodovico Capponi, peint par Bronzino en 1550, que l'on peut admirer au Frick Museum de New York. Le comte fait le baisemain à ma femme d'une manière étrange, dont j'apprendrai par la suite qu'elle respecte la tradition de la vieille noblesse, l'hôte prenant la main de la femme et l'approchant de sa bouche avec une courbette élégante sans la toucher des lèvres. À Florence, seuls les membres de l'aristocratie saluent les femmes de la sorte, les autres se contentent de leur serrer la main.

La bibliothèque Capponi se trouve à l'extrémité d'une immense salle glaciale et mal éclairée, entièrement décorée de blasons. Le comte nous fait signe de nous asseoir sur des chaises en chêne monumentales, puis il se perche sur un tabouret en fer de l'autre côté d'une vieille table de réfectoire en jouant avec sa pipe. Derrière lui, des centaines de niches abritent huit siècles d'archives familiales, de manuscrits, de livres de comptes et de registres.

Le comte est vêtu d'une veste marron, d'un pull lie-de-vin, d'un pantalon quelconque et, chose inhabituelle pour un Florentin, d'horribles vieilles chaussures éculées. Titulaire d'un doctorat d'histoire militaire, il donne des cours à l'antenne florentine de l'université de New York et s'exprime dans un anglais d'Oxford aussi parfait que daté. Lorsque je l'interroge sur ce point, il me répond que la langue de Shakespeare a fait son entrée dans la famille Capponi lorsque son grand-père, marié à une Anglaise, a voulu que ses enfants soient élevés dans cette langue. Son père, Neri Capponi, a ensuite transmis cette tradition à ses propres enfants, ce qui explique que les héritiers de la famille s'expriment dans un anglais resté intact depuis le règne d'Édouard VII, près d'un siècle plus tôt.

Quant à la comtesse Ross, une jolie femme à la fois réservée, cérémonieuse et dotée d'un humour froid, elle est américaine.

— Nous avons accueilli ici Ridley Scott et son cigare, nous explique le comte.

— Son entourage arrivait en premier avec le cigare, suivi par Ridley et sa cour, ajoute la comtesse.

— Sa fumée ne manquait pas de panache.

— Il s'agissait surtout de fausse fumée, en réalité. Ridley est obsédé par la fumée. Et les bustes en marbre, il en voulait toujours plus.

Le comte consulte sa montre en s'excusant.

— Je ne voudrais pas vous paraître discourtois, mais je ne fume moi-même que deux fois par jour, à midi et à 19 heures.

Il est midi moins trois.

— Pendant le tournage, il exigeait toujours plus de bustes dans le *Gran Salone*, continue le comte. Il en avait commandé en papier mâché qui étaient censés imiter l'ancien, mais il n'était pas satisfait du résultat. Quand je lui ai proposé de faire remonter de la cave les quelques bustes d'ancêtres que nous avions, il a trouvé l'idée formidable et a sauté dessus. Je lui ai dit qu'ils étaient sans doute pleins de poussière et que je pouvais les faire nettoyer, mais il m'a dit : « Surtout pas ! » L'un de ces bustes est celui de ma *quadrisnonna*, mon arrière-arrière-arrière-grand-mère, née Luisa Velluti Zati, de la famille des ducs de San Clemente, qui était une femme extrêmement convenable. Elle refusait d'aller au théâtre, jugeant la chose immorale, et voilà qu'elle se retrouvait figurante dans un film. Et quel film ! Une histoire pleine de violence avec des victimes éventrées et une séance de cannibalisme.

— L'idée aurait pu lui plaire. Sait-on jamais ? ajoute la comtesse.

— L'équipe de tournage s'est comportée extrêmement bien. Ce qui n'a pas empêché les Florentins de passer leur temps à se plaindre. Maintenant que tout est terminé, les mêmes commerçants affichent en vitrine des écriteaux « *Hannibal* a été tourné ici ».

Le comte consulte de nouveau sa montre, constate qu'on a atteint le *mezzogiorno* et allume sa pipe. Un nuage de tabac parfumé s'élève vers le plafond.

— Outre la fumée et les bustes, Ridley avait une véritable fascination pour Henri VIII.

Le comte se lève, fouille longuement parmi ses archives et revient avec un épais parchemin. Il s'agit d'une lettre de Henri VIII à l'un de ses ancêtres, dans laquelle il réclame deux mille soldats et autant d'arquebusiers dans les meilleurs délais. Un étrange objet brun d'aspect cireux, de la taille d'une figue écrasée, pend de la lettre signée du monarque.

Intrigué, j'interroge le comte :

— De quoi s'agit-il ?

— C'est le sceau personnel d'Henri VIII. Ridley prétendait que ça ressemblait plutôt au testicule gauche du roi. Je lui en ai fait une photocopie. De la lettre, bien sûr.

Notre hôte nous conduit ensuite jusqu'au *Gran Salone*, la principale pièce de réception du palais, où Hannibal Lecter joue du clavecin pendant que l'inspecteur Pazzi, en planque sous sa fenêtre dans la Via de' Bardi, l'écoute. Le clavecin d'Anthony Hopkins dans le film a été remplacé par un piano. Il y a là une série de portraits sombres, quelques paysages fantastiques, des statues de marbre, une armure et des armes. La température de la pièce est à peine supérieure à celle d'une chambre de torture sibérienne, chauffer un espace aussi vaste étant tout simplement prohibitif.

— Cette armure est en grande partie fausse, nous explique le comte avec un geste de mépris. Ce n'est pas le cas de cette autre, qui date des années 1580. Elle a sans doute appartenu à Niccola Capponi, chevalier de l'ordre de Saint-Étienne. Elle m'allait d'ailleurs assez bien. Elle est très légère, j'arrivais même à faire des pompes avec.

Un cri résonne dans les profondeurs du palais et la comtesse s'éclipse promptement.

— Ces portraits représentent principalement des Médicis. Cinq membres de notre famille ont épousé des Médicis. Un Capponi a été exilé de Florence en compagnie de Dante. À l'époque, Dante devait nous regarder de haut car nous faisions partie, ainsi qu'il l'a écrit, de « *la gente nove e i subiti guadagni* », « ces nouvelles familles subitement enrichies ». Neri Capponi a contribué au retour d'exil de Cosimo de' Medici en 1434. Cette alliance s'est révélée éminemment profitable pour nous. Notre succès à Florence s'explique par le fait que nous n'avons jamais été la première famille de la ville. Nous sommes toujours restés au deuxième ou au troisième rang. Un dicton florentin prétend : « Le clou qui dépasse fait les frais du marteau. »

La comtesse reparaît avec un bébé, Francesca, prénommée ainsi en l'honneur de Francesca Capponi, une jeune fille d'une grande beauté qui épousa Vieri di Cambio de' Medici et qui mourut en couches à l'âge de dix-huit ans. Un portrait d'elle avec ses jolies joues roses, attribué à Pontormo, est accroché dans la pièce voisine.

Je demande au comte lequel de ses ancêtres était le plus célèbre.

— Sans doute Piero Capponi. À Florence, tous les enfants des écoles connaissent son histoire. Tout comme celle de Washington traversant la Delaware, elle a été embellie avec le temps.

— Il fait le modeste, comme toujours, intervient la comtesse.

— Pas du tout, ma chère. Cette histoire est grandement exagérée.

— Elle est pourtant véridique.

— Quoi qu'il en soit, le roi de France Charles VIII est passé par Florence à la tête de ses armées en 1494, sur le chemin de Naples qu'il comptait prendre. L'idée lui est venue de gagner facilement de l'argent en exigeant de la ville une somme considérable. « Si la rançon n'est pas payée, nous ferons sonner nos trompettes et nous vous attaquerons », a-t-il déclaré. Ce à quoi Piero Capponi a répondu : « Dans ce cas, nous ferons sonner le tocsin », le signal traditionnel en cas de danger afin de rameuter les citoyens et les engager à se battre. Charles VIII a préféré jeter l'éponge. On raconte qu'il aurait dit : « Capon, Capon, vous êtes un mauvais chapon. »

— Ce qui explique le goût familial pour la volaille, ajoute la comtesse.

— Oui, nous avons l'habitude de manger du chapon à Noël. Une tradition un brin cannibale. À ce propos, laissez-moi vous montrer l'endroit où Hannibal Lecter prenait ses repas.

Nous suivons le comte dans la *Sala Rossa*, un élégant salon meublé de chaises en tapisserie, de quelques tables et d'un buffet surmonté d'un miroir. Les murs sont tendus d'une soie rouge issue de l'élevage de vers à soie de la famille, deux siècles et demi plus tôt.

— L'une des femmes de l'équipe de tournage n'arrêtait pas de bouger les objets de place, intervient la comtesse. Je lui répétais à tout bout de champ : « Ne touchez à rien sans qu'on vous y ait autorisée », mais elle s'entêtait à tout vouloir déplacer. Sebastiano, le petit frère de Niccolò qui dirige la Villa Calcinaia, l'exploitation viticole de la famille dans le Chianti, apportait chaque jour une bouteille de vin qu'il posait dans un endroit stratégique, mais on ne la voit jamais à l'écran car cette femme la déplaçait systématiquement. La production avait passé un accord avec la maison Seagram afin que seuls leurs produits apparaissent dans le champ.

Le comte affiche un petit sourire.

— Il n'empêche que, chaque soir, la bouteille avait trouvé le moyen de se vider. Il faut dire qu'il s'agissait de notre meilleure *riserva*.

Quelques années plus tôt, alors que Thomas Harris effectuait ses recherches sur le Monstre de Florence en prévision de son roman *Hannibal* et qu'il assistait au procès de Pacciani, il a fait la connaissance du comte Capponi qui l'a invité au Palazzo. C'est plus tard seulement que Harris a demandé au comte s'il voyait un inconvénient à ce que le personnage d'Hannibal Lecter soit le conservateur des archives Capponi.

— Nous avons réuni un conseil de famille, explique le comte. Je lui ai répondu que nous étions d'accord à une seule condition : que la famille ne serve pas de plat de résistance à Lecter.

Niccolò et moi, nous sommes devenus amis. Nous nous retrouvons régulièrement pour déjeuner chez Il Bordino, une petite trattoria située derrière l'église de Santa Felicità, où se trouvent la chapelle et la crypte des Capponi, tout près du palais familial. Il Bordino est l'une des dernières trattorias traditionnelles de Florence ; un établissement minuscule et bondé, avec un comptoir en verre derrière lequel sont disposés les plats du jour. Le lieu fait penser à des oubliettes avec ses pierres noires et ses murs de plâtre, ses tables en bois entaillées et ses tomettes au sol. La nourriture y est typiquement florentine, de simples plats de viande et de pâtes servis avec de grosses tranches de pain et un verre de vin rouge, le tout pour un prix modique.

Un jour où nous déjeunons ensemble, je mentionne à Niccolò les recherches que nous effectuons avec Mario Spezi.

— Ah, ah ! répond-il, très intéressé. Le Monstre de Florence. Vous êtes sûr de vouloir vous mêler de cette histoire ?

— C'est une affaire fascinante.

— Tout à fait. Mais à votre place, je ferais attention.

— Faire attention ? Quel risque y a-t-il ? C'est une vieille histoire, le dernier meurtre remonte à plus de vingt ans.

Niccolò secoue la tête.

— À Florence, c'est comme si c'était hier. L'enquête se poursuit toujours. On parle d'une secte satanique, de messes noires, d'une « Villa des horreurs »... Les Italiens ne plaisantent pas avec ces choses-là. Cette affaire a fait la carrière des uns et brisé celle des autres. Faites bien attention avec Mario de ne pas trop remuer ce nid de vipères.

— Nous suivrons votre conseil.

Il m'adresse un sourire.

— À votre place, je retournerais bien tranquillement à ce charmant roman sur Masaccio dont vous m'avez parlé. Vous feriez mieux de laisser tranquille le Monstre de Florence.

33

Au printemps suivant, ma formation en « Monstrologie » approche de son terme. J'en sais désormais presque autant sur l'affaire que Spezi et le Monstre lui-même. Mario réserve toutefois son opinion sur un point capital : celui de l'identité du Monstre de Florence.

— *Eccoci qua*, me dit Spezi un beau matin. On en arrive à parler d'une secte satanique, d'hosties sacrilèges, d'un complot ourdi par des manipulateurs cachés. Jusqu'où ira-t-on ?

Tout en se reculant sur sa chaise, les mains écartées et un léger sourire aux lèvres, il ajoute :

— Un peu de café ?

— Volontiers.

Spezi vide d'un trait sa demi-tasse d'expresso. Faute d'avoir réussi à me faire à cette habitude, je me contente de déguster lentement la mienne.

— Des questions ? me demande-t-il, les yeux pétillants.

— Oui. À ton avis, qui est le Monstre ?

Spezi se débarrasse d'un geste de la cendre de sa cigarette.

— Tout est là, dit-il en désignant l'épais dossier. Et toi, qu'est-ce que tu en penses ?

— Je pencherais pour Salvatore Vinci.

Spezi fait non de la tête.

— Essayons de voir les choses comme pourrait le faire Philip Marlowe. Tout tient à ce fameux Beretta. Qui l'a apporté le soir des meurtres de 1968 ? Qui s'en est servi ? Qui l'a remporté chez lui? Et, surtout, qu'est-il advenu de l'arme par la suite? Si tu regardes bien, tu verras que tout est dans le dossier.

— Le pistolet était celui de Salvatore Vinci. Il l'a apporté de Sardaigne, c'est lui qui a mis au point les meurtres de 1968, c'est lui qui avait la voiture et c'est lui qui a tiré.

— Bravo.

— Il sera reparti avec l'arme.

— Exactement. Il a tendu le Beretta à Stefano Mele, histoire que Mele ait des résidus de poudre sur la main après avoir tiré la dernière balle. Ensuite, Mele jette l'arme. Vinci la ramasse et la rapporte chez lui. C'est tout sauf un imbécile et il n'est pas question de laisser le pistolet sur place. C'est bien trop dangereux, il y a toujours le risque que les experts balistiques puissent établir un lien entre l'arme et les balles retrouvées sur les victimes. Comme il n'est pas question de vendre l'arme ou de la donner à quiconque, il faut la détruire ou la cacher soigneusement. Même chose pour les boîtes de cartouches. Or, six ans plus tard, la même arme se retrouve entre les mains du Monstre de Florence et tue de nouveau.

J'acquiesce.

— Si je suis ton raisonnement, tu penses comme Rotella que Vinci et le Monstre ne font qu'un.

Spezi m'adresse un sourire.

— Tu crois?

Fouillant dans la pile de documents posés devant lui, il tire le rapport du FBI.

— Tu l'as lu, reprend-il en me le montrant. Tu trouves que la personnalité de Salvatore Vinci colle avec le profil du tueur?

— Pas vraiment.

— Pas du tout, tu veux dire! Le rapport du FBI insiste sur un point essentiel: le Monstre de Florence est impuissant, ou presque. Il souffre d'un dysfonctionnement sexuel grave qui empêche ou limite ses rapports sexuels avec les femmes de son âge. Il tue pour satisfaire ses appétits libidineux, faute de pouvoir les satisfaire autrement. La meilleure preuve, c'est qu'aucune trace de viol, d'attouchement ou d'une activité sexuelle quelconque n'a été constatée sur les diverses scènes de crime. Salvatore est tout sauf impuissant, c'est au contraire un véritable Priape, et sa personnalité ne correspond guère au profil psychologique établi par le FBI.

— Si Salvatore Vinci n'est pas le coupable, comment expliquer que le Beretta soit entré en la possession du Monstre ?

Le regard brillant, Spezi conserve le silence.

— Tu veux dire qu'on lui a volé l'arme ?

— Exactement. Et qui était le mieux placé pour le faire ?

J'ai beau avoir toutes les cartes en main, je ne vois pas où il veut en venir.

Spezi tapote la table d'un doigt.

— Il me manque la pièce du puzzle la plus importante. Je sais pourtant qu'elle existe, j'en ai discuté avec quelqu'un qui l'a vue. J'ai *tout* fait pour l'obtenir. Tu as deviné de quoi je veux parler ?

— De la déclaration de vol.

— *Appunto !* Au printemps 1974, quatre mois avant le tout premier double meurtre du Monstre à Borgo San Lorenzo, Salvatore Vinci est allé porter plainte chez les carabiniers. « On a forcé ma porte, quelqu'un s'est introduit chez moi. » Quand les carabiniers lui ont demandé ce qu'on lui avait volé, il a répondu qu'il n'en savait rien.

Spezi se lève et ouvre la fenêtre, provoquant un courant d'air qui fait tournoyer à travers la pièce les volutes de fumée bleutée. Il sort une autre gauloise du paquet posé sur la table, la porte à la bouche et l'allume, puis il se retourne.

— Réfléchis bien, Doug. Voilà un citoyen modèle, un Sarde avec une aversion atavique pour toute forme d'autorité, sans doute meurtrier lui-même, qui se rend chez les carabiniers pour signaler qu'on a pénétré chez lui par effraction sans rien lui voler. Pourquoi ferait-il ça ? Et d'abord, pourquoi voudrait-on lui voler quelque chose ? Il vit dans une vieille masure de rien du tout, dépourvue de tout objet de valeur. À l'exception, peut-être, d'un Beretta de calibre .22 et de deux boîtes de cartouches.

Spezi s'arrête un instant, le temps de tapoter sa cendre de cigarette. Perché sur le rebord de ma chaise, je suis pendu à ses lèvres.

— Et je ne t'ai pas raconté le plus extraordinaire. Vinci a indiqué aux carabiniers le *nom* de celui qui avait pénétré chez lui par effraction. Un gamin du clan des Sardes, un proche. La dernière personne qu'il aurait voulu dénoncer. Pourquoi porter plainte contre quelqu'un qui ne lui a rien pris? *Parce qu'il avait peur que le voleur se serve de l'arme.* En portant plainte, Salvatore Vinci cherchait à se protéger, au cas où le gamin en question commettrait quelque chose de... *d'horrible.*

Spezi glisse un doigt sur la table dans ma direction, comme pour me montrer un document invisible.

— Si nous avions copie de la plainte, nous y trouverions le nom que Salvatore Vinci a donné aux carabiniers. Le nom de son voleur. Le nom, mon cher Douglas, du Monstre de Florence.

— Qui est-ce?

Spezi affiche un petit sourire moqueur.

— *Pazienza!* En 1988, lors de l'affrontement entre Rotella et Vigna, les carabiniers se sont officiellement retirés de l'enquête, mais ils ne s'en sont pas tenus là pour autant. Ils ont poursuivi leurs recherches en secret. La plainte en question fait partie des documents qu'ils ont retrouvés dans Dieu sait quel dossier poussiéreux, au fin fond d'une vieille gendarmerie.

— Ils ont continué leur enquête en secret? Et qu'ont-ils trouvé d'autre?

Un sourire illumine le visage de Mario.

— Plein de choses. Notamment celle-ci : au lendemain du premier crime commis par le Monstre, Salvatore Vinci s'est présenté au service psychiatrique de l'hôpital Santa Maria Nuova. Pour quoi faire? Mystère. Son dossier médical semble avoir disparu.

D'une main, il ressort de la pile de documents le dossier du FBI.

— Dans son rapport, le FBI attribue au Monstre un certain nombre de traits psychologiques. Essayons de voir s'ils coïncident avec la personnalité de notre suspect. Le rapport dit que le Monstre a probablement commis un certain nombre de délits mineurs, des vols ou des incendies volontaires, mais ni viol ni violence. Le casier judiciaire de notre homme fait apparaître plusieurs vols de voitures, la possession illégale d'armes à feu, des vols avec effraction et même un incendie volontaire. Toujours d'après le rapport, le Monstre ne se trouvait pas à Florence au cours des sept ans qui séparent les meurtres de 1974 de ceux de 1981. Notre homme a quitté Florence en janvier 1975 et n'y est revenu qu'à la fin de l'année 1981. Quelques mois avant la reprise de ses activités. Le rapport affirme que le Monstre vivait seul au moment des crimes et que lorsqu'il n'était pas seul, il vivait avec une femme nettement plus âgée, une tante ou une grand-mère. Notre suspect a vécu avec une tante pendant presque toute la période où il n'était pas à Florence. Quelques mois après son dernier crime en 1985, notre homme a rencontré une femme plus âgée avec qui il s'est mis en ménage. Les crimes se sont arrêtés. Il a été marié de 1982 à 1985, c'est vrai, mais à en croire l'un des carabiniers qui ont participé à l'enquête secrète, ce mariage a été annulé pour *impotentia coeundi*, c'est-à-dire non-consommation. Pour être tout à fait honnête, *impotentia coeundi* était un prétexte fréquent à l'époque pour obtenir le divorce, même lorsque c'était faux. Le rapport du FBI explique que les tueurs de ce genre ont tendance à entrer en contact avec la police pour tenter de faire dérailler l'enquête, ou tout au moins obtenir des informations. Notre homme s'est présenté à la police comme informateur. Enfin, les études consacrées aux tueurs en série ayant des motivations d'ordre sexuel soulignent souvent des traumatismes liés à un abandon maternel et à des abus sexuels au sein de la famille. La mère de notre suspect a été assassinée lorsqu'il avait un an et il a perdu une seconde figure maternelle quand la compagne de son père a quitté ce dernier. Il est également possible qu'il ait eu à subir les pratiques sexuelles pour le moins curieuses de ce père. Il vivait avec lui dans une petite maison à l'époque où le père en question organisait des parties fines avec des hommes, des femmes, peut-être même des enfants. Le père l'a-t-il obligé à y participer? Rien ne prouve qu'il l'ait fait, mais rien ne prouve qu'il ne l'ait pas fait non plus.

Je commence à comprendre où Mario veut en venir.

Il tire longuement sur sa cigarette et recrache un nuage de fumée.

— Le rapport dit que le tueur a probablement commencé vers l'âge de vingt ans. À l'époque du premier double meurtre, notre homme n'était toutefois âgé que de quinze ans.

— Tu crois que ça suffit à l'éliminer de la liste des suspects?

Spezi fait non de la tête.

— En fait, beaucoup de tueurs en série commencent très jeunes, me répond-il en m'en citant de célèbres assassins, notamment américains, qui ont commencé leur sinistre carrière entre quatorze et dix-sept ans.

Puis il ajoute:

— Il a bien failli rater son premier crime en 1974. Tout indique qu'on était en présence d'un débutant à la fois impulsif et affolé. Il s'en est tiré uniquement parce que la première balle a tué par hasard la victime masculine. La balle lui est entrée dans le bras, a ricoché sur l'os avant de pénétrer dans la poitrine et de se loger dans le cœur. La fille a eu le temps de sortir de la voiture et de s'enfuir. Le tueur lui a tiré dessus, mais il ne l'a atteinte qu'aux jambes et a dû l'achever avec son couteau. Il a ensuite ramassé le corps qu'il a déposé derrière la voiture avant d'essayer d'abuser d'elle, en vain. « Dysfonctionnement sexuel grave. » *Impotentia coeundi*. En désespoir de cause, il a pris un cep de vigne qu'il lui a enfoncé dans le vagin. Ensuite, il est resté près du corps en le caressant à l'aide du seul instrument qui lui donnait du plaisir, son couteau. En tout, on a relevé

quatre-vingt-dix-sept entailles sur le corps. S'il a voulu pratiquer des attouchements sur sa victime, il n'y a pas réussi. Les
entailles ont été pratiquées autour des seins et du pubis,
comme pour montrer qu'elle lui appartenait.

Une chape de silence s'abat sur la petite salle à manger.
À l'autre extrémité de la table, la fenêtre donne sur les collines qui ont servi de terrain de chasse au Monstre.

— Le rapport dit que le Monstre possède une voiture.
C'était le cas de notre homme. Les crimes ont été commis
dans des endroits qu'il connaissait bien, près de chez lui ou
de son lieu de travail. En suivant les mouvements de notre
homme pendant toutes ces années, on constate qu'il
connaissait bien tous les lieux concernés, quand il n'y avait
pas vécu.

Mario pose de nouveau le doigt sur la table avant
de poursuivre.

— Je donnerais n'importe quoi pour avoir une copie de
cette plainte pour effraction.

— Il est toujours en vie ?

Spezi hoche la tête.

— Je sais même où il vit.

— Tu lui as déjà parlé ?

— J'ai essayé une fois.

— Alors ? Qui est-ce ?

— Tu es sûr de vouloir le savoir ? réplique Mario en
m'adressant un clin d'œil.

— Bon sang, Mario !

Spezi tire longuement sur sa gauloise et expire lentement
la fumée.

— D'après mon contact, celui que Salvatore Vinci a
accusé d'avoir forcé sa porte en 1974 était son propre fils,
Antonio Vinci. Le bébé sauvé *in extremis* de l'asphyxie en
1961.

Bien sûr !

— Mario, tu sais ce qu'il nous reste à faire ?

— Quoi ?

— L'interviewer.

34

Plus de trente ans après le meurtre de Barbara Locci et de son amant en 1968, seuls deux individus impliqués dans l'enquête sur la piste sarde sont encore en vie : Antonio Vinci et Natalino Mele. Tous les autres sont morts, ou ont disparu. Le corps de Francesco Vinci a été retrouvé ligoté dans le coffre d'une voiture incendiée, apparemment à la suite de démêlés avec la Mafia. Salvatore s'est évanoui dans la nature après son acquittement. Quant à Stefano Mele, Piero Mucciarini et Giovanni Mele, ils sont décédés depuis longtemps.

Avant d'interviewer Antonio Vinci, Mario et moi décidons d'aller voir Natalino Mele, le petit garçon de six ans qui se trouvait à l'arrière de la voiture en 1968 et qui a assisté au meurtre de sa mère. Natalino accepte le principe d'une rencontre et nous donne rendez-vous devant la mare aux canards du parc des Cascine à Florence, près d'un manège et d'une grande roue fatigués.

Le ciel est couvert et l'air charrie des odeurs de feuilles sèches et de pop-corn. Mele ne tarde pas à nous rejoindre, les mains dans les poches. C'est un personnage corpulent, qui fait ses quarante ans, la mine triste, le poil noir, l'air hagard. Il s'exprime sur le ton rageur d'un gamin confronté à une injustice. Après le meurtre de sa mère, son père en prison, il a été placé dans un orphelinat par son entourage, un destin peu enviable au sein d'une société dans laquelle la famille constitue une valeur cardinale. Depuis, Natalino est seul au monde.

Nous nous installons sur un banc tandis que le haut-parleur du manège déverse dans notre dos un flot de pulsations disco. Nous lui demandons s'il se souvient de cette nuit du 21 août 1968. Il explose aussitôt.

— J'avais six ans ! s'écrie-t-il d'une voix aiguë. Que voulez-vous que je vous dise ? Après tout ce temps, vous voudriez peut-être que je me souvienne d'un truc que j'aurais oublié ? On me demande toujours la même chose : de quoi te souviens-tu ? *De quoi te souviens-tu ?*

Natalino finit par nous raconter son histoire. La nuit du meurtre, il était terrorisé au point de refuser de parler. Il a fallu que les carabiniers le menacent de le ramener près du corps de sa mère pour qu'il accepte de sortir de son mutisme. Quatorze ans plus tard, lorsque les enquêteurs ont fait le lien entre les meurtres de 1968 et l'affaire du Monstre, la police l'a une nouvelle fois bombardé de questions. Parce qu'il a assisté au crime de 1968, les enquêteurs sont persuadés qu'il leur cache quelque chose. Les interrogatoires se sont poursuivis pendant un an tout au long duquel il n'a jamais changé de position, affirmant ne se souvenir de rien. Les policiers passaient leur temps à lui crier dessus en exhibant des photos terrifiantes des victimes mutilées par le Monstre : « Regarde ça ! C'est ta faute ! C'est ta faute parce que tu ne te souviens de rien ! »

À mesure que Natalino nous expose le détail de ces séances d'interrogatoire impitoyables, le ton monte avec sa colère.

— Je leur ai dit que je ne me souvenais de rien. De rien ! Sauf d'une chose. Je me souviens d'une seule chose !

Il s'arrête, le temps de reprendre sa respiration.

— Je me souviens que j'ai ouvert les yeux dans l'auto et que j'ai vu ma maman, *morte*. C'est la seule chose que je me rappelle, cette nuit-là. Et c'est la seule image qu'il me reste d'elle, ajoute-t-il d'une voix tremblante.

35

Des années auparavant, Spezi a joint Antonio Vinci par téléphone dans l'espoir d'obtenir une interview, mais son interlocuteur a refusé catégoriquement de le rencontrer. Étant donné les circonstances, nous devons réfléchir au meilleur moyen d'approcher notre homme et nous décidons de tenter notre chance en sonnant à sa porte directement pour ne pas risquer d'essuyer un refus au téléphone. Nous décidons d'user de faux noms afin de nous prémunir contre des représailles éventuelles le jour où l'article verra le jour. Je dois me présenter comme un journaliste américain effectuant un reportage sur le Monstre de Florence, accompagné d'un ami chargé de faire la traduction.

Il est 21 h 40 lorsque nous nous présentons chez Antonio, suffisamment tard pour être certains de le trouver chez lui. Il vit dans un quartier populaire et propret de la banlieue ouest de Florence. Son immeuble, un bâtiment anonyme précédé d'un jardinet fleuri et d'un garage pour les vélos, se dresse dans une petite rue à l'extrémité de laquelle on aperçoit des friches industrielles, à moitié dissimulées par une rangée de pins parasols.

Spezi appuie sur la sonnette et une voix féminine résonne dans l'interphone.

— Qui est-ce ?

— Marco Tiezzi, réplique Mario.

La porte s'ouvre sans autre question.

Antonio nous attend sur le pas de la porte, vêtu d'un simple short. Il reconnaît immédiatement mon compagnon.

— Ah, Spezi ! C'est vous ? dit-il. Je n'avais pas bien entendu votre nom. Ça fait longtemps que je voulais vous voir !

Il nous invite à prendre place à la table de la cuisine d'un air affable et nous offre un verre de *mirto*, un alcool sarde. Sa compagne, une femme plus âgée d'allure discrète, achève de laver des épinards dans l'évier avant de s'éclipser.

Antonio, avec sa fossette au menton, est plutôt bel homme. Sa chevelure noire frisée est parsemée de fils gris et son corps, bronzé, est musclé. Très sûr de lui, il émane de sa personne une sorte de charme vulgaire. Tout en discutant avec nous de l'affaire, il fait jouer les muscles de ses bras en les caressant machinalement avec satisfaction. Il a un trèfle à quatre feuilles tatoué sur le bras gauche et deux cœurs entrelacés sur l'autre. Une large cicatrice lui barre la poitrine. Il s'exprime d'une voix sourde et rauque qui n'est pas sans évoquer celle de Robert De Niro dans *Taxi Driver*. Ses yeux noirs, constamment en mouvement, démentent son calme et trahissent aussi son amusement de cette visite impromptue.

Spezi, tirant un magnétophone de sa poche, lui demande nonchalamment s'il voit un inconvénient à ce que notre conversation soit enregistrée.

Antonio tend ses biceps en souriant.

— Je n'y tiens pas. Je suis très jaloux de ma voix. Elle est trop belle et trop douce pour mériter de finir dans une petite boîte.

Spezi remet l'appareil dans sa poche et lui explique que je suis journaliste et que le *New Yorker* m'a commandé un article sur les meurtres du Monstre. Nous souhaitons l'interviewer au même titre que les autres protagonistes de l'affaire encore en vie. Antonio, très à son aise, semble se contenter de cette explication.

Spezi, soucieux de détendre l'atmosphère, commence par lui poser des questions d'ordre général tout en prenant des notes. Antonio a manifestement suivi l'affaire de près et en connaît tous les détails. Les généralités éclusées, Spezi passe à l'attaque.

— Quels rapports aviez-vous avec votre oncle Francesco ?

— Nous étions très proches. C'était une amitié indestructible.

Antonio marque une pause, puis il ajoute un détail auquel nous ne nous attendions pas.

— J'ai un scoop pour vous, Spezi. Vous vous souvenez que Francesco a été arrêté pour avoir caché sa voiture ? Eh bien, je me trouvais avec lui ce soir-là. Jusqu'à aujourd'hui, personne ne l'a jamais su.

Antonio fait référence à la nuit où a eu lieu le double meurtre de Montespertoli, près du château de Poppiano, en juin 1982. À l'époque, Antonio vivait à six kilomètres de là et c'est à la suite de ce crime que Francesco Vinci a été arrêté. Sa voiture, cachée dans les bois pour des raisons obscures, a lourdement pesé dans son inculpation.

Antonio a raison de dire qu'il s'agit d'un scoop majeur.

— Mais ça veut dire que votre oncle Francesco avait un témoin ! s'écrie Spezi. Vous auriez pu lui éviter la prison ! Pourquoi n'avoir rien dit ?

— Parce que je ne voulais pas être mêlé à ses affaires.

— Et vous l'avez laissé passer deux ans en prison ?

— Il voulait me protéger. En plus, j'avais confiance dans le système judiciaire.

J'avais confiance dans le système judiciaire. Venant de lui, la remarque ne manque pas de sel. Spezi enchaîne déjà.

— Quels étaient vos rapports avec votre père, Salvatore ?

Le petit sourire d'Antonio se fige l'espace d'un instant.

— On ne s'entendait pas. Incompatibilité d'humeur, en quelque sorte.

— Mais vous aviez des raisons précises de ne pas vous entendre ? Vous lui en vouliez peut-être d'être responsable de la mort de votre mère ?

— Pas vraiment. Même si je sais ce qui se disait à ce sujet.

— Votre père avait des pratiques sexuelles pour le moins étranges. Vous le haïssiez peut-être pour cette raison.

— À l'époque, je n'en savais rien. Ce n'est que plus tard que j'ai entendu parler de ses…

221

Il a une hésitation avant d'achever sa phrase :

— … tics.

— N'empêche que vous vous battiez souvent. Déjà quand vous étiez jeune. Au printemps 1974, par exemple, votre père a porté plainte contre vous pour avoir cambriolé son domicile…

Spezi a prononcé la phrase avec détachement. La question est pourtant capitale, la réaction d'Antonio étant susceptible de confirmer l'existence réelle de cette fameuse plainte, déposée quelques mois avant les premiers meurtres du Monstre.

— Ce n'est pas tout à fait vrai, répond Antonio. Il n'a pas pu porter plainte pour vol car rien n'avait disparu. On m'a simplement accusé de violation de domicile. Une autre fois, nous nous sommes battus et je l'ai coincé en lui posant la lame de mon couteau de plongée sur la gorge, mais il a réussi à m'échapper et j'ai dû m'enfermer à clé dans la salle de bains.

Non seulement l'effraction de 1974 se trouve confirmée, mais Antonio nous apporte un élément nouveau de son plein gré, peut-être même par défi : il dit avoir menacé son père avec un couteau de plongée. Le médecin légiste chargé d'autopsier les victimes du Monstre, Mauro Maurri, a émis à plusieurs reprises l'hypothèse que le Monstre se serait servi d'un couteau de plongée.

Spezi poursuit comme si de rien n'était, se rapprochant progressivement du but.

— À votre avis, qui a commis les meurtres de 1968 ?

— Stefano Mele.

— Mais l'arme n'a jamais été retrouvée.

— Mele a très bien pu la vendre ou la donner à quelqu'un d'autre en sortant de prison.

— Impossible. Le pistolet a servi de nouveau en 1974 alors que Mele était toujours sous les verrous.

— Vous êtes sûr ? Je n'avais pas pensé à ça.

— On dit que c'est votre père qui a tiré, en 1968, enchaîne Spezi.

— Il est bien trop lâche pour ça.

— À quel moment avez-vous quitté Florence ? demande Spezi.

— Je suis parti en 1974. Je suis allé en Sardaigne, puis au lac de Côme.

— Ensuite, vous êtes revenu ici et vous vous êtes marié.

— Oui. Je me suis marié avec ma petite copine d'enfance, mais ça n'a pas marché. On s'est mariés en 1982 et on s'est séparés en 1985.

— Qu'est-ce qui n'a pas marché ?

— Elle ne pouvait pas avoir d'enfants.

Antonio fait allusion au mariage annulé pour non-consommation, *impotentia coeundi*.

— Ensuite, vous vous êtes remarié.

— Je vis avec une femme.

Spezi s'efforce de poser la question suivante de façon aussi anodine que possible, comme une simple formalité avant de mettre un terme à l'interview.

— Je peux vous demander quelque chose franchement ?

— Bien sûr. Je verrai bien si j'ai envie de répondre.

— Alors voilà : si c'est votre père qui avait le fameux Beretta de calibre .22, vous étiez mieux placé que quiconque pour le lui prendre. En particulier le jour du printemps 1974 où vous vous êtes introduit chez lui par effraction.

Antonio ne réplique pas immédiatement, prenant le temps de réfléchir.

— Je peux prouver que ce n'est pas moi qui l'ai pris.

— Je vous écoute.

— Si je l'avais pris, rétorque-t-il avec un sourire, je m'en serais servi pour mettre une balle dans la tête de mon père.

— Dans le même ordre d'idées, continue Spezi, vous avez quitté Florence entre 1975 et 1980, au moment où les crimes se sont arrêtés. Vous êtes revenu, et ils ont repris.

Au lieu de réagir directement à l'affirmation de Mario, Antonio se cale contre le dossier de sa chaise et affiche un large sourire.

— Les meilleures années de ma vie. J'avais une maison, je mangeais bien, sans parler des filles…

Il conclut sa phrase par un sifflement en mimant le geste synonyme de baiser en Italie.

— Dans ce cas, fait Spezi, l'air de rien, ce n'est pas vous... le Monstre de Florence ?

Antonio a une brève hésitation.

— Non, répond-il sans jamais se départir de son sourire. Je préfère bouffer de la chatte quand elle est vivante.

L'entretien terminé, nous nous levons, suivis par Antonio. Au moment d'ouvrir la porte, il se penche vers Spezi et lui murmure à l'oreille, sur le même ton cordial, passant brusquement du « vous » au « tu » :

— Ah, Spezi, j'oubliais de te dire.

Puis, sur un ton menaçant :

— Écoute-moi bien : ne joue pas à ce petit jeu-là avec moi.

36

Spezi et moi avons soumis notre article sur le Monstre de Florence au *New Yorker* pendant l'été 2001. Le temps des vacances, je séjournais avec ma femme et mes enfants aux États-Unis dans notre vieille ferme de la côte du Maine, et j'ai passé une bonne partie de mon été à peaufiner notre reportage avec le rédacteur en chef du magazine en prévision de sa publication, prévue pour la troisième semaine de septembre.

Avec Mario, nous nous attendions à ce que notre travail fasse des vagues en Italie où l'opinion publique avait accepté depuis longtemps la culpabilité de Pacciani et de ses compagnons de pique-nique. La plupart des Italiens avaient également admis la théorie du commissaire Giuttari selon laquelle Pacciani et sa bande auraient œuvré au nom d'une puissante secte occulte. Si l'idée de crimes sataniques pouvait prêter à sourire aux États-Unis, les habitants de la péninsule trouvaient en revanche la chose parfaitement plausible. Dès le début de l'affaire, des bruits avaient couru sur l'implication d'une personnalité importante, docteur selon certains, aristocrate selon d'autres. La thèse du complot satanique n'était que la suite logique d'une telle rumeur et beaucoup d'Italiens y croyaient.

Nous espérions clairement mettre le pied dans la fourmilière avec notre enquête.

L'article écrit pour le *New Yorker* plaidait ouvertement contre la culpabilité de Pacciani. S'il était innocent, cela signifiait que ses comparses mentaient tous et que la théorie satanique de Giuttari ne tenait pas debout, dans la mesure où elle reposait uniquement sur leurs témoignages. En toute logique, cela ouvrait un boulevard à la piste sarde.

Ainsi que me l'avait confié Mario, les carabiniers avaient poursuivi leur enquête en secret dans ce sens. L'une de leurs sources, un personnage dont j'ignore moi-même l'identité, avait affirmé à Mario que les carabiniers attendaient le moment opportun pour dévoiler les résultats de leurs investigations. « *Il tempo è un galantuomo* », avait précisé l'informateur de Spezi. « Le temps est un gentilhomme. » Mario espérait que l'article du *New Yorker* inciterait les carabiniers à remettre l'enquête sur les rails jusqu'à l'arrestation du véritable Monstre.

— Les Italiens sont toujours très sensibles à ce que pensent les Américains, m'avait expliqué Spezi. Si un magazine de l'importance du *New Yorker* affirme que Pacciani est innocent, je peux te dire que ça va faire du bruit. *Beaucoup* de bruit.

Alors que l'été 2001 touche à sa fin, la famille Preston se prépare à reprendre le chemin de Florence. Le vol de retour depuis Boston est fixé au 14 septembre, en prévision de la rentrée scolaire qui doit avoir lieu le 17.

Le 11 septembre 2001, tout bascule.

Vers 14 heures, j'éteins la télévision dans la cuisine de notre vieille ferme du Maine. J'éprouve le besoin de sortir et je décide d'aller me promener en compagnie de mon fils Isaac. Les lumières et les couleurs de cette fin d'été, ultime baroud d'honneur avant l'arrivée de l'automne, sont splendides. Une odeur de feu de bois flotte dans l'air frais, le ciel est d'un bleu électrique. Nous traversons les champs fraîchement moissonnés derrière la ferme et longeons un verger de pommiers jusqu'à un petit chemin abandonné qui s'enfonce dans la forêt. Deux kilomètres plus loin, nous coupons à travers bois en direction d'une mare aux castors qui sert de refuge à une famille d'élans. J'ai envie de m'isoler, d'échapper à toute forme d'existence humaine, de me perdre loin de l'horreur de cette journée interminable. Nous poursuivons notre promenade à travers les sapins et les épicéas, pataugeant dans la boue entre deux tapis de mousse. Un peu plus loin, les rayons du soleil qui filtrent à travers les arbres nous annoncent la proximité de la mare. Le vert des sapins, pailleté de rouge à l'endroit où se dresse un érable, se reflète à la surface d'une eau noire et immobile. L'air embaume la mousse et les aiguilles de pin tombées au pied des arbres. Dans cet endroit intemporel, au bord de cette mare alimentée par un ruisseau anonyme, toute notion de bien et de mal semble vide de sens.

Tandis que mon petit garçon s'amuse à ramasser des bouts de bois rongés par les castors, je tente de rassembler mes pensées. Je me demande si j'ai le droit de quitter mon pays au moment où il est attaqué, s'il est bien prudent de prendre l'avion avec mes enfants dans un contexte aussi chargé. Comment savoir si cette journée noire n'affectera pas notre séjour en Italie, si nous y retournons ? Soudainement, je prends conscience que l'article du *New Yorker* n'a aucune chance de voir le jour après ce qui vient de se passer.

À l'image de beaucoup d'Américains, nous choisissons finalement de continuer à vivre comme avant et nous rentrons en Italie dès le 18 septembre, peu après le retour à la normale du trafic aérien. Nos amis italiens ont organisé un dîner en notre honneur dans un appartement donnant sur la piazza Santo Spirito, en face de la superbe église Renaissance érigée par Brunelleschi. Ce soir-là, à notre arrivée, nous avons l'impression d'assister à un enterrement : nos amis italiens, certains les larmes aux yeux, nous prennent les uns après les autres dans leurs bras en nous présentant leurs condoléances. La soirée, assez morose, s'achève par la lecture du poème de Constantin Cavafy intitulé « En attendant les Barbares ». L'une des convives, professeur de grec à l'université de Florence, commence par nous le réciter dans la langue originale avant de le traduire en italien. Cette œuvre décrit l'état d'esprit des Romains du Haut Empire à la veille de l'entrée des Barbares dans leur ville. Je n'oublierai jamais les derniers vers :

> ... *La nuit est là et les Barbares se font attendre.*
> *Certains, venus des frontières,*
> *Disent qu'il n'y a plus de Barbares.*
> *Qu'allons-nous devenir sans les Barbares ?*
> *Au moins ces gens nous offraient-ils une solution.*

Ainsi qu'on pouvait s'y attendre, le *New Yorker* renonce à publier notre enquête sur le Monstre de Florence, tout en nous versant les honoraires convenus et en nous rendant nos droits. Je tente bien de publier l'article ailleurs, mais le cœur n'y est plus, les attentats du 11 septembre ont épuisé pour longtemps tout intérêt pour cette histoire de tueur en série européen vieille d'un quart de siècle.

Au cours des semaines suivantes, de nombreux commentateurs, à la télévision comme dans les journaux, pontifient longuement sur la nature du mal. On sollicite les plus grands écrivains et les esprits les plus éclairés afin de recueillir leur opinion sur ce sujet. Des hommes politiques aux hiérarques religieux en passant par les experts en psychiatrie, tout le monde y va de son petit couplet. Frappé par leur impuissance patente à mettre des mots sur un concept aussi complexe, je me demande si le fait même que le mal soit incompréhensible n'est pas justement sa caractéristique première. Notre incapacité à contempler le mal en face tient au fait qu'il est dépourvu de visage, de corps, de squelette, de sang. Toute tentative de le décrire serait aussi illusoire que stérile. Peut-être est-ce pour cette raison que les chrétiens ont inventé le diable, incitant ceux qui enquêtent sur le Monstre à imaginer une secte satanique. Tous cherchent la « solution » du poème de Cavafy.

C'est à la même époque que je commence à saisir la nature de ma fascination pour l'affaire du Monstre. Depuis vingt ans que j'écris des romans dans lesquels le meurtre et la violence figurent en bonne place, je n'ai jamais véritablement réussi à comprendre les mécanismes du mal.

Le Monstre de Florence m'attire justement parce qu'il m'entraîne sur un chemin inconnu. Cette affaire illustre à mes yeux le mal dans toute son horreur, et à tous les niveaux. Le mal ne se limite pas à la lecture primaire de ces meurtres monstrueux commis par un individu dérangé. Certains des enquêteurs et des juges à qui a été confiée la mission sacrée de découvrir la vérité ont préféré utiliser ces crimes à des fins personnelles. Cramponnés à des thèses erronées, ils refusent obstinément de remettre en cause leurs convictions, même en présence de faits indiscutables. Il est plus essentiel à leurs yeux de sauver la face que de sauver des vies, de servir leurs propres ambitions que de mettre le Monstre derrière les barreaux. Ainsi, le mal indicible que symbolise le Monstre a-t-il favorisé l'émergence dans son sillage de couches supplémentaires de mensonge, de vanité, d'arrogance et d'incompétence. À la façon d'une tumeur cancéreuse qui métastase, les actes du Monstre se sont disséminés dans les recoins les plus fragiles de notre organisme social où ils se sont multipliés jusqu'à former leur propre réseau en attendant de provoquer la mort.

Conscient que Mario Spezi s'est lui-même battu contre les formes du mal générées par l'affaire du Monstre, je lui pose un jour la question de savoir comment il a réussi à se protéger de tout cela.

— Personne ne comprenait mieux le mal que le père Galileo, me répond-il, faisant référence au moine psychanalyste à qui il s'est adressé lorsqu'il s'est senti submergé par l'horreur de cette affaire.

Le père Galileo est mort depuis, mais Spezi m'assure qu'il lui a sauvé la vie à l'époque des meurtres.

— Il m'a aidé à comprendre l'incompréhensible, ajoute-t-il.

— Tu te souviens de ce qu'il t'a dit?

— Je peux d'autant mieux te le dire, Doug, que je l'ai noté.

Mario fouille parmi ses carnets et ne tarde pas à mettre la main sur celui qu'il cherche. Le vieux moine franciscain a

229

commencé par lui faire remarquer qu'en italien le mot *male* est à la fois synonyme de mal et de maladie, tout comme celui de *discorso* évoque aussi bien le discours que l'étude.

— On peut définir le terme « pathologie » comme une étude du mal, lui avait expliqué le père Galileo. Personnellement, je préfère le définir comme un mal qui parle. De même, la psychologie est l'étude du psychisme, mais je préfère considérer qu'il s'agit de « l'étude du psychisme incapable de s'exprimer du fait de ses névroses ». Nous ne sommes plus capables de communiquer entre nous parce que notre langage est malade. Le mal dont souffre notre discours conduit inévitablement à la maladie des corps et à la névrose, voire parfois à la maladie mentale. Celui qui ne trouve plus les mots pour communiquer s'exprimera par le biais de la maladie. C'est le seul moyen qu'a trouvé son mal-être pour se manifester. Les symptômes en question traduisent le désir d'expression de l'âme lorsqu'elle ne trouve plus les mots pour le faire, lorsque ceux qui devraient l'écouter se contentent du son de leur propre voix. Le langage de la maladie est le plus difficile à comprendre. Il s'agit d'une forme ultime de chantage qui défie tous les efforts que nous sommes susceptibles de faire pour nous en débarrasser. La maladie mentale est la dernière étape de cette lutte pour se faire entendre. C'est le dernier refuge de l'âme, l'expression de sa souffrance lorsqu'elle comprend que personne ne l'écoute et ne l'écoutera jamais. La folie est une renonciation à tous les efforts d'expression. Un appel, un cri de douleur interminable face au silence et à l'indifférence de la société. C'est un cri sans écho. Telle est la nature du mal que symbolise le Monstre de Florence et que l'on trouve en chacun de nous. Nous avons tous un Monstre en nous. Seul le degré du mal change, pas sa nature profonde.

Spezi éprouve une immense déception en apprenant que notre reportage ne verra pas le jour. Pour cet homme qui a consacré une bonne partie de son existence à la capture du Monstre, c'est un coup terrible et sa déconvenue ne fait qu'alimenter son obsession pour l'affaire. De mon côté, je passe à autre chose en me consacrant à l'écriture d'un nouveau roman intitulé *Le Violon du diable*[1], toujours en collaboration avec Lincoln Child, avec qui j'ai écrit une série de best-sellers mettant en scène un inspecteur du FBI nommé Pendergast. *Le Violon du diable* se déroule partiellement en Toscane et oppose notre héros à un tueur en série, sur fond de rituels sataniques, autour de l'intrigue d'un Stradivarius disparu. Pour moi, le Monstre de Florence est mort et je peux désormais en entamer la dissection dans mon travail d'auteur de fiction.

Un jour où je déambule dans les rues de Florence, il me vient une idée en passant par hasard devant la petite échoppe d'un relieur. De retour chez moi, j'imprime en double notre enquête en format in-8 et je retourne à la boutique. À ma demande, l'artisan fabrique deux volumes reliés plein cuir, avec des pages de garde marbrées. Sur chacun des deux exemplaires, je lui demande de graver à la feuille d'or le titre, suivi du lys de Florence et de nos deux noms.

LE MONSTRE

SPEZI
&
PRESTON

Je viens de réaliser une édition signée et numérotée à deux exemplaires.

Lorsque nous sommes invités à dîner chez Spezi quelque temps après, installés sur la terrasse dominant les collines, je lui fais cadeau de l'exemplaire n° 1. Mario ne dissimule pas son émotion. Il tourne et retourne le livre entre ses mains, caressant des doigts le cuir et les lettres gravées. Après un petit moment, il pose sur moi deux yeux bruns étincelants.

---

1. Éditions de l'Archipel, 2006.

— Tu sais, Doug, après tout le boulot qu'on a déjà fait, on devrait écrire un livre sur le Monstre.

Je suis immédiatement séduit par l'idée. Le temps d'en discuter et nous décidons que le mieux serait de le publier en Italie dans un premier temps, avant d'en faire une adaptation pour le public américain et de trouver un éditeur là-bas.

Depuis des années, mes romans sont édités en Italie par Sonzogno, une filiale de RCS Libri, un groupe important qui possède notamment la maison d'édition Rizzoli et le quotidien *Corriere della Sera*. Je m'empresse de téléphoner à ma correspondante chez Sonzogno qui me confirme son intérêt, surtout après la lecture de l'enquête abandonnée par le *New Yorker* au lendemain du 11 septembre. Elle nous donne rendez-vous avec Mario afin de discuter du projet. Quelques jours plus tard, nous prenons le train pour Milan, nous lui vendons l'idée et nous repartons avec un beau contrat.

La maison RCS Libri est d'autant plus intéressée par l'idée qu'elle a récemment publié un best-seller consacré à l'affaire du Monstre. L'auteur de ce livre n'est autre que le commissaire Michele Giuttari, qui a écrit *Compagni di Sangue* (*Copains de sang*) à quatre mains avec Carlo Lucarelli.

37

Dans l'intervalle, l'enquête de Giuttari a trouvé un nouveau souffle, après avoir connu un échec retentissant avec l'épisode de la « Villa des horreurs ». En 2002, une nouvelle piste se dessine en Ombrie, plus précisément dans la très belle ville de Pérouse, à cent cinquante kilomètres au sud de Florence. Tout commence par un curieux coup de téléphone de Gabriella Carlizzi à Mario Spezi au début de cette même année. Mme Carlizzi, on s'en souvient, est cette femme excentrique persuadée que l'ordre de la Rose rouge est non seulement derrière les crimes du Monstre, mais également derrière les attentats du 11 septembre.

Carlizzi s'adresse au « Monstrologue » pour lui faire part d'une histoire peu banale. Un jour où elle visitait les détenus de la prison Rebibbia près de Rome, elle a reçu une confession inquiétante d'un membre d'un gang tristement célèbre, celui de la Magliana. L'homme lui a raconté que la mort du médecin de Pérouse retrouvé noyé dans le lac Trasimène en 1985 n'est pas un accident ni un suicide, comme l'a prétendu l'enquête, mais un meurtre commandité par l'ordre de la Rose rouge, dont le médecin faisait partie. Les autres membres de la secte ont décidé de l'éliminer au prétexte qu'il n'était pas fiable et menaçait de dénoncer leurs activités illégales à la police. Pour dissimuler son crime, la Rose rouge aurait remplacé le corps du médecin par celui d'un autre avant de le jeter dans les eaux du lac, de sorte que le cercueil ne contient pas la dépouille de l'intéressé.

Spezi, habitué aux divagations des amateurs de complots et désireux de se débarrasser poliment de Mme Carlizzi, remercie vivement son interlocutrice en lui disant que l'affaire ne l'intéresse pas.

Mario se souvient pourtant de cette histoire de noyade. Un mois après le dernier double meurtre du Monstre en 1985, un beau jeune homme d'une famille huppée de Pérouse, Francesco Narducci, s'est effectivement noyé dans le lac Trasimène. Le bruit a même circulé, à l'époque, qu'il avait mis fin à ses jours parce qu'il était le Monstre, mais la police a fait taire la rumeur après une courte enquête.

Dix-sept ans plus tard, échaudée par le refus de Spezi, l'infatigable Carlizzi prend contact avec le procureur de la région de Pérouse, Giuliano Mignini. À l'inverse du journaliste, le magistrat se montre très intéressé, d'autant que cette fable s'accorde assez bien avec une autre affaire dont il a la charge, une histoire d'usuriers qui prêtent de l'argent à des commerçants et des médecins à des taux astronomiques, n'hésitant pas à user de méthodes particulièrement brutales lorsque l'on oublie de les rembourser. Le réseau a été dénoncé par une modeste détaillante, incapable de faire face à ses échéances, qui a enregistré les menaces téléphoniques du gang avant d'envoyer la bande au bureau du procureur.

Un matin, alors que je travaille dans mon bureau de la ferme de Giogoli, je reçois un appel de Spezi.

— Le Monstre refait parler de lui, me dit-il. Mets le café en route, j'arrive tout de suite.

Lorsqu'il se présente à ma porte quelques minutes plus tard, Mario a entre les mains une pile de journaux dont j'entreprends aussitôt la lecture.

« Attention à toi si tu ne veux pas qu'il t'arrive la même chose qu'au docteur dans le lac Trasimène. » Cette phrase, relevée par la presse dans les transcriptions des coups de téléphone de menaces, n'est guère précise. Elle n'en a pas moins enflammé l'imagination du procureur Mignini qui en a conclu, à la suite des allégations de Mme Carlizzi, que Francesco Narducci a été assassiné par le gang des usuriers dont certains sont peut-être liés à la Rose rouge ou à d'autres sectes sataniques. En vertu de quoi l'affaire Narducci et celle des usuriers sont liées aux meurtres du Monstre de Florence.

Le procureur Mignini en informe le commissaire Giuttari qui décide immédiatement de prouver, avec les hommes du GIDES, que Narducci ne s'est pas suicidé, mais qu'il a été assassiné de peur qu'il ne révèle ses terribles secrets. Parallèlement, Mignini ordonne l'ouverture d'une enquête criminelle.

— J'ai du mal à les suivre sur un terrain aussi glissant. Toute cette histoire n'a aucun sens, dis-je en achevant la lecture des journaux.

Spezi accueille ma réflexion avec un sourire amer.

— De mon temps, jamais aucun journal n'aurait publié une merde pareille. Le journalisme italien est bien mal en point.

— En attendant, c'est autant de matière supplémentaire pour notre bouquin.

La presse va continuer à se faire l'écho de l'affaire au cours des jours suivants. Toujours sur la foi de témoins anonymes, les journaux publient une nouvelle transcription de la bande incriminée. Cette fois, le gangster aurait dit au téléphone : « Attention à toi si tu ne veux pas qu'il t'arrive la même chose qu'à Narducci et Pacciani ! » Cette nouvelle version de l'enregistrement relie désormais la mort du docteur Narducci à l'assassinat supposé de Pacciani, et donc au Monstre.

Par la suite, Spezi apprendra que l'usurier s'est montré bien moins précis. La véritable phrase enregistrée – « On te fera la même chose que le docteur du lac » – ne mentionne ni Narducci ni Pacciani, et une simple recherche permet de découvrir l'existence d'un autre médecin. Celui-ci a perdu plus de deux milliards de lires au jeu et a été retrouvé avec une balle dans la tête sur les bords du lac Trasimène peu avant les coups de téléphone de menaces à la commerçante. Contrairement à ce que laissait entendre la première transcription erronée, dans laquelle se trouvait l'expression « dans le lac », le « docteur du lac » n'est pas du tout Narducci, mort quinze ans plus tôt.

Il n'empêche, le temps que ces précisions soient apportées, l'enquête sur la mort du docteur Narducci a pris des proportions considérables et il est trop tard pour l'arrêter. À la tête du GIDES, Giuttari a cherché – et trouvé ! – quantité de liens possibles entre le noyé et l'affaire du Monstre de Florence. Les nouvelles théories des enquêteurs, gorgées de scénarios gothiques sensationnels, ne tardent pas à filtrer dans la presse. À en croire les journaux, le docteur Narducci aurait été le dépositaire des reliques découpées sur les victimes féminines du Monstre et on l'aurait tué pour l'empêcher de parler. Au passage, on accuse certaines grandes familles de Pérouse de pratiquer des cultes effrayants, peut-être même avec la bénédiction de la franc-maçonnerie, le père et le beau-père de Narducci étant tous deux affiliés à une loge.

Giuttari et ses hommes, à la recherche d'indices significatifs, ont péniblement réussi à reconstituer la dernière journée de Narducci.

Le jeune médecin, héritier d'une riche famille de Pérouse, est un esprit brillant et un praticien plein d'avenir. À trente-six ans, il est même le plus jeune professeur de gastro-entérologie d'Italie. Ses photos révèlent un homme d'allure juvénile, à l'élégance bronzée et souriante. Narducci a épousé la ravissante Francesca Spagnoli, héritière de la fortune de Luisa Spagnoli, une reine de la haute couture italienne.

Malgré, ou peut-être à cause de son influence et de sa richesse, la famille Narducci n'est guère appréciée à Pérouse. Derrière la façade dorée du clan se dissimule, comme souvent, un certain malaise. En effet, Francesco Narducci consomme quotidiennement du Demerol, un analgésique, à l'époque de sa mort, à en croire un rapport médical.

Le matin du 8 octobre 1985, il fait beau et chaud lorsque le jeune médecin entame sa visite à la polyclinique de Monteluce à Pérouse. À 12 h 30, une infirmière lui signale qu'on le demande au téléphone. La suite est plus confuse. Un premier témoin affirme que Narducci se montre préoccupé en raccrochant, au point d'écourter sa visite. Un autre prétend au contraire qu'il achève sa visite tout à fait normalement avant de quitter l'hôpital, proposant même à l'un de ses confrères de faire un tour en bateau avec lui l'après-midi même sur le lac Trasimène.

Narducci rentre chez lui à 13 h 30, où il déjeune avec sa femme. Une demi-heure plus tard, le propriétaire de la marina dans laquelle Narducci possède une villa reçoit un appel du médecin lui demandant si son canot à moteur est prêt, l'homme répond par l'affirmative. Au moment de quitter son domicile, Narducci ment pourtant à sa femme en lui disant qu'il retourne à l'hôpital et qu'il rentrera tôt.

Narducci prend sa moto, une Honda 400, et se rend au lac. En chemin, il fait un crochet par la maison familiale, à San Feliciano. La rumeur affirme qu'arrivé là il aurait écrit une lettre, puis cacheté l'enveloppe qu'il aurait posée sur un rebord de fenêtre, mais l'enquête n'a jamais pu le prouver et la lettre, si elle a bien existé, n'a pas été retrouvée.

Il est 15 h 30 lorsque le médecin arrive enfin à la marina. Il monte dans son bateau, un Grifo rouge vif dont il lance le moteur de 70 CV. Le propriétaire de la marina lui recommande alors de ne pas s'aventurer trop loin sur le lac, le réservoir étant à moitié vide. Narducci le rassure et se dirige vers l'île de Polvese, à un kilomètre et demi de la rive.

On ne le reverra jamais vivant.

Vers 17 h 30, alors que la nuit commence à tomber, le propriétaire de la marina, inquiet, appelle le frère du jeune médecin. À 19 h 30, les carabiniers se joignent aux recherches en bateau, mais le lac Trasimène est l'un des plus vastes d'Italie et le Grifo n'est découvert que le lendemain en fin de journée, vide. À bord se trouvent une paire de lunettes, un portefeuille et un paquet de cigarettes Merit, celles que fumait Narducci.

Le corps lui-même est retrouvé cinq jours plus tard. La seule photo en noir et blanc prise ce jour-là montre un corps allongé sur un ponton, entouré de plusieurs personnes.

Carlizzi ayant affirmé au procureur que le corps n'est pas celui de Narducci, Giuttari fait expertiser la photo. Utilisant comme unité de mesure l'une des planches du ponton, les experts concluent que le cadavre est celui d'un homme plus petit que Narducci de dix centimètres, avant de faire remarquer que son embonpoint ne correspond pas à celui d'un médecin connu pour sa sveltesse.

D'autres experts réfutent cette thèse, arguant qu'un séjour prolongé dans l'eau provoque un gonflement du corps. Quant au ponton, remplacé depuis, il était construit avec des planches de différentes largeurs, dont personne n'a pu déterminer la taille exacte, dix-sept ans plus tard. Tous ceux qui se trouvaient autour du cadavre, à commencer par le médecin légiste, ont juré que le corps était bien celui de Narducci. À l'époque, le légiste a conclu à une mort par noyade, estimant qu'elle avait eu lieu approximativement cent dix heures avant l'examen du corps.

Contrairement aux dispositions de la loi italienne, aucune autopsie n'est pratiquée. La famille du médecin, en premier lieu son père, a joué de son influence afin d'éviter une telle formalité. À l'époque, tout le monde à Pérouse a cru comprendre que la famille n'avait pas envie que l'autopsie révèle à quel point Narducci abusait du Demerol. Giuttari et les hommes du GIDES y voient en revanche une raison beaucoup plus trouble, prétendant que les proches du médecin ont voulu éviter cet examen tout simplement parce que le corps n'était pas le sien. La famille serait donc complice de substitution de cadavre.

D'après Giuttari, Francesco Narducci a été assassiné parce qu'il appartenait à la secte satanique responsable des meurtres du Monstre de Florence. Initié par son père, il a été nommé gardien des terribles fétiches prélevés sur leurs victimes par Pacciani et ses compagnons de pique-nique. Fortement traumatisé par cette expérience, le jeune médecin a progressivement sombré dans la dépression et les dirigeants de la secte ont jugé préférable de l'éliminer.

Avec cet épisode, la théorie des meurtres rituels chère à Giuttari se trouve brusquement remise en selle. Le commissaire tient même, avec Narducci, l'un des membres de la secte responsable des agissements du Monstre. Il ne reste plus qu'à identifier son assassin afin de confondre les autres membres du groupe satanique.

38

Tandis que l'enquête sur le Monstre repart de plus belle, les coups de téléphone de Mario Spezi se multiplient.

— Tu as lu les journaux, ce matin ? Cette histoire est de plus en plus bizarre.

Mario passe à la maison et nous discutons des derniers rebondissements autour d'un café en hochant la tête. À l'époque, la chose m'amuse et je lui trouve même un certain charme.

Ce n'est pas le cas de Spezi qui entend parvenir à la vérité à tout prix. Démasquer le Monstre est devenu une véritable obsession. Il est vrai que Mario a vu les victimes, ce qui n'est pas mon cas. Il connaît la plupart des familles, il a pu constater à quel point elles restent traumatisées. Moi-même, j'avais les yeux humides en quittant la villa sinistre de Winnie Rontini, et cela fait plus de vingt ans que Mario essuie ses propres larmes. Il a vu basculer les existences de plusieurs innocents à cause de fausses accusations. Les éléments que je trouve pittoresques ont à ses yeux une tout autre gravité, et voir les enquêteurs patauger dans un tel océan d'absurdités le chagrine au plus haut point.

Le 6 avril 2002 a lieu l'exhumation de la dépouille de Francesco Narducci, en présence de toute la presse. Son corps, parfaitement identifiable, est bien celui qui se trouve à l'intérieur du cercueil, ainsi que le confirment les analyses ADN.

Ce coup porté à leurs élucubrations ne tempère pas pour autant la fougue de Giuttari, du GIDES et du procureur de

Pérouse, qui trouvent le moyen de tourner ce revers à leur avantage. En fait, le cadavre de Narducci est bien trop facilement reconnaissable, surtout si l'on considère qu'il a séjourné cinq jours dans l'eau avant de passer dix-sept années à l'intérieur d'un cercueil. Giuttari et Mignini concluent à une nouvelle substitution. Vous avez bien lu : le cadavre de Narducci, conservé pendant dix-sept ans, a été déposé dans le cercueil à la place de l'autre corps, les conspirateurs ayant compris qu'une exhumation finirait par être ordonnée.

Le corps est ensuite confié à un médecin légiste de Pavie, censé déterminer si Narducci a été assassiné. Les résultats de l'autopsie sont connus au mois de septembre : le légiste a constaté que la partie gauche du cartilage du larynx a été fracturée, rendant « plus ou moins probable » une mort provoquée par « asphyxie brutale liée à une constriction du cou ».

En termes clairs, cela signifie que Narducci est mort étranglé.

Une fois de plus, la presse s'en donne à cœur joie et *La Nazione* claironne :

MEURTRE PROBABLE
POUR SECRETS BRÛLANTS

Narducci a-t-il été assassiné parce qu'il en savait trop, ou bien pour avoir assisté à quelque chose qu'il n'aurait pas dû voir ? Dans leur ensemble, les enquêteurs sont à présent convaincus que des sectes secrètes et de sombres manipulateurs se trouvaient derrière les crimes de Pacciani et ses compagnons de pique-nique... Un groupe d'une dizaine de personnes aurait demandé à Pacciani et ses hommes de main de commettre les meurtres... L'enquête sur des groupes ésotériques déviants, pratiquant d'horribles « sacrifices », mobilise de nouveaux enquêteurs venus de Pérouse.

Spezi et moi ne cachons plus notre étonnement face aux affirmations d'une presse nourrie de spéculations hasardeuses. Ces élucubrations sont présentées comme l'expression de la vérité par des journalistes qui ne connaissent rien à l'affaire du Monstre de Florence, n'ont jamais entendu parler de la piste sarde et se contentent de répéter, sans les vérifier, les informations douteuses savamment distillées par le GIDES et le bureau du procureur. Jamais ou presque les auteurs de ces articles n'utilisent le conditionnel ni même des mots tels que « d'après » ou « supposé ». Quant aux points d'interrogation, ils ne servent qu'à nourrir un sensationnalisme de mauvais aloi qui désespère Spezi.

— Pourquoi voudrais-tu que les assassins de Narducci aillent concocter une histoire aussi abracadabrante ? m'interroge-t-il. Ces journalistes ne se sont jamais posé la question ? Pourquoi ne pas se contenter de le noyer et de faire croire à un suicide ? Pourquoi opérer une double substitution de corps ? En plus, où diable auraient-ils été pêcher leur second cadavre ? Le médecin légiste qui a examiné le corps à l'époque affirme que c'était bien celui de Narducci, tout comme sa famille et ses amis. Sans compter tous les gens qu'on voit sur la photo. Ils disent *tous* que c'était Narducci ! On voudrait nous faire croire qu'ils faisaient partie du complot, eux aussi ?

Spezi conclut son monologue en secouant tristement la tête.

Je poursuis la lecture de l'article avec une stupéfaction croissante. Faisant preuve d'une crédulité incroyable, le journaliste de *La Nazione* ne s'est pas posé une seule question sur les incohérences d'une telle théorie. Il poursuit en expliquant que la « saponification du cadavre (les organes internes, la peau et les cheveux se trouvaient en parfait état de conservation) était non compatible avec une immersion prolongée de cinq jours ». Une constatation qui apporte de l'eau au moulin de la substitution.

— Que signifie exactement « non compatible » ? demandé-je à Spezi en reposant le journal.

J'ai remarqué cette expression à de nombreuses reprises tout au long de l'enquête sur le Monstre.

Spezi éclate de rire.

— Compatible, non compatible, incompatible ! Autant d'inventions baroques des experts italiens pour éviter de prendre leurs responsabilités. Le mot « compatible » est une façon commode de reconnaître qu'ils n'ont rien compris. La balle retrouvée dans le jardin de Pacciani provenait-elle du pistolet du Monstre ? Elle était « compatible ». La fracture constatée au niveau du larynx a-t-elle été faite dans l'intention de tuer ? C'est « compatible ». Ni oui ni non, en quelque sorte. Bref, on ne sait pas ! Quand les experts interviennent à la requête des enquêteurs, leurs résultats sont « compatibles » avec la théorie de l'accusation. Et quand ils font une expertise au nom de la défense, leurs résultats sont « compatibles » avec la théorie de la défense. L'usage de cet adjectif devrait être interdit !

— Où va-t-on avec tout ça ? Où cette histoire va-t-elle finir ?

Spezi secoue de nouveau la tête.

— J'aime mieux ne pas y penser.

39

Au même moment, dans la jolie petite bourgade de San Casciano, Giuttari suit une nouvelle piste dans sa recherche des cerveaux de l'opération. San Casciano se trouve au cœur des activités supposées de la secte satanique dont il entend prouver l'existence, à quelques kilomètres seulement de la « Villa des horreurs », la Villa Verde. C'est également de là que sont originaires le postier Vanni et l'idiot du village Lotti, tous deux condamnés comme complices de Pacciani.

Spezi me téléphone un matin.

— Tu as lu la presse ? Pas la peine de l'acheter, je te l'apporte. Tu ne vas pas en revenir.

Quelques minutes plus tard, il frappe à ma porte, visiblement soucieux, son éternelle gauloise à la bouche et le journal à la main.

— Ça commence à bien faire, me dit-il en le jetant sur la table. Lis ça.

L'article signale que les hommes du GIDES ont perquisitionné au domicile de l'ancien pharmacien de San Casciano, un certain Francesco Calamandrei. Ce dernier est soupçonné d'être l'un des commanditaires des crimes du Monstre.

— Calamandrei est un vieux copain à moi, ajoute Spezi. C'est grâce à lui que j'ai rencontré ma femme ! C'est complètement ridicule, ce type-là ne ferait pas de mal à une mouche.

Spezi me raconte son histoire. Il a rencontré Calamandrei au début des années 1960, à l'époque où il faisait son droit.

De son côté, Calamandrei menait de front des études de pharmacie et d'architecture. C'était un garçon brillant, fils de l'unique pharmacien de San Casciano qui jouissait d'une situation enviable, surtout dans une bourgade aussi prospère. Calamandrei ne passait pas inaperçu. Grand, beau garçon, d'une élégance recherchée comme tout bon Florentin, il se promenait dans les rues de la ville au volant d'un coupé Lancia Fulvia. Doté de l'humour froid caractéristique des Toscans, il s'affichait au bras de filles toutes plus jolies les unes que les autres. C'est par son intermédiaire que Spezi a fait la connaissance de celle qui allait devenir sa femme, Myriam (« J'ai une jolie petite Belge pour toi, Mario »), dans un restaurant chic de la ville. Le soir même, ils s'étaient tous entassés dans le coupé de Calamandrei le temps d'une virée épique à Venise, où ils avaient passé le reste de la nuit à jouer au baccara au casino. Calamandrei était la personnification même de cette *Dolce Vita* italienne merveilleusement décrite par Fellini.

À la fin des années 1960, Calamandrei épouse la fille d'un industriel fortuné, une petite femme nerveuse et rousse. Le couple se marie en grande pompe à San Casciano, en présence de Mario et Myriam qui accueillent les jeunes mariés chez eux quelques jours plus tard, en route pour leur lune de miel au volant d'un coupé Mercedes 300 L flambant neuf de couleur crème.

C'est la dernière fois que Spezi verra Calamandrei, jusqu'à ce que le hasard lui fasse croiser sa route un quart de siècle plus tard. Mario est frappé du changement intervenu chez son ami. Il est devenu obèse et souffre de divers maux, en particulier de dépression. Il a vendu sa pharmacie pour se consacrer à l'art. Les tableaux qu'il peint, d'une morbidité affirmée, sont réalisés à partir d'éléments de récupération divers : des bouts de tuyau en caoutchouc, des plaques de métal, du goudron, parfois même des seringues et des garrots. La plupart du temps, il signe ses œuvres de son numéro de Sécurité sociale, symbole à ses yeux de la dépersonnalisation de la société italienne moderne. Son fils est tombé dans la drogue et finance son addiction en commettant cambriolages et larcins. En désespoir de cause, Calamandrei le dénonce à la police dans l'espoir que la prison lui serve d'électrochoc et le remette dans le droit chemin. Dès sa sortie de prison, le fils replonge et disparaît complètement.

Le sort de sa femme est tout aussi tragique puisqu'elle est atteinte de schizophrénie. Un soir où les Calamandrei dînent chez des amis, elle se met à hurler et commence à tout casser autour d'elle, puis elle se déshabille entièrement avant de s'enfuir dans la rue. Le séjour qu'elle va effectuer à l'hôpital à la suite de cet incident ne sera que le premier d'une longue série. Déclarée folle depuis, elle vit enfermée dans un asile.

Lorsque Calamandrei a obtenu le divorce en 1991, sa femme a écrit une lettre de dénonciation à la police en l'accusant d'être le Monstre de Florence, prétendant avoir trouvé les restes de ses victimes dissimulés dans le réfrigérateur. Cette lettre, manifestement écrite par une folle, a fait l'objet de toutes les vérifications nécessaires à l'époque, avant d'être écartée par les enquêteurs.

C'est en fouillant dans les archives de la police que le commissaire Giuttari est tombé sur cet étrange document manuscrit, orthographié de manière aléatoire, dont les lignes remontent toutes vers le haut de la page. Pour Giuttari, un pharmacien est un notable au même titre qu'un docteur. Ses soupçons vont se trouver décuplés par le fait que Calamandrei fait partie de la grande bourgeoisie de San Casciano, le quartier général présumé de la secte satanique qu'il recherche désespérément. Fort de son intuition, le commissaire fait réaliser une enquête sur l'ancien pharmacien et plusieurs autres personnalités de la petite ville. Le 16 janvier 2004, Giuttari demande un mandat de perquisition qu'il obtient le lendemain. Le 18 à l'aube, le commissaire et ses hommes sonnent au domicile de Calamandrei sur la piazza Pierozzi à San Casciano.

Le 19, l'affaire du Monstre fait une fois de plus la une des journaux.

— La façon dont les choses sont en train d'évoluer ne me plaît pas du tout, me confie Spezi en secouant la tête. *Mi fa paura*. Ça me fait peur.

À Pérouse, l'enquête sur la mort de Narducci avance à grands pas. Les enquêteurs ont très vite compris qu'une double substitution de corps avait nécessité la complicité active d'un grand nombre de gens haut placés. Le procureur Mignini, plus que jamais décidé à les démasquer, poursuit ses investigations tambour battant. Lorsque est officialisé le résultat de ses recherches, la presse tout entière, à commencer par le très sérieux *Corriere della Sera*, consacre plusieurs pages à ce nouveau rebondissement. Il est vrai que l'annonce faite par le procureur est sensationnelle : l'ancien chef de la police de Pérouse, à l'époque de la mort de Narducci, est soupçonné d'avoir monté un complot avec un colonel des carabiniers et l'avocat de la famille du médecin afin de cacher la vérité, le tout avec la complicité du père du défunt, de son frère et du médecin signataire du certificat de décès. Tous se trouvent sous le coup d'une inculpation de complot, de racket et de dissimulation de corps humain.

Au-delà de cette conspiration visant à camoufler le meurtre de Narducci, les enquêteurs entendent également établir un lien entre le jeune médecin, Pacciani, ses compagnons de pique-nique, et plus largement San Casciano où sont censées se dérouler les cérémonies secrètes du culte satanique.

Ils y parviennent. Dans une déclaration officielle à la police, Gabriella Carlizzi affirme que Francesco Narducci a été introduit dans l'ordre de la Rose rouge par l'intermédiaire de son père qui voulait l'aider à résoudre ses problèmes sexuels. Carlizzi ajoute que la Rose rouge est une secte diabolique dont les activités à Florence s'étalent sur plusieurs siècles. Trop heureux d'une telle aubaine, le procureur et les enquêteurs s'empressent de prendre ces déclarations pour argent comptant.

Comme par un fait exprès, Giuttari et les hommes du GIDES trouvent le moyen, au même moment, de produire des témoins qui jurent avoir vu Francesco Narducci à San Casciano en compagnie de Calamandrei. Il faudra un certain temps pour que soit révélée l'identité des témoins en question. Lorsque Spezi apprend leurs noms, il croit à une mauvaise plaisanterie puisqu'il s'agit des mêmes Alpha et Gamma qui ont déjà joué les vedettes lors du procès de Pacciani des années plus tôt : Pucci, le handicapé mental qui prétend avoir assisté au meurtre des touristes français commis par Pacciani, et Ghiribelli, la prostituée alcoolique qui propose ses services à tout-va en échange d'un verre de vin. Et voilà qu'un troisième témoin surgit brusquement de nulle part : Lorenzo Nesi ! Le même personnage douteux qui a eu l'idée inspirée de se souvenir qu'il avait vu Pacciani et l'un de ses compagnons dans une voiture rouge à un kilomètre de la clairière de Scopeti le dimanche soir où aurait eu lieu le meurtre des deux Français.

Ces trois témoins ont des révélations fracassantes à faire, dont ils ont malencontreusement oublié de parler huit ans plus tôt lorsqu'ils ont secoué toute l'Italie avec leurs premières déclarations.

Ghiribelli prétend que le « docteur de Pérouse », reconnu sur une photo faute de connaître son nom, venait à San Casciano presque tous les week-ends. Comment aurait-elle pu l'oublier ? Très fière, elle explique aux enquêteurs qu'elle a fait l'amour avec lui quatre ou cinq fois à l'hôtel et qu'il lui a donné « 300 000 lires à chaque fois ».

Pucci, le simple d'esprit, est convoqué dans les locaux du GIDES, où on lui présente les photos de plusieurs personnes. Les enquêteurs veulent savoir s'il les a déjà vues, et où. Vingt ans après, Pucci fait preuve d'une mémoire étonnante, car même sans les connaître par leur nom, il reconnaît immédiatement Francesco Narducci (« un grand mince qui avait l'air d'un pédé »), son beau-frère, Gianni Spagnoli, un célèbre médecin de Florence, arrêté pour agressions sexuelles sur des enfants, dont le portrait a été ajouté par les policiers, persuadés que la secte satanique pratique la pédophilie, un dermatologue respecté et un éminent gynécologue de San Casciano, soupçonnés tous deux d'appartenir à la secte, Carlo Santangelo, le faux médecin légiste qui hante les cimetières de la région la nuit, et enfin un jeune coiffeur afro-américain, mort du sida à Florence quelques années plus tôt.

Mieux encore, Pucci reconnaît le pharmacien de San Casciano, Francesco Calamandrei.

Pucci ne s'embarrasse guère de détails. « Je les ai tous vus à San Casciano, au bar Centrale, sous l'horloge. Je ne peux pas dire que je les ai toujours vus ensemble parce qu'il m'arrivait de les voir séparément, mais je sais qu'ils se rencontraient souvent. »

Lorenzo Nesi, le témoin en série, confirme les dires de Pucci en complétant la liste par un nom : celui du prince Roberto Corsini, le vieil aristocrate toscan tué par un braconnier, que la rumeur a un temps soupçonné d'être le Monstre, tout comme Narducci.

Gamma, la prostituée Ghiribelli, ajoute au piquant de l'affaire en évoquant soudainement la Villa Sfacciata, située près de chez moi à Giogoli, à quelques dizaines de mètres de l'endroit où ont été assassinés les touristes allemands.

— En 1981, déclare-t-elle lors d'un interrogatoire de police, je connaissais un docteur qui faisait des expériences de momification dans cette villa… Lotti m'en a souvent parlé dans les années 1980, quand on allait là-bas. Sans me dire où exactement, il m'a dit qu'à l'intérieur il y avait des murs entiers couverts de fresques ressemblant aux tableaux de Pacciani. Lotti m'a toujours affirmé qu'il y avait un laboratoire au sous-sol, où ce docteur suisse faisait ses expériences de momification. Je vais essayer de mieux m'exprimer : Lotti m'a raconté que le docteur suisse s'était rendu en Égypte et qu'il avait trouvé un vieux papyrus sur lequel on expliquait comment momifier les corps. Il disait qu'il manquait une partie du papyrus, celle concernant la momification des organes, notamment des organes sexuels et des seins. C'est pour ça que les filles se faisaient découper par le Monstre de Florence. Il m'a dit qu'en 1981 la fille de ce docteur avait été tuée et que sa mort n'avait jamais été signalée. Le docteur avait même dû retourner en Suisse pour expliquer sa disparition. Il avait besoin de garder le corps de sa fille dans son laboratoire souterrain pour son procédé de momification.

Sans doute parce qu'ils ont encore à l'esprit les chauves-souris en plastique et les squelettes en carton retrouvés dans la « Villa des horreurs », les hommes de Giuttari jugent plus prudent de ne pas perquisitionner à la Villa Sfacciata, à la recherche des fresques de Pacciani, du laboratoire souterrain et de la fille momifiée.

40

— *Dietrologia*, laisse tomber le comte Niccolò Capponi. C'est le seul mot italien qu'il faut connaître pour comprendre cette enquête.

Nous déjeunions à la trattoria Il Bordino, comme à notre habitude.

J'ai commandé une assiette de *baccalà*, de la morue salée, tandis que le comte savoure un plat d'*arista*, du porc farci.

— *Dietrologia ?* Ce qui signifie ?

— *Dietro* pour derrière et *logia* pour l'étude de quelque chose.

Le comte s'exprime avec l'emphase qu'il doit habituellement réserver à ses étudiants, son anglais aristocratique résonnant sous la voûte du petit restaurant.

— Le terme *dietrologia* traduit le fait que la vérité se cache derrière l'évidence. Ce n'est pas tout à fait la même chose que la théorie du complot chère aux Américains. La théorie du complot, comme son nom l'indique, est une *théorie*, c'est-à-dire une possibilité hypothétique, alors que l'amateur de *dietrologia* ne veut voir que des faits. « Je vais vous faire découvrir la *vraie* vérité. » Avec le football, la *dietrologia* est le sport national italien. Tout le monde sait mieux que son voisin ce qui se passe vraiment, même, comment dites-vous déjà ?, lorsqu'il y connaît *que dalle*.

— Comment expliquez-vous ce phénomène ?

— C'est une façon comme une autre de se donner de l'importance ! Auprès d'un cercle restreint d'amis idiots, la plupart du temps, mais le tout est d'être dans le secret des dieux. Je tiens mon *potere*, mon pouvoir, de ce que je sais et que vous ignorez. La *dietrologia* est intrinsèque à la notion de pouvoir en Italie. La réussite se mesure à la capacité de chacun d'être dans la confidence, dans tous les domaines.

— En quoi cela s'applique-t-il à l'enquête sur le Monstre ?

— C'est le cœur même du problème, mon cher Douglas. La police doit à tout prix découvrir une vérité quelconque derrière l'apparence de la réalité. Il doit fatalement y avoir quelque chose. Pour quelle raison ? Parce que la vérité ne peut tout simplement pas être aussi simple qu'il y paraît. Tout est compliqué, les apparences sont toujours trompeuses. On parle de suicide ? Ce doit être un meurtre. Quelqu'un est parti chercher du café ? Ah ! il est allé chercher du café ? Quelle est sa véritable motivation ?

Il ponctue son explication d'un petit rire avant de poursuivre.

— En Italie, on passe son temps à faire la chasse aux sorcières. Les Italiens sont foncièrement envieux. Si quelqu'un gagne de l'argent, c'est forcément louche. Il a *nécessairement* fait quelque chose de mal. Avec le culte du matérialisme qui règne ici, les Italiens sont jaloux des riches et des puissants. Ils se méfient d'eux tout en rêvant d'être à leur place, dans une sorte de relation d'attirance et de répulsion. Berlusconi est un exemple flagrant de ce phénomène.

— C'est donc de cette façon que vous expliquez l'insistance des enquêteurs à vouloir découvrir, derrière l'affaire du Monstre, une secte satanique composée de personnalités en vue ?

— Exactement. Il leur faut absolument trouver quelque chose. Et maintenant qu'ils ont commencé, ils ne peuvent plus reculer s'ils ne veulent pas perdre la face, de sorte qu'ils sont prêts à tout. Il leur est impossible de renoncer. Les Anglo-Saxons ont du mal à comprendre le concept méditerranéen de *perdre la face*. Je faisais un jour des recherches dans les archives d'une très vieille famille lorsque je suis tombé sur un détail piquant concernant un ancêtre quelconque du clan, il y a trois siècles. Rien de bien méchant, une simple mesquine-rie. L'héritier de cette famille était mortifié. Il m'a tout de suite dit : « Vous ne pouvez pas publier une chose pareille ! *Che figura ci facciamo !* Quelle honte pour notre famille ! »

Le repas terminé, nous nous approchons du comptoir pour payer. Comme à son habitude, le comte insiste pour régler la note :

— Ils me connaissent, ils me font *lo sconto*, un prix.

Une fois dans la ruelle pavée, devant le petit restaurant, Niccolò pose sur moi un regard grave.

— En Italie, la haine de l'ennemi est telle qu'il faut impé-rativement faire de l'adversaire un monstre, responsable de tous les maux de la Création. Les enquêteurs chargés de cette affaire savent que derrière l'apparence de simplicité des faits se cache une secte satanique dont les tentacules s'étendent jusqu'aux plus hautes sphères de la société. Ils feront tout pour le prouver, quoi qu'il arrive. Malheur à celui qui remet-trait en cause leur théorie, ajoute-t-il en me regardant fixe-ment. Ils l'accuseraient aussitôt de complicité. Et plus il se défendra, plus ils accumuleront de preuves contre lui.

Puis il pose sa main sur mon épaule.

— Après tout, peut-être y a-t-il du vrai dans leur théorie. Qui sait si une secte satanique ne se cache pas derrière toute cette histoire ? Nous sommes en Italie…

41

En 2004, la dernière année de notre séjour en Italie, l'enquête sur le Monstre prend encore plus d'ampleur. Pas un mois s'écoule sans qu'une fable encore plus invraisemblable soit rapportée par les journaux. Mario et moi poursuivons l'écriture de notre livre, accumulant les éléments et les articles consacrés aux derniers rebondissements de l'affaire. Mario continue parallèlement ses activités de journaliste d'investigation indépendant, ce qui lui permet de soutirer des renseignements aux carabiniers qu'il connaît, au cas où un scoop pointerait le bout du nez.

Un jour, il m'appelle.

— Doug, retrouve-moi au bar Ricchi. J'ai des nouvelles sensationnelles !

Le Ricchi est devenu notre quartier général. Depuis quatre ans que je vis en Italie avec les miens, j'y suis assez connu pour appeler par leur nom le patron et toute sa famille, et parfois même bénéficier du fameux *sconto*.

Spezi arrive en retard après avoir, comme d'habitude, garé sa voiture sur un emplacement interdit de la piazza, laissant en évidence une pancarte JOURNALISTE derrière le pare-brise, à côté du macaron de presse qui l'autorise à circuler dans la vieille ville.

Il pénètre dans le café en laissant un nuage de fumée dans son sillage et commande un expresso *stretto stretto* et un verre d'eau minérale. Quelque chose de lourd déforme la poche de son imperméable.

Il jette son chapeau à la Bogart sur la banquette avant de s'y glisser et pose sur la table un objet enveloppé dans du papier journal.

— Qu'est-ce que c'est?

— Tu vas voir, répond-il en vidant sa tasse de café. Tu as déjà vu l'émission de télévision « Chi L'ha Visto? » (« Qui l'a vu? »)?

— Non, jamais.

— C'est l'un des programmes les plus regardés de la télé italienne, largement inspiré de votre « America's Most Wanted ». Ils m'ont demandé de participer à une émission qui reprendrait toute l'affaire du Monstre de Florence, depuis le tout début jusqu'à aujourd'hui, explique-t-il en recrachant un nuage de fumée bleue d'un air triomphal.

— *Fantastico!*

— Et ce n'est pas tout, poursuit-il, le regard pétillant. J'ai un scoop dont personne n'est au courant, pas même toi.

J'avale une gorgée de café afin de tromper mon impatience.

— Tu te souviens peut-être que je t'ai parlé un jour de cet inspecteur qui était persuadé que les touristes français avaient été assassinés dès le samedi soir, à en juger par la taille des vers qui grouillaient sur eux? Eh bien, figure-toi que j'ai réussi à mettre la main sur les photos prises par les équipes de la police scientifique quand les corps ont été découverts le lundi après-midi, avec l'heure indiquée dans le coin de chaque photo. Elles ont toutes été prises vers 17 heures, trois heures après la découverte des corps. En faisant un agrandissement, tu distingues très bien les vers, qui sont gros comme des mégots de cigarettes. En faisant des recherches, je suis tombé sur le meilleur spécialiste italien d'entomologie criminelle, un type internationalement connu qui a mis au point avec un collègue américain, il y a dix ans, une technique permettant d'établir l'heure de la mort à partir de la taille et du stade de développement des vers. Il s'appelle Francesco Introna et dirige le Laboratorio di Entomologia Forense à l'institut de médecine légale de Bari, où il enseigne. Ce type-là a publié au moins trois cents articles dans des revues médicales et il intervient régulièrement comme consultant pour le FBI ! Je l'ai appelé, je lui ai envoyé les photos et il vient de me communiquer les résultats. Ils sont fantastiques. Nous tenons enfin la preuve que nous cherchions depuis toujours, Doug. La preuve que Pacciani est innocent, que Lotti et Pucci mentent et que les fameux compagnons de pique-nique n'ont rien à voir avec tous ces crimes !

— Génial ! Mais comment peut-on établir ça scientifiquement ?

— Le professeur m'a tout expliqué. Les larves constituent la clé lorsqu'il s'agit d'établir l'heure de la mort avec certitude. Les *calliforidi*, c'est-à-dire les mouches bleues, déposent sur les cadavres d'énormes quantités d'œufs. Elles ne pondent que le jour, car elles ne volent pas la nuit. Il faut entre dix-huit et vingt-quatre heures pour que les œufs éclosent, et les larves se développent ensuite selon un processus très précis.

Il sort le rapport d'expertise et me le tend.

— Tiens. Tu n'as qu'à lire toi-même.

Les conclusions du médecin sont claires et nettes. Je les parcours lentement, me frayant un chemin à travers un dédale de formules scientifiques en italien. D'après le rapport, les larves visibles sur les photographies des victimes ont « déjà franchi le premier stade de développement et en sont au deuxième. [...] Elles ont été déposées sur les cadavres au moins trente-six heures plus tôt. En conclusion, la théorie selon laquelle les meurtres ont été commis le soir du 8 septembre [le dimanche] et les œufs pondus à l'aube du 9 est intenable d'un point de vue entomologique, les photographies ayant été prises douze heures plus tard, à 17 heures. Le degré de développement des larves, tel qu'il apparaît sur les photographies, indique que l'heure de la mort remonte au moins à la veille ».

En clair, cela signifie que les touristes français ont été assassinés le samedi soir.

— Tu comprends ce que ça veut dire ? insiste Spezi.

— Ça veut dire que les prétendus témoins sont de sacrés menteurs puisqu'ils affirment tous avoir assisté aux meurtres le dimanche soir.

— De même, le témoignage de Lorenzo Nesi qui place Pacciani sur le lieu du crime le dimanche soir perd toute valeur ! Et si ça ne suffisait pas, il se trouve que Pacciani avait un alibi pour le samedi soir, au moment où les meurtres étaient véritablement commis. Il se trouvait à la foire !

La découverte de Mario est capitale. D'un point de vue entomologique, nous tenons la preuve – s'il en était besoin – que Pacciani et ses prétendus complices n'ont aucun lien avec les meurtres du Monstre de Florence. Du même coup, cela réduit à néant la théorie de la secte satanique puisqu'elle repose uniquement sur la culpabilité de Pacciani, la fausse confession de Lotti et les déclarations des autres témoins « grecs ». Le juge Ferri avait bien raison lorsqu'il affirmait, dans son livre, que ce sont tous de « vulgaires menteurs patentés ».

Spezi est convaincu que ces nouveaux éléments contraindront les enquêteurs à s'intéresser de nouveau à la piste sarde, que la vérité éclatera et que le Monstre sera enfin démasqué.

— C'est incroyable ! dis-je. Ça risque de faire du bruit quand la nouvelle sera officialisée.

Spezi hoche la tête.

— Et ce n'est pas tout, ajoute-t-il.

Il déballe le paquet enveloppé dans du papier journal, révélant une curieuse pierre polie, taillée en forme de pyramide tronquée. Vieille et ébréchée, elle pèse plus de deux kilos.

— De quoi s'agit-il ?

— D'après le commissaire Giuttari, ce serait un objet ésotérique censé permettre de communiquer avec les Enfers. Pour n'importe qui d'autre, c'est un cale-porte. J'ai pris celui-ci au pied d'une porte de la Villa Romana, où se trouve aujourd'hui le Centre culturel allemand. Le directeur, Joachim Burmeister, est un ami et il a accepté de me le prêter.

Il est quasiment identique à celui retrouvé à Bartoline en 1981. Les producteurs de l'émission « Chi L'ha Visto ? » veulent organiser un tournage là-bas, à l'endroit où a eu lieu le crime. Je dois me tenir à l'endroit exact où a été trouvée la pierre avec celle-ci entre les mains, histoire de prouver que l'objet « ésotérique » de Giuttari est un vulgaire cale-porte.

— Giuttari risque de ne pas apprécier.

— Tant pis pour lui, rétorque Spezi en m'adressant un sourire espiègle.

La diffusion de l'émission a lieu le 14 mai 2004. Le professeur Introna, interviewé, présente les éléments dont il dispose et donne quelques explications sur les rapports entre entomologie et police criminelle, tandis que Spezi brandit son arrêt de porte lors de la séquence filmée à Bartoline.

Mais loin de rallumer les passions, l'émission est accueillie par une indifférence générale. Ni le bureau du procureur ni la police ne font montre du plus petit intérêt pour ces nouveaux éléments. Le commissaire Giuttari balaie d'un revers de main l'expertise du professeur Introna, les enquêteurs et les juges ne font aucun commentaire au sujet du cale-porte. Quant à la condamnation pour meurtre des compagnons de pique-nique de Pacciani, les autorités se contentent d'une simple déclaration dans laquelle elles rappellent que la justice italienne a rendu son verdict et que l'affaire est close. En règle générale, les officiels évitent soigneusement de se prononcer sur le contenu de l'émission et la presse ne va pas chercher plus loin. Dans leur grande majorité, les journaux italiens n'en parlent même pas. Les conclusions scientifiques d'un expert sont certainement moins vendeuses que les histoires de sectes sataniques, et la police est ainsi libre de poursuivre son enquête sur les substitutions de cadavres, les conspirations des puissants et les cailloux ésotériques.

L'émission de Spezi aura pourtant un effet : elle va lui attirer la haine tenace du commissaire Giuttari.

Le 24 juin 2004, à l'occasion de notre dernière soirée à Florence avant notre retour aux États-Unis, Mario et Myriam nous ont invités à partager un dîner d'adieu sur leur terrasse avec quelques amis. Myriam a préparé un repas extraordinaire. Nous commençons par déguster des *crostini* au poivron doux et aux anchois, servis avec un *spumante* du Haut-Adige, avant de manger un faisan et une perdrix, chassés la veille par un ami, enveloppés dans des feuilles de vigne, le tout arrosé d'un chianti *classico* de la propriété Viticchio. Viennent ensuite une salade assaisonnée avec un vinaigre balsamique de douze ans d'âge et une huile d'olive épicée de la région, du pecorino frais produit à Sant'Angelo (le village d'où est originaire Mario) et, pour terminer, une soupe anglaise.

La veille, Spezi a publié dans *La Nazione* un article dans lequel il relate sa rencontre avec Vanni, l'ancien facteur de San Casciano, condamné comme complice de Pacciani. Lors du dîner, Mario nous explique qu'il est tombé sur Vanni tout à fait par hasard, dans une maison de retraite où il effectuait un reportage sans aucun rapport avec l'affaire du Monstre. Personne ne savait que Vanni avait été libéré à la suite de problèmes de santé, mais aussi en raison de son âge. Spezi s'est empressé de l'interviewer en le reconnaissant.

« Je mourrai dans la peau du Monstre, mais je suis innocent », titre l'article. Vanni s'est laissé interroger parce que Spezi lui rappelle « le bon vieux temps à San Casciano » ; les deux hommes se sont effectivement croisés lors d'une fête locale, bien avant que le malheureux facteur ne devienne l'un des compagnons de pique-nique de Pacciani. Ils s'étaient retrouvés ensemble dans une voiture bondée et Vanni avait passé son temps à agiter le drapeau italien. Le facteur a conservé un souvenir ému de cette soirée et, la nostalgie aidant, il a accepté de se confier à Spezi.

Tandis que nous dînons, le soleil se couche au-dessus des collines, embrasant la campagne florentine. Les cloches de la très vieille église de Santa Margherita sonnent les heures et tous les clochers des environs lui répondent. Il flotte dans l'air chaud un parfum de chèvrefeuille. Au fond de la vallée, les tours d'un grand château projettent leur ombre crénelée sur les vignes voisines. Sous nos yeux, les collines virent au pourpre avant de s'effacer dans la nuit.

Le contraste entre ce décor magique et la brutalité du Monstre qui l'a longtemps hanté me frappe une fois de plus.

Mario profite de mon trouble pour me tendre un paquet enveloppé dans du papier cadeau. En l'ouvrant, je découvre une statuette des Oscars en plastique, avec la mention « Le Monstre de Florence » gravée sur le socle.

— Je te l'offre déjà pour le jour où ils feront un film de notre livre, m'explique Mario en riant.

Il me donne également un dessin au crayon de Pietro Pacciani dans le box des accusés, qu'il avait lui-même croqué à l'époque du procès. Il a écrit en dessous : « À Doug, en mémoire d'un humble Florentin et de notre glorieuse collaboration. »

Dès notre retour dans le Maine, j'accroche le dessin au mur de la cabane où j'écris, située dans un bois derrière la maison. Je place à côté une photo de Spezi vêtu d'un imperméable et de son chapeau mou, une gauloise vissée aux lèvres, debout dans une boucherie sous une rangée de joues de porc.

Malgré la distance, nous continuons l'écriture du livre sur le Monstre et nous nous parlons souvent. La vie en Italie me manque, mais la quiétude qui m'entoure, tout comme la pluie, le brouillard et le froid, fait de notre vieille ferme du Maine un endroit idéal pour travailler. (Je commence à comprendre pourquoi l'Italie a suscité bien des vocations de peintres alors que l'Angleterre a produit tant d'écrivains.) Round Pond, le village où nous vivons, compte cinq cent cinquante habitants et ressemble à ces illustrations de l'atelier de gravure Currier & Ives : une église au clocher blanc, des maisons en bois, une épicerie et un petit port de pêcheurs de homards dans son écrin de chênes et de pins. En hiver, le village est entièrement recouvert d'une épaisse couche de neige et des nappes de brume flottent au-dessus de l'océan. La criminalité y est quasi inexistante et les gens pensent rarement à fermer leurs maisons à clé, même lorsqu'ils s'en vont en vacances. Le dîner annuel organisé au Grange, dont la spécialité est le haricot, fait la une du journal local. Quant à la « ville » la plus proche, Damariscotta, elle ne dépasse pas les deux mille âmes.

C'est un euphémisme de dire qu'après quatre ans à Florence le choc est violent pour moi.

Le travail avec Spezi se poursuit par téléphone et e-mail. Mario écrit le plus gros du texte, à charge pour moi de relire, d'ajouter quelques paragraphes qu'il réécrira – mon italien écrit est à peu près celui d'un élève de CM2 – et de lui adresser mes commentaires. Il m'arrive de rédiger des passages en anglais que traduit ensuite la traductrice italienne de mes romans, Andrea Carlo Cappi, avec qui je me suis lié d'amitié lors de mon séjour dans la péninsule. Spezi et moi, nous nous parlons régulièrement et le livre avance rapidement.

Le matin du 19 novembre 2004, en consultant mon répondeur dans la cabane qui me sert de bureau, je tombe sur un message urgent de Mario. Quelque chose de grave vient d'arriver.

42

— *Polizia ! Perquisizione !* Police ! Perquisition !

Il est 6 h 15, le 18 novembre 2004, lorsque Mario Spezi est réveillé en sursaut par le tintement de la sonnette et la voix rauque d'un inspecteur de police qui tambourine à la porte en exigeant qu'on lui ouvre.

Le premier réflexe de Spezi en sautant du lit est de cacher la disquette sur laquelle se trouve le manuscrit en chantier de notre livre. D'un bond, il grimpe dans son bureau sous les toits, ouvre précipitamment la boîte en plastique contenant les disquettes de son vénérable ordinateur, saisit celle sur laquelle est écrit le mot « Monstre » et la glisse dans son caleçon.

Il s'apprête à ouvrir la porte lorsque la police fait irruption dans l'appartement. Les enquêteurs sont venus en force : trois… quatre… cinq. En tout, Spezi en dénombre sept, pour la plupart imposants, vêtus de vestes en cuir gris et brun, qui accentuent leurs carrures.

Le plus âgé, un homme à barbe grise, se présente comme le chef du GIDES de Giuttari. Il est accompagné de carabiniers et de policiers. Barbe grise souhaite sèchement *buongiorno* à Spezi en lui fourrant sous le nez un document à en-tête du *Procura della Repubblica presso il Tribunale di Perugia*, le bureau du procureur de la République près le tribunal de Pérouse. Il s'agit d'un mandat de perquisition en bonne et due forme émanant du bureau du procureur Giuliano Mignini : « La personne ci-dessus fait l'objet d'une enquête au titre des délits suivants : A), B), C), D)... » La liste se poursuit jusqu'à la lettre R. Dix-huit délits au total, dont aucun n'est précisé.

— À quoi correspondent tous ces délits A, B, C et le reste ? demande Spezi à Barbe grise.

— Le détail ne tiendrait pas dans une encyclopédie, rétorque l'autre.

Il ressort de son explication que Spezi n'est pas autorisé à connaître la nature des délits qui lui sont reprochés car ils font l'objet d'une procédure judiciaire secrète.

Spezi découvre avec incrédulité les motifs de la perquisition elle-même. On lui reproche d'avoir « fait preuve d'un intérêt marqué et suspect pour l'enquête dans la région de Pérouse » et d'avoir « voulu saper ladite enquête par le biais d'une émission de télévision ». De toute évidence, on ne lui pardonne pas d'avoir fait passer Giuttari pour un idiot en brandissant le cale-porte devant les caméras de « Chi L'ha Visto ? » quelques mois plus tôt, et encore moins d'avoir fait intervenir le professeur Introna dont les conclusions viennent remettre en cause la validité de la théorie de la secte satanique.

Le mandat autorise la fouille du domicile de Spezi, ainsi que des « personnes présentes ou à venir », afin de rechercher tout objet susceptible d'être lié à l'affaire du Monstre, de près ou de loin. « Nous avons toute raison de croire que de tels objets peuvent être découverts chez l'individu cité ci-dessus ou sur sa personne. »

Spezi a un pincement au cœur en lisant ces mots. Les policiers sont autorisés à pratiquer une fouille au corps. L'un des coins de la disquette en plastique lui rentre dans la peau.

Sa femme Myriam et sa fille de vingt ans, Eleonora, assistent à la scène dans le salon, en robe de chambre, extrêmement choquées.

— Dites-moi ce que vous cherchez, leur propose Spezi. Ça ira plus vite que de tout mettre sens dessus dessous.

— Nous voulons tout ce dont vous disposez concernant le Monstre, répond Barbe grise.

C'est-à-dire l'intégralité des archives réunies par Spezi depuis près d'un quart de siècle qu'il enquête sur l'affaire, notamment tous les éléments dont nous avons besoin pour la rédaction du livre. Mario conserve chez lui les originaux de tous ses documents, je ne dispose que de copies des plus récents.

Il comprend brusquement à quoi rime tout ce cirque : on veut l'empêcher de publier le livre.

— Merde, alors ! Quand comptez-vous me les rendre ?

— Dès que nous aurons fini de tout vérifier.

Spezi le conduit dans sa tanière et lui désigne les piles de dossiers consacrés à l'affaire : des centaines d'articles de presse jaunis par le temps, des montagnes de photocopies de documents officiels, les analyses balistiques, les rapports des médecins légistes, les minutes des procès et des interrogatoires, les rendus des jugements, des photos, des livres…

Pendant que ses visiteurs empilent le tout dans de grands cartons, Spezi appelle l'un de ses amis à l'agence de presse ANSA. Par chance, son confrère est là.

— Ils sont en train de perquisitionner à mon domicile, explique-t-il à son interlocuteur. Ils prennent tout ce dont j'ai besoin pour écrire mon livre sur le Monstre avec Douglas Preston. Je ne vais plus pouvoir écrire une ligne.

Un quart d'heure plus tard, une première dépêche annonçant la perquisition parvient à toutes les rédactions d'Italie.

Pendant ce temps, Spezi appelle le président de l'ordre des journalistes, le président de l'Association de la presse italienne et le directeur de *La Nazione*. Tous se montrent plus scandalisés que surpris et lui promettent de monter l'incident en épingle.

Le téléphone portable de Spezi ne cesse de sonner. Ce sont ses confrères qui l'appellent les uns après les autres tandis que se poursuit la perquisition. Tous réclament une interview et Spezi leur promet de les rencontrer dès que la police aura quitté son domicile.

Les enquêteurs ne sont pas encore repartis que les premiers journalistes arrivent déjà.

Loin de se contenter de prendre les documents que Spezi leur a montrés, les enquêteurs fouillent à présent les tiroirs, retirent les livres des étagères, vérifient le contenu des boîtiers des CD. Ils pénètrent dans la chambre de la fille de Mario et inspectent les placards, les papiers, les livres, allant jusqu'à lire sa correspondance privée, feuilleter ses agendas et ses albums de photos avant de tout renverser par terre.

Spezi passe son bras autour des épaules de Myriam qui tremble de tous ses membres.

— Ne t'inquiète pas, c'est une enquête de routine.

Myriam a enfilé une veste. À la première occasion, Spezi sort la disquette et la glisse dans l'une des poches de sa femme. Puis il fait semblant de l'embrasser pour la consoler et lui murmure à l'oreille :

— Cache-la.

Quelques minutes après, feignant un malaise, elle s'effondre sur le vieux canapé usé du salon et enfouit la disquette dans une déchirure pendant que les policiers ont le dos tourné.

Au bout de trois heures, leurs recherches terminées, les intrus empilent les cartons sur des diables et demandent à Spezi de les accompagner jusqu'au siège des carabiniers afin de signer l'inventaire des objets qu'ils emportent.

Une fois là-bas, tandis que Mario attend patiemment sur une mauvaise chaise en skaï brun qu'on veuille bien lui faire parapher le document, sa femme a la mauvaise idée de l'appeler sur son téléphone portable. Myriam étant d'origine belge, les Spezi parlent généralement français à la maison, leur fille a d'ailleurs toujours fréquenté des écoles bilingues à Florence.

— Mario, lui annonce-t-elle dans sa langue. Ne t'inquiète pas, ils n'ont pas trouvé ce qui t'intéresse. En revanche, je n'arrive pas à mettre la main sur les papiers de la *scagliola*.

Myriam fait référence à un meuble ancien, une table de grande valeur datant du XVIIe siècle qu'ils viennent de faire restaurer et dont ils veulent se séparer.

Le moment est mal choisi pour lui parler de la *scagliola*, en français qui plus est. La ligne de Mario est très certainement sur écoute et il s'empresse d'interrompre sa femme.

— Écoute, Myriam, on parlera de ça plus tard, dit-il en rougissant avant de raccrocher.

Il a beau savoir que cet appel est parfaitement innocent, il sait aussi que les enquêteurs sont susceptibles de l'interpréter d'autant plus mal que la conversation s'est déroulée en français.

Peu après, Barbe grise le rejoint.

— Spezi, je voudrais vous voir un instant.

Le journaliste se lève et suit le policier dans la pièce voisine. Barbe grise pose sur lui un regard hostile.

— Écoutez, Spezi, ça ne va pas du tout. Vous refusez de vous montrer coopératif.

— Je refuse de me montrer coopératif, moi ? Qu'est-ce qu'il vous faut, encore ? Je vous ai laissés fouiller mon domicile de fond en comble et fourrer vos sales mains partout, et vous trouvez que ce n'est pas encore assez ?

Barbe grise le fixe toujours de ses yeux durs.

— Je ne parle pas de ça. Ne faites pas l'innocent. Vous feriez mieux de coopérer pleinement avec nous.

— Ah, je comprends ! C'est à cause de ce que ma femme m'a dit en français. Vous vous figurez peut-être qu'elle essayait de me transmettre un message codé. Au cas où vous ne le sauriez pas, c'est sa langue maternelle et on a l'habitude de parler français à la maison. Quant à ce qu'elle m'a dit, poursuit Spezi en espérant que l'autre ne maîtrise pas la langue de Molière, au cas où vous n'auriez pas compris, elle faisait allusion au contrat avec mon éditeur pour le livre que j'écris sur le Monstre. Elle voulait juste me dire que vous ne l'aviez pas pris. Rien de plus.

Mais Barbe grise l'observe toujours avec les mêmes yeux méfiants, l'air maussade. Mario se demande alors si le problème ne vient pas du mot *scagliola*, que peu d'Italiens connaissent en dehors des antiquaires.

— Vous voulez parler de la *scagliola*? Vous savez de quoi il s'agit au moins? C'est ça qui vous tracasse?

Le policier ne répond pas, mais Spezi comprend à son air qu'il a deviné juste. Il veut s'expliquer, mais il est trop tard, l'autre ne veut plus rien entendre.

— J'ai le regret de vous dire que nous allons devoir tout recommencer, Spezi.

Sur ces mots, Barbe grise fait sortir Mario de la pièce. Quelques instants plus tard, policiers et carabiniers reprennent place dans leurs véhicules et retournent chez les Spezi. Cette seconde perquisition va durer quatre heures. Cette fois, les enquêteurs ne prennent pas de gants et saccagent consciencieusement l'appartement.

Pas un centimètre carré ne leur échappe. Cette fois, ils emportent l'ordinateur et toutes les disquettes (à l'exception de celle qui est restée cachée dans le canapé), le répertoire et la correspondance de Mario, et même le menu d'un dîner du Rotary Club consacré à l'affaire du Monstre auquel il a participé.

Les enquêteurs sont d'humeur massacrante.

Spezi commence à perdre patience. En pénétrant dans la bibliothèque, il leur montre le cale-porte emprunté à son ami allemand, celui qu'il a exhibé à la télévision et qui a retrouvé sa fonction depuis, au pied du battant.

— Vous voyez ça? déclare-t-il sur un ton sarcastique à l'inspecteur. C'est une pyramide tronquée comme celle qui a été trouvée sur l'une des scènes de crime et que vous vous évertuez à considérer comme un « objet ésotérique ». Vous ne voyez donc pas qu'il s'agit uniquement d'un cale-porte? ajoute-t-il avec un rire moqueur. On trouve les mêmes dans toutes les fermes toscanes.

Grave erreur. L'inspecteur s'empare du cale-porte et l'ajoute aux objets confisqués. Le GIDES dispose désormais d'un indice supplémentaire, un bloc de pierre semblable à celui auquel Giuttari et ses hommes accordent une importance primordiale, considérant qu'il s'agit de ce que le *Corriere della Serra*, avec le plus grand sérieux, a qualifié de « passerelle entre ce monde et les Enfers ».

Dans l'inventaire que la police dresse des éléments découverts chez Spezi, le cale-porte est décrit comme « une pyramide tronquée de forme hexagonale dissimulée derrière une porte », comme si Mario avait voulu en cacher l'existence aux enquêteurs. Le procureur de Pérouse, Giuliano Mignini, justifiera la confiscation de l'objet dans l'un de ses rapports en affirmant qu'il est « directement lié à la personne soupçonnée [c'est-à-dire Spezi] et à la série des doubles meurtres ».

L'émission « Chi L'ha Visto ? » tout comme l'interview de Vanni publiée le 23 juin ont suffi à attirer les soupçons sur celui à qui Giuttari voue une haine tenace. Dans son livre consacré au Monstre de Florence, le commissaire explique son cheminement de pensée de façon très édifiante.

« Le 23 juin, écrit-il, [Spezi] publiait dans les colonnes de *La Nazione* une interview "exclusive" du condamné à vie Mario Vanni sous le titre "Je mourrai dans la peau du Monstre mais je suis innocent". »

Dans cet article, Spezi précise qu'il a rencontré Vanni autrefois à San Casciano, bien avant les crimes du Monstre. Giuttari voit là un indice essentiel : « J'ai été surpris de constater que les deux hommes se connaissaient depuis l'époque de leur jeunesse. J'ai été plus surpris encore de la coïncidence qui faisait de cet ennemi acharné de l'enquête officielle, ardent défenseur de la piste sarde, déjà en excellents termes avec l'ancien pharmacien inculpé [Calamandrei], un ami de longue date de Mario Vanni. »

Giuttari poursuit en expliquant que Spezi a « participé à une émission de télévision » visant à recentrer l'intérêt du public sur la piste sarde, en avançant « les mêmes vieilles thèses non vérifiées » qui ont perdu tout crédit depuis longtemps.

« Les interventions répétées de Spezi commençaient à devenir suspectes », ajoute le commissaire.

Le cale-porte fournit à Giuttari et Mignini la preuve tangible dont ils ont besoin pour établir un lien avec l'un des crimes du Monstre.

Une fois les policiers repartis, Spezi remonte d'un pas lourd dans son bureau, effrayé à l'idée de ce qu'il va découvrir.

Le tableau qui l'attend est pire que tout ce qu'il a pu imaginer et il s'effondre sur le siège que je lui ai donné en quittant Florence, hypnotisé par l'espace vide où devrait se trouver son ordinateur. Pendant de longues minutes, Mario contemple le désastre. À cet instant, il repense à ce beau dimanche de juin 1981, vingt-trois ans plus tôt, où son collègue lui a demandé de prendre sa garde en l'assurant qu'il ne se passait « jamais rien le dimanche ».

Ce jour-là, il était à mille lieues d'imaginer ce qui l'attendait.

Il m'avouera par la suite avoir voulu m'appeler avant de s'apercevoir que c'était impossible à cause du décalage horaire.

Dans l'impossibilité de m'envoyer un e-mail, puisqu'il n'a plus d'ordinateur, il décide de gagner Florence et d'arpenter les rues à la recherche d'un cybercafé.

Une meute de journalistes et de cameramen de la télévision l'attendent devant sa porte. Il fait une courte déclaration, répond à leurs questions et monte dans sa voiture avant de s'éloigner. Sur la Via de' Benci, à deux pas de Santa Croce, il découvre un cybercafé rempli de jeunes Américains boutonneux venus parler avec leurs parents par Internet. Il s'installe devant un écran tandis que monte en lui, étouffée, la mélodie triste de « Goodbye Pork Pie Hat » de Charlie Mingus, interprétée par Marc Johnson. Spezi se connecte à son serveur, saisit son code et constate qu'un message de moi l'attend, avec une pièce jointe.

Nous avions pris l'habitude d'échanger par e-mail le détail des modifications que nous apportions à nos chapitres respectifs. Le fichier que je viens de lui faire parvenir contient les dernières pages rédigées par mes soins, dans lesquelles je rapporte le détail de notre entretien avec Antonio. En retour, il m'annonce la perquisition de son appartement.

Le lendemain, lorsque je prends connaissance de son message, je l'appelle. Il me fait le compte-rendu des événements avant de me demander de l'aider à faire savoir au grand public ce qui lui est arrivé.

La police a notamment emporté dans ses cartons l'ensemble des notes et des brouillons de l'article rédigé pour le

New Yorker, qui reste inédit. Je m'empresse d'appeler Dorothy Wickenden, la directrice de la rédaction du magazine, qui me communique les coordonnées de personnes susceptibles de m'aider, tout en m'expliquant que le *New Yorker* n'a aucune raison d'intervenir directement puisque l'article n'a pas été publié dans ses colonnes.

En dépit de journées entières passées à écrire et téléphoner, j'obtiens peu de résultats. Aussi regrettable que cela puisse paraître, à une époque où les reporters sautent sur des mines en Irak et se font assassiner en Russie, personne ou presque en Amérique ne s'intéresse au sort d'un journaliste italien, en délicatesse avec la police, dont les archives ont été confisquées. « Si Spezi avait été mis en prison, ce serait différent… », me dit-on à plusieurs reprises.

Je parviens finalement à obtenir l'intervention du PEN international, l'association mondiale des écrivains. Le 11 janvier 2005, son comité des Écrivains en prison, basé à Londres, envoie une lettre à Giuttari dénonçant la perquisition effectuée chez Spezi et la confiscation de ses papiers. Le courrier précise que « le PEN international s'inquiète de la violation de l'article 6.3 de la Convention européenne des droits de l'homme garantissant le droit à tout inculpé d'être informé sans délai et en détail de la nature de l'accusation qui pèse sur lui ».

Giuttari réagit en ordonnant une nouvelle perquisition de l'appartement de Spezi, le 24 janvier. Cette fois, les enquêteurs emportent un ordinateur défectueux ainsi qu'une canne suspectée de contenir un appareil électronique.

La disquette que Spezi a réussi à dissimuler sur lui lors de la première perquisition a échappé à la saisie, ce qui nous permet de poursuivre la rédaction de notre livre. Au cours des mois suivants, la police va rendre à Spezi la plupart de ses dossiers, de ses archives et des notes que nous avions accumulées ; même son ordinateur finira par lui revenir, mais pas le fameux cale-porte.

Pour avoir pu consulter les ébauches qui se trouvent sur le disque dur de l'ordinateur de Spezi, Giuttari et Mignini connaissent à présent le contenu précis de notre livre et ce qu'ils en ont lu n'est pas pour leur faire plaisir.

Un beau matin, Spezi ouvre le journal et manque de tomber de sa chaise en découvrant le titre :

AFFAIRE NARDUCCI
UN JOURNALISTE SUSPECTÉ

À la façon d'un mauvais vin, les soupçons de Giuttari ont tourné au vinaigre. Du statut de mouche du coche, Spezi est passé à celui de suspect idéal dans l'esprit du commissaire.

— Quand j'ai lu ça dans le journal, me raconte peu après Mario au téléphone, je me suis cru dans un mauvais remake du *Procès* de Kafka, avec Jerry Lewis et Dean Martin dans les rôles principaux.

43

Pendant un an, de janvier 2005 à janvier 2006, les deux avocats de Spezi vont vainement tenter de savoir quelles charges précises ont été retenues contre leur client. Le procureur de Pérouse a décrété le *segreto istruttorio*, une procédure qui préserve le secret de l'instruction, même envers le suspect. En Italie, un décret de *segreto istruttorio* est souvent accompagné de fuites, savamment orchestrées par le bureau du procureur, au profit d'une poignée de journalistes triés sur le volet qui sont assurés de l'immunité. Ce système permet à la justice d'être la seule à faire valoir son point de vue dans les journaux, ce qui est le cas ici. À en croire les quelques articles qui filtrent dans la presse, Spezi est accusé d'avoir voulu entraver l'enquête sur le meurtre de Narducci. Son comportement a attiré l'attention des enquêteurs qui le soupçonnent de complicité, sans que l'on sache très bien ce que cela signifie.

En janvier 2006, notre manuscrit terminé, nous le faisons parvenir à l'éditeur. La sortie est prévue pour le mois d'avril, sous le titre *Dolci Colline di Sangue – Les Douces Collines du sang –*, un jeu de mots sur les douces collines de Florence dont on parle tant en Italie.

Peu après, je reçois un coup de téléphone de Spezi qui m'appelle d'une cabine. Lors d'une enquête sans rapport avec l'affaire du Monstre, il a fait la connaissance d'un repris de justice nommé Luigi Ruocco, un petit malfrat qui connaît Antonio Vinci depuis longtemps. Ruocco a raconté à Mario une histoire tout à fait extraordinaire qui va probablement faire beaucoup de bruit.

— C'est le rebondissement que j'attendais depuis vingt ans, m'affirme Spezi. Je t'assure, Doug. C'est incroyable. C'est la pièce du puzzle qui manquait pour résoudre l'affaire. Comme mon téléphone est sur écoute et que je n'ose pas t'envoyer d'e-mail, il faut absolument que tu viennes en Italie. Je te raconterai tout. Tu vas voir, Doug. À nous deux, nous allons démasquer le Monstre !

Le 13 février 2006, j'arrive en Italie avec ma femme et mes enfants. Le temps de les installer dans le superbe appartement de la Via Ghibellina, propriété d'un héritier de la fortune Ferragamo, qui nous a été prêté, et je me rends chez Spezi, impatient d'apprendre ce qu'il veut me dire.

Mario me raconte son histoire pendant le dîner.

Quelques mois plus tôt, à l'occasion d'un reportage, il a enquêté sur la victime d'un médecin travaillant pour une compagnie pharmaceutique. Sans son autorisation, le médecin s'est servi d'une patiente pour tester un nouveau psychotrope. L'affaire a été signalée à Fernando Zaccaria, un ancien inspecteur de police spécialisé dans le trafic de drogue, qui dirige à présent une entreprise de sécurité à Florence. Ardent pourfendeur d'injustices, Zaccaria a réuni bénévolement les preuves qui ont permis de faire condamner le médecin fautif et il compte sur Spezi pour donner à l'affaire le retentissement qu'elle mérite.

Un soir où Spezi rend visite à la victime, en présence de la mère de celle-ci et de Zaccaria, il en vient à parler de son enquête sur le Monstre et sort de sa poche un portrait d'Antonio Vinci qu'il a sur lui. La mère de la victime, qui est en train de servir le café, s'arrête net en voyant la photo.

— Mais Luigi le connaît très bien ! s'exclame-t-elle. Je l'ai bien connu aussi quand j'étais jeune. Lui et tous ceux de son clan. Ils m'emmenaient souvent dans leurs fêtes.

Le fameux Luigi est son ex-mari, Luigi Ruocco. Guidé par son flair, Mario insiste pour faire sa connaissance.

La rencontre a lieu le lendemain soir au même endroit, en présence de Zaccaria. Ruocco est le type même du petit voyou, un personnage taciturne et méfiant vêtu d'un survêtement. Il a un cou de taureau, une énorme tête carrée et des cheveux bruns frisés. Son regard clair traduit une franchise qui séduit immédiatement Spezi. Ce dernier lui montre la photo et Ruocco confirme qu'il a bien connu Vinci, au même titre que les autres Sardes.

En quelques phrases, Spezi lui résume l'affaire du Monstre de Florence avant de lui faire part de ses soupçons au sujet d'Antonio. Ruocco l'écoute avec intérêt et Spezi décide d'aller droit au but en demandant à son interlocuteur si Antonio aurait pu avoir un repaire secret à l'époque des crimes.

Spezi m'a souvent expliqué que le Monstre devait disposer d'une retraite, sans doute une vieille ferme abandonnée, afin de s'y cacher avant et après les meurtres, y entreposer son pistolet, son couteau et le reste de sa panoplie. Ce ne sont pas les maisons en ruine qui manquent dans la campagne toscane.

— Oui, il m'en a parlé, confirme Ruocco. Je ne sais pas où se trouve sa cachette, mais je connais quelqu'un qui est au courant : 'Gnazio.

— Ignazio? Bien sûr! s'écrie Zaccaria. Il connaît tout le monde chez les Sardes!

Quelques jours plus tard, Ruocco appelle Spezi. Il a parlé à Ignazio qui lui a indiqué où se trouve le repaire d'Antonio. Après s'être donné rendez-vous devant un supermarché à l'extérieur de Florence, Mario et Ruocco se rendent dans un bar où le premier commande un expresso et le second un américano. Ruocco a des nouvelles sensationnelles. Ignazio connaît d'autant mieux la retraite d'Antonio qu'il s'y est rendu avec lui à peine un mois plus tôt. Dans une vieille armoire vitrée, il a remarqué six boîtes métalliques cadenassées, alignées sur une étagère. Dans un tiroir entrouvert de la même armoire, il a également aperçu deux pistolets, peut-être trois, dont l'un a tout l'air d'être un Beretta de calibre .22. Lorsque Ignazio a demandé ce que contenaient les boîtes en fer, Antonio lui a répondu d'un ton agressif, en se frappant la poitrine :

— Ce sont *mes* affaires.

Six boîtes en fer. Six victimes féminines.

Spezi a le plus grand mal à contenir son excitation.

— C'est le détail qui a achevé de me convaincre, m'explique-t-il pendant le repas. Six. Comment Ruocco aurait-il pu connaître un tel détail ? Quand on évoque l'affaire du Monstre, tout le monde parle de sept ou huit doubles meurtres. Mais Ruocco a bien parlé de six boîtes. Six, c'est-à-dire le nombre de femmes tuées par le Monstre, si l'on élimine les crimes de 1968 qu'il n'a pas commis et la fois où il a tué par erreur un couple d'homosexuels.

— Mais toutes ses victimes n'ont pas été mutilées.

— C'est vrai, mais l'expert psychiatrique affirme qu'il aura voulu emporter avec lui un souvenir de chacune d'elles. Sur toutes les scènes de crime, on a retrouvé le sac à main de la fille par terre, grand ouvert.

Je l'écoute, fasciné. Si le Beretta du Monstre, l'arme la plus recherchée d'Italie, se trouve bien dans cette armoire avec les fétiches prélevés sur les victimes, c'est le scoop du siècle.

Spezi poursuit déjà.

— J'ai demandé à Ruocco de se rendre là-bas pour me dire exactement où se trouvait la maison et m'en donner une description précise. Il m'a promis de le faire et nous avons décidé de nous retrouver quelques jours plus tard. Ruocco s'est effectivement rendu sur place, il a regardé à l'intérieur par une fenêtre et il a aperçu l'armoire vitrée avec les six boîtes en fer. Il m'a même indiqué l'adresse précise de la maison.

— Tu y es allé ?

— Tu penses bien que oui. J'y suis allé avec Nando Zaccaria.

La maison en ruine décrite par Spezi se trouve près de Capraia, sur une immense propriété de plus de quarante hectares à l'ouest de Florence, la Villa Bibbiani.

— Une villa splendide, me précise Spezi. Elle possède un jardin avec des fontaines et des statues, et un parc étonnant planté d'espèces rares.

Sortant son téléphone portable de sa poche, il me montre quelques clichés pris sur place. L'endroit est somptueux.

— Comment es-tu rentré ?

— Rien de plus simple. La villa est ouverte au public pour la vente de vin et d'huile d'olive, on peut également la louer pour des mariages ou des réceptions. Les grilles sont grandes ouvertes et il y a même un parking. On en a profité pour se promener avec Nando. Quelques centaines de mètres plus loin, un petit chemin de terre mène à deux vieilles bâtisses décrépies. L'une d'elles correspondait à la description de Ruocco. On peut aussi accéder aux maisons par un autre chemin en coupant à travers la forêt.

— Rassure-moi, tu n'es pas entré par effraction ?

— Non, mais ce n'est pas l'envie qui m'en manquait. Juste pour voir si l'armoire était vraiment là. Mais c'était la dernière chose à faire. Non seulement j'aurais commis un délit, mais surtout, qu'est-ce que je pouvais faire si je trouvais le pistolet et les boîtes ? Non, Doug, il faut appeler la police et la laisser s'en occuper, en espérant que le scoop ne nous passe pas sous le nez.

— Tu as appelé la police ?

— Pas encore. J'attendais que tu sois là, répond-il en se penchant vers moi. Réfléchis un peu, Doug. Si ça se trouve, l'affaire du Monstre de Florence sera résolue d'ici quinze jours.

J'aurais mieux fait de me mordre la langue lorsque je lui ai demandé :

— Puisque la villa est ouverte au public, tu crois que je peux aller la voir ?

— Bien sûr, on ira demain.

44

— Qu'est-ce qui est arrivé à ta voiture?

La scène se déroule le lendemain, sur le parking de l'immeuble de Mario. La porte de sa Twingo a été grossièrement forcée, sans doute avec un pied-de-biche, et tout le côté droit de l'auto est défoncé.

— On m'a volé mon autoradio, m'explique Spezi. Tu le crois, ça? Avec toutes les Mercedes, les Porsche et les Alfa Romeo garées ici, il a fallu qu'ils s'en prennent à ma Twingo!

Mario commence par se rendre dans les locaux de l'entreprise de sécurité dirigée par Zaccaria, dans un immeuble sans âme des faubourgs de Florence, où l'ancien flic nous reçoit derrière son bureau. Avec son costume bleu à fines rayures, ses cheveux grisonnants qui lui tombent jusqu'aux épaules, son visage de séducteur et son teint animé, Zaccaria a tout du détective privé hollywoodien. Il s'exprime avec un accent napolitain canaille, glissant çà et là des formules argotiques efficaces entre deux gestes emphatiques, comme seuls savent le faire les vrais enfants de Naples.

Zaccaria nous emmène déjeuner dans un boui-boui local où, devant un plat de *maltagliata al cinghiale*, il nous régale avec ses histoires datant de l'époque où il infiltrait les réseaux de drogue italiens, notamment ceux liés à la Mafia américaine. C'est à se demander comment il est encore en vie.

— Nando, lui demande Spezi, raconte à Doug l'histoire de Catapano.

— Ah, Catapano ! Un vrai Napolitain ! s'exclame Zaccaria en se tournant vers moi. Catapano, un ancien chef de la Camorra napolitaine, s'est retrouvé un jour à la prison Poggioreale pour meurtre. Il se trouve que l'assassin de son frère y était aussi. Catapano avait toujours promis de se venger, jurant qu'il lui *mangerait le cœur.*

Zaccaria s'arrête, le temps de piocher dans sa *maltagliata* et de l'aider à descendre avec une gorgée de vin.

— Pas si vite, lui recommande Spezi, et évite de parler en dialecte si tu veux que Doug puisse comprendre.

— Mille excuses, fait Zaccaria en reprenant son histoire.

Le directeur de la prison avait veillé à ce que Catapano et son ennemi juré soient enfermés dans des ailes différentes et ne se croisent jamais, jusqu'au jour où le premier apprend que le second se trouve à l'infirmerie. Catapano prend deux gardiens en otages en les menaçant avec une petite cuillère transformée en couteau, puis il les oblige à le conduire à l'infirmerie où il attaque par surprise les trois infirmiers et le médecin qui s'y trouvent. Sans attendre, il se rue sur son ennemi, lui tranche la gorge, puis le poignarde sous les yeux épouvantés du médecin et des infirmiers à qui il demande d'une voix étranglée : « Où se trouve le cœur ? Et où se trouve le foie ? » Sous la menace de son arme, le médecin donne un cours d'anatomie succinct à Catapano qui éventre sa victime et lui arrache le foie et le cœur avant d'y mordre à pleines dents.

— Catapano est devenu une véritable légende parmi les siens, poursuit Zaccaria. À Naples, le cœur symbolise tout : le courage, le bonheur, l'amour. Arracher le cœur de son ennemi et le mordre revient à réduire l'autre à un simple tas de chair animale en le privant de tout ce qui faisait de lui un homme. La télévision s'est emparée de l'affaire dont elle a abondamment rendu compte, apportant la preuve à ses adversaires que Catapano était capable de se venger avec raffinement, même en prison. Il avait prouvé son courage, son intelligence et son sens du spectacle, et il l'avait fait dans l'une des prisons les mieux gardées d'Italie, sous les yeux de plusieurs témoins horrifiés !

Le repas terminé, nous prenons la route de la Villa Bibbiani sous un crachin glacé qui tombe d'un ciel sinistre. Il pleut toujours lorsque nous franchissons les grilles de la propriété et remontons une allée en arc de cercle délimitée par d'immenses pins parasols. Le temps de garer la voiture et de sortir les parapluies et nous rejoignons l'espace de vente dont la porte en bois est verrouillée. Une femme se penche à la fenêtre pour nous dire que le magasin est fermé à l'heure du déjeuner. Zaccaria, de son air le plus charmeur, lui demande où se trouve le jardinier. La femme lui répond que nous le trouverons probablement à l'arrière du bâtiment, et nous pénétrons dans un magnifique jardin paysagé, émaillé d'escaliers de marbre, de fontaines, de plans d'eau, de statues et de haies taillées au cordeau. La villa a été érigée au XVIe siècle par l'une des grandes familles florentines, celle des Frescobaldi ; les jardins, quant à eux, ont été dessinés un siècle plus tard par le comte Cosimo Ridolfi. Au XIXe siècle, des milliers d'arbres et d'espèces rares ont été plantés dans le parc par un explorateur, collectionneur de plantes exotiques. Même en cette journée d'hiver maussade, le lieu conserve toute sa splendeur.

Au fond du parc, un petit chemin de terre s'enfonce dans un bois. Un peu plus loin, s'annonce une clairière où l'on distingue les contours d'un groupe de maisonnettes en ruine.

— C'est là, murmure Spezi en nous désignant l'une des masures.

C'est donc au bout de ce chemin boueux que se trouve la cachette secrète du Monstre de Florence. Un brouillard froid et humide flotte entre les arbres tandis que la pluie tambourine sur la toile de nos parapluies.

— Et si nous allions y jeter un coup d'œil ?

Spezi rejette ma proposition d'un signe de tête en ajoutant :

— Pas question.

Quelques minutes plus tard, nous sommes de retour sur le parking. Le temps de secouer les parapluies et nous remontons dans la voiture après cette visite décevante – tout du moins à mes yeux. L'histoire de Ruocco me paraît presque trop belle pour être vraie. Comment croire que le Monstre de Florence ait pu choisir un repaire aussi improbable ?

Sur le chemin du retour, Spezi m'explique le plan qu'il a mis au point avec Zaccaria pour transmettre l'information à la police. S'ils préviennent les enquêteurs sans prendre de précautions et que la police trouve l'arme du Monstre, la nouvelle fera le tour de l'Italie sans que nous puissions profiter de ce scoop. Il faut également tenir compte du danger que représente Antonio s'il apprend que nous l'avons dénoncé. Spezi et Zaccaria jugent préférable de s'adresser à un commissaire qu'ils connaissent afin de lui transmettre, en bons citoyens, une lettre anonyme qu'ils prétendront avoir reçue. Ce stratagème devrait leur permettre de tirer la couverture à eux sans prendre de risques.

— Si jamais ça marche, s'exclame Zaccaria en administrant à Spezi une tape amicale sur le genou, je suis bon pour être nommé ministre de la Justice !

La boutade nous fait beaucoup rire.

Quelques jours après notre visite à la Villa Bibbiani, je reçois un appel de Spezi sur mon portable.

— C'est fait, m'annonce-t-il sans entrer dans les détails.

Il a donc transmis la lettre anonyme à la police. Comme je commence à lui poser des questions, Spezi m'interrompt brusquement :

— *Il telefono è brutto.*

C'est-à-dire, littéralement, « le téléphone est moche ». En clair, cela signifie que sa ligne est sur écoute. Je lui propose donc que nous nous retrouvions en ville pour qu'il puisse tout me raconter.

Dès son arrivée au Caffè Cibreo, Spezi m'explique que leur rencontre avec le commissaire a débuté curieusement. Refusant d'un geste la lettre anonyme, le fonctionnaire leur a conseillé de s'adresser au chef de l'escadre mobile, une unité spéciale chargée des affaires criminelles. À l'évidence, l'homme n'avait aucune envie de se retrouver mêlé à cette affaire et il ne s'est pas privé de le leur faire comprendre.

Spezi, perplexe, se demande bien pourquoi un haut fonc-tionnaire de police refuserait de but en blanc ce qui a des chances d'être le plus beau coup de toute sa carrière. Zacca-ria, lui-même ancien policier, se montre tout aussi perplexe.

Nous n'allons pas tarder à comprendre.

45

Au matin du 22 février, je descends acheter des expressos et des pâtisseries pour le petit déjeuner lorsque mon téléphone portable sonne en pleine rue. Une voix masculine m'informe en italien que j'ai affaire à un inspecteur de police. Mon interlocuteur souhaite me voir sans délai.

— Allez, dis-je en riant, qui est-ce ?

Mon correspondant joue son rôle à la perfection et je me creuse la tête, me demandant qui peut bien vouloir me faire un canular lorsque la voix reprend :

— Je vous assure que ça n'a rien d'une plaisanterie, monsieur Preston.

Interloqué, je garde le silence, le temps de me persuader que c'est vrai.

— Excusez-moi... mais de quoi s'agit-il ?

— Je ne suis pas en mesure de vous le dire. Nous aurions besoin de vous voir. C'est *obbligatorio*.

Un vent de panique s'empare de moi.

— Je suis très occupé. Désolé, mais je n'ai vraiment pas le temps.

— Il vous faudra le trouver, monsieur Preston, réplique mon interlocuteur. Où êtes-vous en ce moment ?

— À Florence.

— Où, exactement ?

Dois-je mentir, ou bien refuser de lui répondre ? Ce n'est sûrement pas une bonne idée.

— Je me trouve Via Ghibellina.

— Ne bougez pas. Nous passons vous prendre.

Je regarde autour de moi. Je connais mal le quartier et ses ruelles étroites, loin des circuits touristiques habituels. Pas question d'accepter. Je veux des témoins. Américains de préférence.

— Je vous propose de nous retrouver piazza della Signoria.

Il s'agit de la principale place de la ville.

— Où exactement ? La piazza est grande.

— À l'endroit où a été brûlé Savonarole, là où se trouve la plaque commémorative.

Un silence.

— Je connais mal l'endroit. Je vous propose plutôt de nous retrouver à l'entrée du Palazzo Vecchio.

J'appelle aussitôt Christine.

— Je ne vais pas pouvoir rapporter le café, ce matin.

En avance au rendez-vous, j'en profite pour faire le tour de la piazza en réfléchissant. En tant que journaliste et auteur américain, j'ai toujours éprouvé un sentiment d'invulnérabilité. Que peut-il vraiment m'arriver ? Brusquement, je me sens nettement moins fier.

À l'heure dite, deux hommes traversent la foule des touristes : jean, chaussures noires, blouson bleu, lunettes de soleil remontées sur leur crâne rasé. Ils ont beau être *in borghese*, en civil, ces deux-là sentent le flic à plein nez.

Je m'approche sans attendre.

— Je suis Douglas Preston.

— Par ici.

Les deux inspecteurs m'entraînent à l'intérieur du Palazzo Vecchio. Et là, dans ce cadre Renaissance éblouissant, sous les fresques de Vasari, ils me présentent une convocation officielle à un interrogatoire dans le bureau du procureur de Pérouse, Giuliano Mignini. L'un de mes interlocuteurs m'explique d'une voix polie que refuser de me rendre à cette convocation serait un délit et que les autorités se trouveraient dans l'obligation de venir me chercher.

— Nous vous demanderons de bien vouloir signer ici afin de signifier que vous avez bien reçu cette convocation et que vous en comprenez les termes.

— Vous ne m'avez toujours pas dit pourquoi on souhaitait m'interroger.

— Vous l'apprendrez à Pérouse, demain.

— Dites-moi au moins si c'est au sujet du Monstre de Florence.

— Bravo, réplique l'inspecteur. Maintenant, signez.

Ce que je fais.

Je téléphone aussitôt à Spezi qui ne cherche pas à me cacher son inquiétude.

— Je n'aurais jamais cru qu'ils oseraient s'en prendre à toi, me dit-il. Va à Pérouse et réponds à leurs questions, ni plus ni moins. Et, de grâce, ne leur mens pas.

46

Le lendemain, je me rends à Pérouse accompagné de Christine et de nos deux enfants, longeant à l'occasion la rive du lac Trasimène. Pérouse est une très belle ville ancienne, plantée sur un piton rocheux dominant la vallée du Tibre, protégée par un mur d'enceinte médiéval quasiment intact. La ville est l'un des plus vieux centres intellectuels d'Italie et l'on y trouve de nombreuses écoles et universités, vieilles pour certaines de plus de cinq siècles. Christine souhaite profiter de mon interrogatoire pour visiter la ville et déjeuner avec les enfants. J'ai fini par me persuader que cette convocation n'est qu'un coup de bluff, une façon grossière de chercher à m'intimider. Je n'ai rien fait de mal, enfreint aucune loi. Et puis je suis journaliste et écrivain, l'Italie est un pays civilisé. C'est en tout cas ce que je me répète tout au long du trajet.

Les locaux de la *Procura*, où travaille le procureur, se trouvent dans un bâtiment moderne en blocs de travertin, au pied des murailles. À mon arrivée, on me fait entrer dans une belle pièce dont les fenêtres donnent sur la campagne environnante, un écrin vert perdu dans la brume et le crachin. J'ai veillé à m'habiller correctement et je tiens sous le bras, bien en vue, un exemplaire de l'*International Herald Tribune*.

Cinq personnes m'attendent. Je leur demande leurs noms afin de les noter. Je reconnais l'un des hommes qui m'ont remis la convocation la veille, un certain inspecteur Castelli, habillé pour l'occasion d'une veste noire sport sur une chemise noire boutonnée jusqu'au cou, ses cheveux courts abondamment recouverts de gel. À côté de lui, se tient un capitaine de police nommé Mora, un petit bonhomme extrêmement tendu au crâne surmonté d'un implant capillaire orangé, qui veut visiblement faire bonne impression en présence du procureur. Vient ensuite une fonctionnaire de police blonde qui inscrit à ma demande son nom sur le carnet que je lui tends, et que je n'ai jamais réussi depuis à déchiffrer. Le greffier chargé de consigner l'interrogatoire par écrit attend devant un écran d'ordinateur.

Derrière son bureau, trône le procureur Mignini en personne, un personnage de petite taille et d'âge indéterminé, bien habillé, ses joues rebondies soigneusement rasées. Il porte un costume bleu et donne l'impression d'un Italien de bonne éducation, sûr de sa dignité, précis dans chacun de ses mouvements, s'exprimant d'une voix agréable et posée. M'accordant d'emblée le titre de *dottore*, une marque de grand respect en Italie, il s'adresse à moi avec la plus grande courtoisie, usant du *lei*, le vouvoiement formel des Italiens. Il commence par me dire que j'ai le droit de me faire assister par un interprète, avant de préciser qu'en dénicher un risque de prendre plusieurs heures et de prolonger d'autant mon séjour entre ces murs. Il estime d'ailleurs que mon italien est tout à fait suffisant pour la conversation que nous allons avoir. Et lorsque je lui demande si je dois me faire assister d'un avocat, il me répond que c'est mon droit, mais qu'il n'en voit pas l'utilité, son intention étant uniquement de me poser quelques questions de routine.

J'ai pris la décision en venant de ne pas faire valoir mon droit de réserve, que j'aurais pu faire jouer en qualité de journaliste. C'est une chose de se battre pour ses droits dans son pays, c'en est une autre de risquer la prison au nom d'un principe sur une terre étrangère.

Le procureur m'interroge d'une voix douce, presque timide, pendant que le greffier consigne notre conversation sur son ordinateur. Mignini corrige parfois certaines de mes réponses en bon italien, s'assurant auprès de moi qu'il ne trahit pas ma pensée. Au début de l'entretien, c'est tout juste s'il me jette un coup d'œil, occupé à consulter les notes et les documents posés devant lui, regardant de temps à autre par-dessus l'épaule du greffier pour voir ce qu'il écrit.

L'entretien terminé, on refusera néanmoins de me donner un exemplaire des minutes de l'interrogatoire, comme de la convocation qu'on m'a demandé de signer. Le compte-rendu que l'on trouvera ci-dessous a donc été établi par mes soins à partir des quelques notes prises à ma sortie du bureau du procureur et du rapport beaucoup plus détaillé rédigé de mémoire deux jours plus tard.

Mignini me pose de nombreuses questions sur Spezi en écoutant chacune de mes réponses avec la plus grande attention. Il souhaite que je lui expose nos thèses au sujet de l'affaire du Monstre, et m'interroge longuement sur l'un des deux avocats de Mario, Alessandro Traversi. Il veut savoir si je le connais, si je l'ai rencontré, si Spezi a déjà évoqué en ma présence la stratégie de défense de Traversi et si je peux la lui communiquer. Il se montre particulièrement insistant sur ce point, cherchant par tous les moyens à savoir quel est le système de défense adopté par Spezi. Je lui réplique en toute sincérité que je n'en sais rien. Il me débite alors une longue suite de noms en me demandant s'ils me sont familiers. Ce n'est pas le cas de la plupart d'entre eux, mais j'en reconnais plusieurs, notamment ceux de Calamandrei, Pacciani et Zaccaria.

Le magistrat poursuit de la sorte une heure durant et je commence à me sentir rassuré. J'en arrive à espérer avoir fini assez tôt pour déjeuner avec ma femme et mes enfants lorsque Mignini s'enquiert brusquement si j'ai déjà entendu le nom d'Antonio Vinci.

Mon cœur fait un bond dans ma poitrine. Lorsque je réponds par l'affirmative, Mignini me demande comment je connais ce nom et ce que je sais de l'individu. Je lui explique que je l'ai interviewé avant de lui indiquer, pressé de questions, dans quelles circonstances s'est déroulée cette rencontre. Le procureur porte ensuite son attention sur l'arme du Monstre. Il voudrait savoir si Spezi m'en a parlé et quelle est son opinion à ce sujet. Je lui fais part de notre conviction que l'arme n'a jamais quitté le clan des Sardes, dont l'un des membres serait devenu le Monstre.

À ces mots, Mignini abandonne le ton avenant sur lequel il s'est exprimé jusque-là et c'est d'une voix rageuse qu'il me demande :

— Vous voulez dire que Spezi et vous-même persistez dans cette voie alors que la piste sarde a été abandonnée en 1988 par le juge Rotella et que les Sardes ont été officiellement reconnus innocents de tout lien avec l'affaire ?

— En effet, Spezi et moi-même persistons à y croire.

Mignini s'intéresse alors à notre visite à la Villa Bibbiani, s'exprimant d'une voix grave et accusatrice. Il veut que je lui dise ce que nous sommes allés faire là-bas, de quoi nous avons parlé, si Spezi et Zaccaria sont constamment restés avec moi. Ne se sont-ils pas éclipsés, même brièvement ? A-t-il été question de l'arme ? De boîtes métalliques ? M'est-il arrivé de tourner le dos à Spezi ? À quelle distance étions-nous l'un de l'autre lorsque nous nous parlions ? Avons-nous croisé quelqu'un d'autre, et qui ? De quoi avons-nous parlé ? Pourquoi Zaccaria se trouvait-il là ? Quel rôle jouait-il ? Nous a-t-il annoncé son intention de se faire nommer au poste de ministre de la Justice ?

Je réponds à chaque fois du mieux que je peux, tout en évitant de tomber dans le piège d'explications trop fournies.

Mignini veut savoir ce que nous sommes allés faire là-bas.

Je lui réponds qu'il s'agit d'un lieu ouvert au public et que nous nous y sommes rendus en tant que journalistes…

J'ai à peine prononcé le mot « journaliste » que Mignini me coupe la parole de façon péremptoire. Sans me laisser le temps de finir ma phrase, il m'explique d'un air furieux que cela n'a rien à voir avec la liberté de la presse, que nous sommes libres d'écrire ce que bon nous semble, qu'il n'en a rien à faire, mais qu'il s'agit d'une affaire criminelle.

Je lui rétorque que c'est justement notre rôle de journalistes…

Il m'interrompt de nouveau et me sert un sermon interminable sur le fait que la liberté de la presse n'a rien à voir dans cette enquête. Il m'interdit même d'y faire de nouveau allusion et conclut sa diatribe d'une voix sarcastique en me demandant si le fait d'être journaliste m'empêche d'être un criminel. J'ai la très nette impression qu'il souhaite m'empêcher d'évoquer la liberté de la presse parce que notre conversation est enregistrée.

Je commence à transpirer. Le procureur enchaîne en me posant inlassablement les mêmes questions, changeant constamment de mots et de tournures de phrases. Son visage est de plus en plus rouge, je sens un sentiment de frustration l'envahir. Il demande constamment au greffier de lui relire mes réponses précédentes, à la recherche d'une contradiction.

— Vous nous avez dit cela, et maintenant vous nous dites ceci. Alors, *dottore* Preston, où est la vérité ?

Je me mets à bégayer. Mon italien est loin d'être excellent en temps ordinaire, *a fortiori* dans un domaine aussi pointu que le langage juridique. À ma grande désolation, je m'aperçois que certaines de mes hésitations donnent l'impression que je mens.

D'un ton sarcastique, Mignini me demande si j'ai au moins gardé le souvenir de ma conversation téléphonique du 18 février avec Spezi. Énervé, je lui réponds que je ne me souviens pas de cette conversation en particulier, d'autant que Spezi et moi parlons tous les jours au téléphone, ou presque.

— Alors, écoutez ceci, me dit Mignini.

D'un geste, il fait signe au greffier d'appuyer sur une touche de son clavier. Une sonnerie de téléphone retentit sur les haut-parleurs reliés à l'ordinateur et je reconnais ma voix.

— *Pronto.*

— *Ciao, sono Mario.*

Nos échanges ont été enregistrés.

La qualité de l'enregistrement est incroyable, la voix de Mario est plus claire que sur mon pauvre téléphone portable. Mignini attend la fin de la bande et demande au greffier de la repasser une deuxième fois, puis une troisième, avant de lui faire signe de l'arrêter au moment où Mario me dit « C'est fait ».

— Qu'est-ce qui était fait, *dottore* Preston ? me demande-t-il en posant sur moi un regard brillant.

Je lui explique que Mario fait référence aux informations transmises à la police.

— Non, *dottore* Preston, dit-il en repassant l'enregistrement en boucle. Qu'est-ce qui est fait ? Qu'avez-vous *fait* ?

Puis il s'attarde sur les paroles de Spezi lorsque celui-ci m'a dit que le téléphone était « moche ».

— Que signifie cette phrase, « le téléphone est moche » ?

— Cela veut dire que nous sommes sur écoute.

Mignini se carre dans son fauteuil d'un air triomphal.

— Et pour quelle raison auriez-vous peur d'être sur écoute, *dottore* Preston, si vous n'avez rien à vous reprocher ?

— Les journalistes n'aiment pas beaucoup qu'on les mette sur écoute. Nous préférons travailler dans la discrétion.

— Ce n'est pas une réponse, *dottore* Preston.

Mignini fait de nouveau diffuser la bande à plusieurs reprises, s'arrêtant chaque fois qu'il a besoin d'une explication, persuadé que nous utilisons un code comme le fait couramment la Mafia. Il me demande si Spezi a apporté une arme avec lui dans la voiture, s'il en avait une sur lui lorsque nous avons visité le parc de la villa, quel trajet nous avons effectué, minute par minute, balayant mes réponses de la main les unes après les autres.

— Vous en savez bien plus que vous ne voulez bien nous le dire, *dottore* Preston. Cette conversation n'est pas aussi innocente que vous voulez nous le faire croire.

Il exige de savoir ce que les Sardes ont pu cacher dans la propriété, ce que contiennent les boîtes. Je lui réponds que je l'ignore.

— Devinez, me dit-il.

Je rétorque qu'il s'agit peut-être d'armes, ou bien d'autres indices. Des bijoux ayant appartenu aux victimes, peut-être même des morceaux de cadavres.

— Des *morceaux* de cadavres ? s'exclame le magistrat sur un ton incrédule, me regardant comme si j'étais fou d'oser émettre une hypothèse aussi scandaleuse. Mais enfin, *dottore*, les meurtres ont eu lieu il y a plus de vingt ans !

— Le rapport du FBI...

— Écoutez bien, *dottore* Preston ! me coupe-t-il en appuyant sur la touche de l'ordinateur afin de me faire entendre une fois de plus ma conversation téléphonique avec Spezi.

Cette fois, le capitaine de police s'interpose d'une voix aigre.

— Je trouve pour le moins curieux que Spezi se mette à rire à ce moment précis. Pourquoi éprouve-t-il le besoin de rire ? L'affaire du Monstre de Florence est l'une des affaires les plus tragiques de l'histoire de la République italienne, je ne vois pas ce qu'elle a de drôle. Pourquoi Spezi se met-il à rire ? Qu'y a-t-il de si drôle ?

Je m'abstiens de répondre, le policier ne s'adressant pas directement à moi, mais l'homme est tenace et revient à la charge, cette fois en me regardant dans les yeux.

— Je ne suis pas psychiatre.

Mais j'ai mal prononcé le mot *psicologo* et il s'empresse de me corriger, gâchant mon petit effet.

Le capitaine me fixe longuement, puis il se tourne vers Mignini avec l'air de quelqu'un à qui on ne la fait pas.

— Je tiens à ce que ce point soit dûment souligné, dit-il de sa voix de fausset. Il est pour le moins étrange qu'il se mette à rire à ce moment précis. C'est tout à fait anormal d'un point de vue psychologique. Tout à fait anormal !

À cet instant, je pose les yeux sur Mignini. Cramoisi, il affiche une mine à la fois méprisante et triomphale et je comprends brusquement pourquoi : il s'attendait si bien à ce que je mente qu'il croit m'avoir pris en faute. À sa grande satisfaction, je suis donc coupable.

Mais de quoi?

D'une voix bégayante, je leur demande si nous avons commis un crime en nous rendant à la Villa Bibbiani.

— Oui, répond Mignini en se redressant d'un air satisfait.

— Lequel?

— Vous aviez l'intention de placer une arme ou de faux indices dans cette propriété dans le but de faire porter le chapeau à un innocent, de faire dérailler l'enquête et de détourner les soupçons de Spezi, tonne-t-il. Voilà ce que vous êtes allés faire là-bas. Voilà la signification de l'expression « c'est fait » lors de votre conversation. Vous avez ensuite voulu en informer la police, mais nous avions eu le temps de les prévenir et ils ne sont pas tombés dans le piège.

Sa logique me laisse pantois, et lorsque je lui fais remarquer qu'il s'agit d'une simple hypothèse, Mignini me coupe la parole.

— Ce n'est pas une simple hypothèse! C'est la vérité, et vous en savez beaucoup plus que vous ne voulez bien le dire, *dottore* Preston. Avez-vous conscience de la gravité de ces délits? Vous saviez parfaitement que Spezi faisait l'objet d'une enquête au sujet du meurtre de Narducci. Vous savez bien des choses, ce qui fait de vous son complice. Parfaitement, *dottore* Preston, on entend parfaitement au ton de votre voix sur cet enregistrement que vous savez des choses. Écoutez-vous vous-même! exulte-t-il.

Et il repasse l'enregistrement pour la dixième fois.

— On a peut-être cherché à vous duper, mais j'en doute, poursuit-il. Vous *savez*. À présent, *dottore* Preston, je vous laisse une dernière chance, une *toute dernière chance* de nous dire ce que vous savez si vous ne voulez pas être inculpé pour faux témoignage. Je me fiche des conséquences, je suis prêt à le faire, même si la nouvelle doit faire le tour du monde demain.

Soudain, je ne me sens pas bien et je demande à aller aux toilettes. À mon retour dans la pièce quelques minutes plus tard, je n'ai pas réussi à recouvrer mon sang-froid. Je suis terrifié, persuadé qu'on va m'arrêter et me mettre en prison, que je ne reverrai jamais ma femme et mes enfants. Fabrication de preuves, faux témoignage, complicité de meurtres... Et pas n'importe quels meurtres, ceux commis par le Monstre de Florence... Je me vois déjà passant le reste de mes jours dans une prison italienne.

— Je vous ai dit tout ce que je savais. Je n'ai rien à ajouter.

Mignini tend la main et le greffier lui donne un énorme volume qu'il pose délicatement sur son bureau avant de l'ouvrir à la bonne page. Avec une voix digne d'une oraison funèbre, il entame la lecture d'un article de loi. Le seul mot qui s'imprime dans mon cerveau est celui de *indagato*, inculpé pour faux témoignage et refus de coopérer avec la justice. Il précise que l'enquête me concernant sera provisoirement suspendue le temps que je quitte le pays, mais qu'elle reprendra une fois que celle menée sur Spezi sera terminée.

En d'autres termes, cela signifie qu'il me faut quitter l'Italie sans possibilité d'y revenir.

Le greffier imprime un document. Les deux heures et demie passées dans ce bureau se résument à deux maigres pages de questions et de réponses que je corrige avant de les signer.

— Puis-je en conserver un exemplaire ?

— Non, cet interrogatoire a été mené dans le cadre du *segreto istruttorio*.

Je me lève, ramasse mon exemplaire de l'*International Herald Tribune* que je glisse sous mon bras et, alors que je m'éloigne d'une démarche raide, le magistrat reprend la parole.

— Si jamais vous vous décidez à parler, *dottore* Preston, nous sommes à votre disposition.

Et c'est les jambes flageolantes que je retrouve la rue où continue de tomber un crachin glacé.

47

Nous reprenons la route de Florence sous une pluie battante. En chemin, j'appelle l'ambassade américaine à Rome de mon téléphone portable. Un fonctionnaire des services juridiques m'explique qu'ils ne peuvent rien pour moi puisque je n'ai pas été arrêté.

— Les Américains qui ont des ennuis en Italie sont censés engager un avocat par eux-mêmes, me dit-il. L'ambassade n'intervient pas dans les enquêtes criminelles locales.

— Mais enfin, ce n'est pas comme si je me trouvais mêlé à une affaire criminelle après avoir fait une bêtise ! Ils s'en prennent à moi parce que je suis journaliste. C'est la liberté de la presse qui est remise en cause !

L'argument n'a pas l'air d'émouvoir mon interlocuteur.

— Quoi que vous puissiez penser, il s'agit d'une affaire criminelle. Vous êtes en Italie, pas aux États-Unis. Nous n'intervenons pas dans les affaires criminelles.

— Pouvez-vous au moins me recommander un avocat ?

— Nous ne sommes pas là pour évaluer les mérites des avocats italiens. En revanche, je peux vous envoyer une liste d'avocats à qui nous avons déjà eu affaire.

— Je vous remercie.

Il faut surtout que je parle à Mario. Il se prépare quelque chose de grave, cet interrogatoire n'est qu'un simple hors-d'œuvre. Quelqu'un d'aussi puissant que le procureur de Pérouse ne s'amuse pas sans raison à passer sur le gril un journaliste américain. S'il est prêt à prendre un tel risque, avec toute la mauvaise publicité que cela peut provoquer (et je suis bien décidé à ne pas me laisser faire), qu'en sera-t-il pour Spezi? Il ne fait guère de doute que c'est lui qu'ils ont dans le collimateur.

Faute de pouvoir appeler Mario avec mon portable, j'organise un rendez-vous avec lui dès mon retour à Florence en passant toute une série de coups de fil depuis des cabines publiques et des téléphones empruntés à des amis. Il est presque minuit lorsque Spezi, son épouse Myriam et Zaccaria se présentent à notre appartement de la Via Ghibellina.

Mario, une gauloise vissée aux lèvres, tourne comme un lion en cage dans le salon en semant des nuages de fumée dans son sillage.

— Je n'aurais jamais cru qu'ils iraient jusque-là. Tu es sûr qu'ils t'ont inculpé de faux témoignage?

— Sûr et certain. Je suis *persona indagata.*

— Ils t'ont notifié un *aviso de garanzia*?

— Ils m'ont dit qu'ils l'envoyaient à mon adresse dans le Maine.

Je leur fais le détail de l'interrogatoire du mieux que je peux. Arrivé au moment où Mignini nous a accusés d'avoir caché l'arme dans la propriété dans le but d'incriminer un innocent et de détourner les soupçons de Spezi, ce dernier m'arrête.

— Il a employé cette expression? « Détourner les soupçons de Spezi »?

— Exactement.

Spezi secoue la tête.

— *Porca miseria !* Giuttari et Mignini ne me croient pas uniquement coupable de manœuvres douteuses, ou d'avoir voulu dissimuler cette arme pour obtenir un scoop : ils sont vraiment persuadés que j'ai quelque chose à voir avec les crimes du Monstre. Ou au moins avec le meurtre de Narducci !

— Je sais bien que ça peut paraître absurde, mais leur théorie tient la route. Essaie de te mettre à leur place. Cela fait des années que nous insistons sur le fait que le Monstre n'est autre qu'Antonio. Comme personne ne veut nous écouter, nous allons faire un petit tour à la villa. Quelques jours plus tard, on appelle la police pour lui annoncer qu'Antonio a caché quelque chose dans son antre et qu'il n'y a plus qu'à aller le chercher. Je suis désolé de le dire, Mario, mais comment leur donner tort ?

— Arrête ! s'écrie Spezi. Ce n'est pas logique du point de vue de l'enquête, ce n'est même pas logique tout court ! Il suffit de réfléchir un instant pour s'apercevoir que ça ne tient pas debout. Si j'avais quelque chose à voir avec le meurtre de Narducci et si je cherchais à « détourner les soupçons », crois-tu vraiment que j'irais m'acoquiner avec un ancien taulard dont je ne sais rien, un ancien flic qui a été l'un des meilleurs inspecteurs de la criminelle de Florence et un auteur de best-sellers américain ? Doug, comment imaginer qu'un type dans ton genre fasse exprès le déplacement en Italie dans l'intention d'aller dissimuler une preuve quelconque dans une vieille maison en attendant que la police la trouve ? Tu es déjà célèbre, tu n'as pas besoin de faire parler de toi ! Et Nando ? Il dirige une importante entreprise de sécurité. Pourquoi tout risquer pour un vulgaire scoop ? Ça n'a aucun sens !

Spezi tourne en rond de plus belle, semant ses cendres de cigarette dans son sillage.

— Pose-toi la question, Doug. Pourquoi Giuttari et Mignini se donnent-ils tant de mal pour nous attaquer aujourd'hui ? N'oublie pas que notre bouquin sort dans deux mois. Un bouquin dans lequel nous mettons en cause leur théorie. Tu ne crois pas qu'ils cherchent à nous discréditer avant la sortie du livre ? Ils en connaissent le contenu puisqu'ils l'ont déjà lu.

Il fait le tour de la pièce en silence avant de poursuivre.

— Ce qui m'ennuie le plus, Doug, c'est d'être accusé d'avoir voulu « détourner les soupçons ». Quels soupçons, sinon celui d'être l'un des commanditaires du meurtre de Narducci ? Les journaux écrivent tous la même chose à ce sujet, ce qui tendrait à prouver qu'ils ont tous bénéficié de la même source. Une source officielle. Et moi, dans tout ça ?

Nouveau silence, nouveau tour, nouvelle volée de cendres.

— Doug, tu comprends ce que ça signifie ? Pour eux, je ne suis pas un simple complice dans le meurtre de Narducci, je suis l'un des commanditaires des crimes du Monstre. Je *suis* le Monstre !

— Donne-moi une cigarette.

Je ne fume pas en temps ordinaire, mais j'en ai besoin. Spezi me tend une gauloise avant d'en allumer une autre.

Myriam se met à pleurer. Assis au bord du canapé, son beau costume tout chiffonné, Zaccaria a la crinière en bataille.

— Imaginons, reprend Spezi. On me soupçonne d'avoir dissimulé l'arme du crime sur la propriété pour faire porter le chapeau à un innocent. Comment me suis-je procuré ce pistolet si je ne suis pas le Monstre lui-même ?

La cendre de sa cigarette menace de tomber.

— Où est ce putain de cendrier ?

Je vais chercher une assiette dans la cuisine. Spezi écrase sa gauloise à demi consumée d'un air rageur avant d'en allumer une autre.

— Je vais te dire où Mignini est allé chercher tout ça : c'est cette bonne femme à Rome, cette Gabriella Carlizzi, celle qui prétend que l'ordre de la Rose rouge se trouve derrière les attaques du 11 septembre. Tu es allé sur son site ? Eh bien, figure-toi que c'est elle qui a l'oreille du procureur de Pérouse.

Spezi a bouclé la boucle : de Monstrologue, il est devenu Monstre.

Je quitte l'Italie le lendemain matin. De retour dans ma maison du Maine, perchée sur un promontoire dominant les eaux grises de l'Atlantique, tout en me laissant bercer par la rumeur des vagues sur les rochers et les cris des mouettes au-dessus de ma tête, je savoure le plaisir d'être libre au lieu de moisir dans une geôle italienne. Les larmes se mettent à couler.

Le comte Niccolò m'appelle le lendemain.

— Alors, Douglas? Je constate que vous avez fait des vagues en Italie? Bien joué!

— Comment l'avez-vous su?

— La presse de ce matin affirme que vous êtes officiellement soupçonné dans l'affaire du Monstre de Florence.

— Les journaux en parlent?

— Ils ne parlent que de ça, vous voulez dire! réplique-t-il avec un petit rire. Mais ne vous inquiétez pas.

— Mais enfin, Niccolò! On m'accuse de complicité de meurtre, on me soupçonne d'avoir voulu cacher une arme dans cette propriété, je suis inculpé pour faux témoignage et entrave à la justice, on m'interdit de revenir en Italie et vous vous voudriez que je ne m'inquiète pas?

— Mon cher Douglas, tout citoyen italien digne de ce nom est *indagato*. Bienvenue au club, avec toutes mes félicitations.

Soudain, le comte abandonne son ton cynique et sa voix se fait grave.

— En revanche, notre ami Spezi a du souci à se faire. Beaucoup de souci.

48

Dès mon retour, j'alerte la presse. J'ai particulièrement peur pour Mario, qui est la véritable cible des attaques du procureur. J'espère qu'en faisant suffisamment de bruit aux États-Unis autour de l'affaire je protégerai Spezi de toute arrestation arbitraire.

Lors des perquisitions effectuées à son domicile, la presse américaine s'est totalement désintéressée de ce journaliste italien à qui l'on avait confisqué ses archives. Mais à présent qu'un citoyen américain se trouve sur la sellette, les journaux s'en donnent à cœur joie. À la une du *Boston Globe*, on peut lire : « Pris au piège de son propre thriller – Douglas Preston écrivait tranquillement son nouveau livre lorsqu'il a été rattrapé par l'intrigue. » De son côté, le *Washington Post* publie un article intitulé : « L'auteur de best-sellers Douglas Preston empêtré dans l'affaire d'un tueur en série toscan. » Mon inculpation fait l'objet de plusieurs dépêches de l'Associated Press avant d'être signalée par CNN et ABC News.

En Italie, les journaux ne parlent que de mon interrogatoire, à l'image du *Corriere della Sera* :

AFFAIRE DU MONSTRE
BRAS DE FER ENTRE LE PROCUREUR
ET UN AUTEUR AMÉRICAIN

L'affaire du tueur en série de Florence : un auteur de romans
policiers inculpé pour faux témoignage.
Toute la profession se mobilise.

L'ANSA, l'agence de presse italienne, lance sur le fil la dépêche suivante :

> *Le bureau du procureur de Pérouse, après l'avoir entendu en tant que témoin, inculpe l'auteur américain Douglas Preston pour faux témoignage. Preston et Mario Spezi ont consacré à l'affaire du Monstre un livre intitulé* Dolci Colline di Sangue, *qui doit paraître au mois d'avril. Spezi parle d'une contre-enquête. Il y a deux ans, Spezi faisait lui-même l'objet d'une inculpation pour complicité de meurtre dans l'affaire Narducci.*

Certaines informations publiées dans la presse ne peuvent émaner que du bureau de Mignini ; on prétend notamment que Spezi et moi avons voulu dissimuler le Beretta de calibre .22 du Monstre dans la propriété Bibbiani afin de faire accuser un innocent.

Loin de calmer Giuttari et Mignini, toute cette publicité leur donne des ailes. Le 25 février, deux jours après mon départ précipité d'Italie, la police perquisitionne une fois de plus au domicile de Mario. Ce dernier, désormais soumis à un dispositif de surveillance policière, ne peut plus sortir de chez lui sans être suivi et filmé à son insu. Ses lignes téléphoniques sont sur table d'écoute depuis longtemps déjà, mais il soupçonne la police d'avoir truffé de micros son appartement et d'intercepter ses e-mails.

Pour communiquer, nous sommes contraints d'utiliser des adresses électroniques ou des téléphones portables empruntés pour l'occasion. Un jour, après avoir semé le flic qui le filait, Spezi se rend dans un cybercafé et me fait parvenir un message dans lequel il m'explique le système qu'il a mis au point : chaque fois que je recevrai de son adresse e-mail habituelle un e-mail contenant la formule « *Salutami a Christine* » (« Bonjour à Christine de ma part »), je dois l'appeler le lendemain sur un numéro de portable bien précis à une heure prédéterminée.

Dans le même temps, Niccolò m'envoie les articles consacrés à l'affaire et nous nous parlons régulièrement au téléphone.

Le 1er mars, Spezi décide de conduire sa voiture chez un garagiste des environs afin de faire réparer la portière et poser un nouvel autoradio. En voulant effectuer les réparations, le mécanicien découvre un système électronique sophistiqué. Il s'agit d'un boîtier noir, de la taille d'un paquet de cigarettes, dont les diodes lumineuses ont été recouvertes d'adhésif ; il est relié par des fils rouges et noirs à un autre appareil de cinq centimètres sur douze, lui-même branché sur l'alimentation de l'autoradio volé.

— Je n'y connais pas grand-chose, lui explique le garagiste, mais on dirait un enregistreur équipé d'un micro.

Puis il fait le tour de la voiture et soulève le capot.

— Et ça, ajoute-t-il en désignant un autre petit boîtier dissimulé dans un coin, c'est sûrement un GPS.

Spezi appelle *La Nazione* qui envoie aussitôt un photographe prendre des clichés de Mario exhibant les deux appareils, à la façon d'un pêcheur rapportant une belle pièce.

Le même jour, Spezi se rend au bureau du procureur de Florence afin de déposer une plainte contre X pour la dégradation de sa voiture. Il se présente ensuite à un procureur qu'il connaît, armé de sa plainte, mais le magistrat refuse de l'entendre.

— Cette affaire est bien trop délicate, *dottore* Spezi, lui répond son interlocuteur. Je vous recommande de déposer votre plainte directement auprès du procureur général.

Spezi suit ce conseil et se rend au bureau du procureur général. Au terme d'une attente interminable, un policier se présente enfin et prend sa plainte en lui affirmant que le procureur l'accepte, mais il n'en entendra plus jamais parler.

Le 15 mars 2006, Spezi reçoit un coup de téléphone lui enjoignant de se présenter à la brigade des carabiniers la plus proche de son domicile. Le carabinier qui le reçoit dans son minuscule bureau affiche un air gêné.

— Nous souhaitons vous rendre... votre autoradio, explique l'homme.

Spezi n'en croit pas ses oreilles.

— Vous voulez dire que vous reconnaissez l'avoir pris après avoir forcé la portière de ma voiture ?

— Non, non, ce n'est pas nous ! se défend l'autre en feuilletant nerveusement ses dossiers. C'est Giuliano Mignini, le procureur de Pérouse, qui nous a demandé de vous le remettre, après avoir donné l'ordre au commissaire Giuttari du GIDES de nous rendre votre autoradio.

Spezi a le plus grand mal à garder son sérieux.

— C'est incroyable ! Vous voulez dire qu'ils reconnaissent avoir forcé ma voiture pour me voler mon autoradio dans un document officiel ?

Le carabinier, très mal à l'aise, se tortille sur son siège.

— Je vous demanderai de bien vouloir signer ici.

— D'accord, réplique Spezi d'un air triomphal, mais qu'est-ce qui me prouve qu'ils ne l'ont pas cassé ? Je ne peux décemment pas le reprendre sans m'être assuré qu'il fonctionne normalement.

— Spezi, s'il vous plaît, signez ici.

Spezi demande de nouveau à porter plainte, cette fois contre Mignini et Giuttari puisqu'ils viennent (paradoxalement) de lui fournir la preuve dont il avait besoin.

C'est au cours de ce même mois de mars 2006 qu'un nouveau livre de Giuttari consacré au Monstre de Florence sort chez RCS Libri. Dans ce best-seller, Giuttari s'en prend à plusieurs reprises à Spezi, l'accusant d'avoir été complice du meurtre de Narducci et sous-entendant qu'il est impliqué d'une façon ou d'une autre dans l'affaire du Monstre.

Spezi s'empresse de porter plainte en diffamation contre le commissaire, l'accusant également de violer le secret de l'instruction. Conformément à la loi italienne, Spezi dépose son assignation à Milan, siège de la maison d'édition Rizzoli, la filiale de RCS Libri qui a publié l'ouvrage de Giuttari. Mario demande la saisie et la destruction de tous les exemplaires du livre. « Ce n'est pas de gaieté de cœur qu'un auteur demande la saisie d'un livre, écrit Spezi dans son assignation, mais il s'agit en l'occurrence du seul moyen de préserver mon nom et ma réputation. »

Spezi rédige lui-même l'assignation, choisissant soigneusement chaque mot dans l'espoir de hérisser son adversaire :

> Depuis plus d'un an, j'ai été victime, non seulement du travail bâclé de la police, mais aussi de véritables violations de mes droits civiques. Cette procédure, dont je suis loin d'être l'unique victime, est digne de celles qui ont cours dans des États gravement déficients tels qu'on peut en trouver en Afrique ou en Asie.
>
> M. Michele Giuttari, fonctionnaire de police italien, est l'inventeur et l'infatigable défenseur zélé d'une thèse selon laquelle les crimes de celui que l'on nomme couramment le Monstre de Florence seraient l'œuvre d'une secte occulte préoccupée de satanisme, d'ésotérisme et de magie. Ce « groupe » organisé, composé de personnalités des classes supérieures (des bureaucrates, des magistrats, des policiers et des carabiniers agissant avec la complicité de journalistes et d'écrivains), aurait recruté dans les couches les plus basses de la société des individus qu'il aurait chargés de commettre une série de doubles meurtres perpétrés sur de jeunes amoureux. Les individus en question auraient été grassement rémunérés pour entrer en possession d'attributs de l'anatomie féminine censés servir par la suite lors de « rites » curieux, aussi mystérieux qu'indéterminés.
>
> Selon les supputations extravagantes de celui qui se décrit lui-même comme un enquêteur brillant et dévoué, ladite assemblée criminelle, composée de personnalités en vue, se serait livrée à des orgies sadomasochistes, à des actes pédophiles et autres turpitudes.

Dans son assignation, Spezi va jusqu'à citer de nombreux extraits du livre de Giuttari dont il démonte impitoyablement la logique, ridiculisant à la fois les théories de l'auteur et son style.

La plainte en diffamation, datée du 23 mars, sera enregistrée une semaine plus tard, le 30 mars 2006.

49

Pendant ce temps, j'observe l'orage de loin. Spezi et moi avons reçu un e-mail très sec de notre responsable d'édition chez RCS Libri, inquiète de la tournure des événements. Elle semble terrifiée à l'idée que l'éditeur puisse se retrouver mêlé à un tel imbroglio judiciaire et ne m'a pas pardonné d'avoir communiqué son numéro de téléphone à un journaliste du *Boston Globe* qui s'est empressé de l'appeler pour recueillir sa réaction : « Je tiens à préciser, nous écrit-elle, que cet appel m'a beaucoup gênée... Quelle que soit leur nature, vos difficultés d'ordre privé ne me concernent pas et ne m'intéressent pas... Je vous demanderai donc de bien vouloir tenir RCS à l'écart de tout litige lié à vos affaires personnelles. »

Parallèlement, curieux d'en savoir plus sur Gabriella Carlizzi, je décide d'aller sur son site web. Ce que j'y trouve me fait bouillir intérieurement, Carlizzi s'étant crue autorisée à mettre en ligne des pages entières d'informations me concernant. Avec l'efficacité d'une fourmi à l'approche de l'hiver, elle a grappillé sur le net tout ce qu'elle a pu trouver sur moi et s'est arrangée pour faire traduire ces éléments en italien (elle-même ne parlant aucune autre langue) avant de les mélanger à des extraits de mes romans détachés de leur contexte (le plus souvent des descriptions de meurtres). Elle a aussi réuni un pot-pourri de remarques que j'ai pu faire en public en Italie, enregistrées à mon insu. En particulier, elle fait des gorges chaudes d'une mauvaise plaisanterie qui m'a échappé lors d'une présentation de livre ; ce jour-là, j'ai dit que Mario Spezi aurait fait un excellent criminel s'il n'avait pas décidé de devenir journaliste et criminologue. Carlizzi ajoute à ce brouet ses propres insinuations et commentaires douteux, avec pour résultat un portrait délétère qui me fait apparaître sous les traits d'un déséquilibré et d'un auteur de romans barbares flattant les instincts les plus bas.

Comme si cela ne suffisait pas, elle a trouvé le moyen de faire figurer les prénoms de ma femme et de mes enfants à côté de photos du tueur en série Jeffrey Dahmer et des tours jumelles en feu.

Sans attendre, j'envoie un e-mail incendiaire à Carlizzi en exigeant qu'elle retire immédiatement les prénoms de mes proches de son site.

Elle me répond par un message curieusement tempéré, voire doucereux, dans lequel elle me présente ses excuses et me promet d'y remédier, ce qu'elle fait dans la foulée.

J'ai obtenu le résultat escompté, mais Carlizzi dispose à présent de mon adresse électronique et elle ne tarde pas à m'écrire de nouveau :

> Malgré sa brièveté, notre échange touchant à des sphères délicates et somme toute intimes, je trouverais ridicule que nous nous servions plus longtemps d'un vouvoiement formel. Les âmes, lorsqu'elles parlent avec le cœur, se disent « tu ». Cela vous dérangerait-il, Douglas, si nous passions au tutoiement ?

J'aurais mieux fait de ne pas répondre, car Carlizzi me noie sous un flot d'e-mails de plusieurs pages chacun, rédigés dans un italien extrêmement confus. J'ai d'autant plus de mal à les déchiffrer qu'ils regorgent de commentaires obséquieux et de théories fumeuses.

Gabriella Carlizzi connaît la vérité au sujet du Monstre de Florence et elle entend à tout prix me la faire partager.

> Hello Douglas, tu as bien reçu mon long e-mail ? Tu as dû avoir peur en voyant que je te demandais de bloquer la une

du *New Yorker* pour qu'on puisse révéler le nom et le visage du Monstre de Florence... J'ai l'intention de publier sur mon site un article dans lequel j'explique que je t'ai invité à bloquer la une de ce magazine prestigieux, je compte aussi prévenir le *New Yorker*...

*

Objet : JE T'EN PRIE... CROIS-MOI... SI SEULEMENT TOI ET TA FEMME POUVIEZ LIRE DANS MON REGARD...

Très cher Douglas,

[...] Sache qu'en t'écrivant, je ne m'adresse pas uniquement à toi, mais aussi à ta femme, à ceux que tu aimes, et je sais combien ils comptent dans ta vie d'homme, au-delà du journaliste et de l'écrivain, tout simplement l'homme, l'ami, le père... Je me suis embarquée dans ce combat, dans cette recherche de la vérité, je le fais uniquement dans le but de tenir une promesse faite au bon Dieu et à mon père spirituel, un célèbre exorciste, le père Gabriele... J'ai fait cette promesse, Douglas, pour remercier le Seigneur du miracle survenu à mon propre fils Fulvio, mort après avoir vécu le quart d'une seule journée. Tandis que j'étais à l'hôpital et qu'on l'habillait avant de le mettre dans son cercueil, j'ai téléphoné au père Gabriele pour recevoir sa bénédiction, et le père m'a répondu : « Ne fais pas attention, ma fille, ton fils vivra plus longtemps que Mathusalem. » Quelques instants plus tard, une centaine de médecins de l'hôpital San Giovanni de Rome s'écriaient : « C'est un miracle, le bébé est ressuscité. » À l'époque, je n'avais pas la même Foi qu'aujourd'hui, mais au regard du cadeau que m'avait fait Dieu, je devais tôt ou tard lui rendre ce que je lui devais... Cher Douglas, j'ai les photos de tous les crimes, et lorsque les victimes ont aperçu le Monstre et se sont mises à hurler, leurs cris ont été photographiés par un appareil photo miniature des services secrets...

[...] J'ai aussi découvert au Japon, cher Douglas, un document qui me paraît utile pour empêcher le Monstre de tuer quelqu'un qui t'est proche. J'entreprends actuellement une enquête au sujet de ce document...

Regarde l'article que j'ai mis sur mon site, où je dis que je t'invite très sincèrement à venir me voir pour préparer la une du *New Yorker*... J'ai écrit ça pour te convaincre que je ne plaisantais pas.

Inquiet de ces références au *New Yorker* comme des allusions au fait que le Monstre puisse tuer quelqu'un qui m'est « proche », et dont tout m'indique qu'il s'agit de ma femme, je me rends sur le site de Carlizzi. Je découvre alors qu'elle a ajouté une page sur laquelle est reproduite la couverture de mon roman *Le Violon du Diable* à côté de celle d'un roman de Spezi, *Il Passo dell'Orco*, avec le commentaire suivant :

Gabriella n'a pas perdu de temps, elle a invité Preston à lui rendre visite afin de voir de ses propres yeux le Monstre et ses victimes. Elle l'écrit noir sur blanc dans sa réponse à l'e-mail de Preston : « Bloque la une du *New Yorker* et viens à moi, je t'offrirai le scoop que tu attends depuis si longtemps. » Comment Douglas va-t-il réagir ? Acceptera-t-il cette invitation ou bien subira-t-il l'interdit d'un ami italien ? On n'imagine pas le *New Yorker* laisser passer un tel scoop...

Avant tout, je veux demander à Douglas Preston en toute sérénité : « Que t'arriverait-il si tu avais un jour la preuve que "ton" Monstre n'est pas le bon et que le vrai Monstre en est un autre ? Si tu t'apercevais que c'est un proche, que tu as travaillé avec lui, qu'il est devenu ton ami, que tu l'estimes en tant que professionnel, sans avoir jamais pu concevoir qu'un personnage aussi cultivé, aussi sensible, aussi bienveillant puisse receler en lui un labyrinthe dans lequel se cache la Bête depuis qu'a été accompli son grand œuvre de Mort... un Monstre respecté, capable de tromper tout le monde... Ne serait-ce pas, cher Preston, l'expérience la plus traumatisante de toute ton existence ? Tu pourrais alors écrire un roman policier unique au monde et peut-être même, avec tes droits d'auteur, acheter le *New Yorker*. »

C'est donc bien ça, Spezi est le Monstre. Carlizzi continue de m'envoyer un déluge d'e-mails délirants, inondant ma messagerie plusieurs fois par jour. Elle y développe ses théories et me supplie de venir à Florence, sous-entendant que ses rapports privilégiés avec le procureur l'autorisent à me garantir l'immunité si je me rends en Italie. Elle veillera personnellement à faire tomber les charges qui pèsent sur moi.

Florence a toujours reçu l'ordre de protéger le véritable Monstre et cet ordre venait de très haut, parce que le Monstre pouvait à tout moment révéler des choses horribles sur la pédophilie de certains hauts magistrats qui ne voudront jamais qu'on l'attrape du fait de ce chantage. Cher Douglas, sans le savoir, tu te fais manipuler en Italie par le Monstre qui se sert de noms illustres comme couverture... Je t'en prie, Douglas, viens me retrouver tout de suite avec ta femme, ou bien donne-moi ton numéro de téléphone, je t'ai envoyé le mien, nous pouvons discuter de tout ça... ne dis rien à Spezi... Je t'expliquerai tout... J'implore Dieu que ta femme et toi acceptiez de me croire... Je peux tout vous montrer...

*

Un jour, si tu veux écrire ma biographie, tu comprendras que la vérité dépasse parfois le fantasme et la fiction.

*

Tu dois bien te douter que l'enquête avance même la nuit et les jours fériés. Alors, je t'en prie, MANIFESTE-TOI DE TOUTE URGENCE !... Souviens-toi : tout ceci doit être traité avec le secret le plus absolu.

*

Cher Douglas, tu n'as toujours pas répondu à mes e-mails : y aurait-il un problème ? Je t'en prie, dis-le-moi, je suis inquiète et je veux savoir ce qu'il faut faire pour t'apporter la clarté.

Très vite, je ne prends plus le temps de déchiffrer ses messages, me contentant de lire l'objet :

Objet : Où ES-TU ?

Objet : PRIONS POUR MARIO SPEZI

Objet : ME CROIS-TU À PRÉSENT ?

Objet : URGENTISSIMO URGENTISSIMO

Et enfin, quarante et un e-mails plus tard :

Objet : MAIS ENFIN, QUE T'EST-IL ARRIVÉ ?

Ce n'est pas tant cette vague de folie qui me donne le tournis, mais l'idée qu'une telle personne puisse être prise au sérieux par le procureur de Pérouse et un commissaire de police. Pourtant, ainsi qu'elle l'affirme elle-même et ainsi que le confirmera ultérieurement le travail d'enquête mené par Spezi, Carlizzi est un témoin clé. Elle a réussi à convaincre le procureur Mignini et le commissaire Giuttari que la mort de Narducci est liée aux meurtres du Monstre de Florence. C'est elle qui a dirigé les soupçons du procureur sur Spezi, affirmant la première qu'il était impliqué dans le prétendu meurtre de Narducci. (Spezi montrera par la suite que des paragraphes entiers des documents émanant du bureau du procureur sont directement inspirés des divagations paranoïaques que Carlizzi a affichées un temps sur son site. Carlizzi semble avoir sur Mignini l'influence d'un Raspoutine.)

De façon plus incroyable encore, Gabriella Carlizzi a réussi l'exploit de passer pour une « experte » dans l'affaire du Monstre. À l'époque où elle m'inonde d'e-mails, elle est sollicitée par de nombreux journaux et magazines italiens qui souhaitent recueillir son avis sur les avancées de l'enquête et la citent abondamment. Elle est régulièrement invitée dans les plus grands talk-shows de la télévision italienne où elle est présentée comme une personne sensée.

Le jour où je fais part à Spezi de mon échange d'e-mails avec Carlizzi, il me fait la leçon.

— Tu trouves peut-être ça drôle, Doug, mais tu joues avec le feu. Cette femme-là est dangereuse. Pour l'amour du ciel, ne t'en approche pas !

Carlizzi, malgré sa folie, semble remarquablement bien informée. J'ai été effaré de voir tout ce qu'elle a réussi à réunir sur moi. Il lui arrive même d'annoncer certains rebondissements de l'affaire, au point que Spezi et moi la soupçonnons d'avoir une taupe dans l'entourage du procureur.

À la fin du mois de mars, Carlizzi publie sur son site une exclusivité incroyable : l'arrestation de Mario Spezi est imminente.

50

Le vendredi 7 avril 2006, le téléphone sonne et je reconnais la voix grave du comte Niccolò à l'autre bout du fil.

— Spezi vient d'être arrêté, me déclare-t-il. Les hommes de Giuttari sont allés chez lui et l'ont attiré dehors sous un prétexte quelconque avant de l'embarquer dans une voiture. La nouvelle vient tout juste d'être annoncée.

Je reste comme pétrifié. Je n'aurais jamais cru que les choses puissent aller si loin. Je bégaye une question idiote.

— Arrêté ? Mais pour quelle raison ?

— Vous savez très bien pourquoi. Cela fait des années qu'il fait passer Giuttari, un Sicilien, pour un idiot aux yeux du pays tout entier. Aucun Italien ne saurait subir longtemps une telle humiliation ! Et je dois dire, mon cher Douglas, que Mario a une plume diantrement acérée. Il faut toujours sauver la face ici, un concept que vous autres, Anglo-Saxons, ne pouvez pas comprendre.

— Que va-t-il se passer ?

Niccolò prend longuement sa respiration.

— Cette fois, ils sont allés trop loin. Giuttari et Mignini ont passé les bornes. C'en est trop. L'Italie n'acceptera jamais de se laisser ridiculiser ainsi, Giuttari va payer les pots cassés. Quant à Mignini, l'appareil judiciaire serrera les rangs et ils laveront leur linge sale à l'abri des regards indiscrets. Giuttari n'aura que ce qu'il mérite. Le coup ne partira peut-être pas de là où il s'y attendait, mais il va y laisser sa peau. Vous pouvez me croire.

— En attendant, que va devenir Mario?

— Il risque malheureusement de passer un moment en prison.

— Je prie le ciel que ça ne dure pas longtemps.

— Je vais tenter de me renseigner et je vous rappelle.

Soudainement, une idée me vient à l'esprit.

— Faites attention à vous, Niccolò. Vous faites un candidat idéal pour cette secte satanique… l'héritier de l'une des plus vieilles familles florentines…

Niccolò éclate d'un rire franc.

— Figurez-vous que j'y ai pensé, me dit-il avant d'entonner un refrain en italien, une sorte de comptine, à l'intention de celui qui écouterait notre conversation si d'aventure sa ligne était sur écoute :

Brigadiere Cuccurullo,
Mi raccomando, segni tutto!

Brigadier Cuccurullo,
Je vous conseille de tout enregistrer!

— J'ai toujours eu pitié des pauvres types qui sont obligés d'écouter toutes ces conversations pendant des heures, ajoute le comte. *Mi sente, brigadiere Gennaro Cuccurello?* *Mi dispiace per lei! Segni tutto!* (Vous entendez, brigadier Gennaro Cuccurello? Désolé pour vous! Enregistrez tout!)

— Vous croyez vraiment que vous êtes sur écoute?

— Bah! C'est l'Italie. Si ça se trouve, les lignes du pape sont sur écoute.

Chez Spezi, le téléphone sonne dans le vide. Je vais sur Internet à la pêche aux nouvelles. L'affaire vient tout juste d'être relayée par l'ANSA, ainsi que par Reuters :

LE MONSTRE DE FLORENCE
ARRESTATION DU JOURNALISTE SPEZI
POUR ENTRAVE À LA JUSTICE

Notre livre doit sortir douze jours plus tard. Je me sens pris d'angoisse à l'idée que cet épisode puisse remettre en cause la publication de notre travail, au cas où l'éditeur prendrait peur. J'appelle notre responsable d'édition chez Sonzogno. Elle est déjà en réunion à ce sujet et je ne pourrai lui parler que plus tard. La nouvelle de l'arrestation de Spezi l'a secouée (après tout, il est rare que l'un de vos auteurs soit arrêté à la demande d'un autre), mais elle est surtout furieuse contre nous deux. De son point de vue, Spezi a provoqué inutilement Giuttari en voulant assouvir une vendetta personnelle, au risque d'attirer RCS Libri dans un procès. Piqué au vif, je lui fais remarquer que nous nous sommes contentés d'exercer notre métier en recherchant la vérité, que nous n'avons enfreint aucune loi ni rien fait de contraire à notre déontologie. À mon grand étonnement, je la sens dubitative, une forme de scepticisme que j'ai souvent rencontrée chez les Italiens.

La réunion à laquelle elle vient d'assister a toutefois débouché sur des nouvelles encourageantes puisque RCS Libri a pris la décision de publier le livre. Mieux, l'éditeur a décidé d'avancer la sortie d'une semaine afin que notre enquête soit rapidement disponible en librairie. Le livre doit quitter les entrepôts le plus rapidement possible et compliquer ainsi la tâche de la police si la justice en ordonnait la saisie.

Lorsque je parviens enfin à joindre Myriam Spezi, je comprends qu'elle accuse le coup.

— Ils l'ont piégé en lui demandant de venir jusqu'à la grille, m'explique-t-elle. Il était en chaussons, il n'avait rien sur lui, même pas son portefeuille. Ils ont refusé de lui montrer le moindre mandat. Ils l'ont obligé à monter dans la voiture après l'avoir menacé, et ils l'ont emmené.

Spezi a été conduit dans un premier temps au siège du GIDES, où il a été interrogé avant d'être escorté, toutes sirènes hurlantes, à la sinistre prison de Capanne, près de Pérouse.

En Italie, la nouvelle est annoncée au journal télévisé le soir même. Tandis que défilent sur l'écran des photos de Spezi, de Giuttari et de Mignini, des scènes de crime du Monstre et des victimes, le présentateur résume les faits : « Mario Spezi, écrivain et chroniqueur averti des méfaits du

Monstre de Florence, a été arrêté aujourd'hui en compagnie d'un repris de justice, Luigi Ruocco, pour entrave à la justice dans l'enquête sur le meurtre de Francesco Narducci… Il aurait tenté de dissimuler le rôle joué par le médecin dans l'affaire du Monstre de Florence. Le procureur de Pérouse a émis l'hypothèse que les deux hommes ont voulu placer de fausses preuves à la Villa Bibbiani de Capraia, parmi lesquelles divers objets et documents visant à rouvrir le volet sarde de l'enquête, fermé dans les années 1990. L'intention des deux hommes était de détourner l'attention des enquêteurs sur les liens entre Spezi, le pharmacien Francesco Calamandrei et le meurtre de Francesco Narducci… »

Le reportage se poursuit par des images de moi prises le jour où je sortais du bureau de Mignini après mon interrogatoire. « Deux autres personnes sont soupçonnées d'avoir joué un rôle dans cette affaire, enchaîne le présentateur. Un ancien inspecteur de police ainsi que l'auteur américain Douglas Preston, avec qui Mario Spezi a récemment écrit un livre consacré au Monstre de Florence. »

Entre autres appels, je reçois celui du Département d'État. Une personne très aimable m'informe que l'ambassade des États-Unis à Rome s'est inquiétée de ma situation auprès du bureau du procureur de Pérouse. L'ambassade souhaite me faire savoir que je suis effectivement *indagato*, c'est-à-dire officiellement suspecté d'avoir commis un délit.

— Leur avez-vous demandé quelles *preuves* ils ont contre moi ?

— Nous ne sommes pas censés entrer dans le détail de ce genre d'affaires. Nous nous contentons de clarifier la situation.

— Ma situation était déjà très claire comme ça, je vous remercie. Elle fait la une de toute la presse italienne !

Mon interlocutrice s'éclaircit la gorge avant de me demander si j'ai pris un avocat en Italie.

— Les avocats coûtent cher.

— Monsieur Preston, me dit-elle sur un ton plutôt compréhensif. Ce n'est pas une petite affaire. Les choses ne peuvent qu'empirer et, même avec l'assistance d'un avocat, cela pourrait prendre des années. Vous auriez tort de laisser pourrir la situation. Même si ça vous coûte de l'argent, il faut prendre un avocat. Je vais demander à notre ambassade à Rome de vous en envoyer une liste. Nous ne sommes malheureusement pas en mesure de vous en conseiller un…

— Je sais. Vous n'êtes pas là pour évaluer les mérites des avocats italiens.

Au moment de raccrocher, elle me demande d'une voix timide :

— Vous n'avez pas l'intention de retourner en Italie dans l'immédiat ?

— Vous plaisantez ?

— Vous me voyez rassurée, réplique-t-elle, soulagée. Nous ne voudrions pas avoir à… à nous occuper de vous en cas d'arrestation.

L'ambassade me fait parvenir une liste de défenseurs, comme prévu. Il s'agit pour la plupart d'avocats spécialisés dans les problèmes de garde parentale, les transactions immobilières et les contrats d'affaires. Rares sont ceux qui s'occupent d'affaires criminelles.

J'appelle l'un d'eux au hasard à son cabinet de Rome. Il est déjà au courant de l'affaire par les journaux et mon coup de téléphone semble l'enchanter. À l'entendre, je suis tombé sur la bonne personne. Il me propose d'interrompre les autres affaires importantes sur lesquelles il travaille pour s'occuper de la mienne, en collaboration avec l'un des meilleurs ténors du barreau italien dont le nom serait connu du procureur de Pérouse. Le simple fait d'engager les services d'un conseil aussi réputé devrait résoudre la moitié des problèmes, selon lui. L'Italie est l'Italie. Une telle démarche prouvera au procureur que je suis un *uomo serio*, un homme à qui on ne s'attaque pas aisément. Lorsque je lui demande timidement combien cela va me coûter, il me répond que 25 000 euros suffiront amplement dans un premier temps et qu'il peut se permettre de me faire un tel cadeau parce que l'affaire fait beaucoup de bruit et qu'il s'agit de défendre la liberté de la presse. Il conclut en m'assurant qu'il sera ravi de

315

m'envoyer par e-mail les coordonnées de sa banque, tout en me conseillant de me décider *le jour même* car « le meilleur ténor du barreau italien » a un emploi du temps particulièrement chargé…

J'appelle l'un après l'autre les avocats de la liste, avant de tomber sur quelqu'un qui se contente de 6 000 euros pour prendre en main mes intérêts et qui ne me sert pas un discours de vendeur de voitures.

Nous apprendrons par la suite qu'à la veille de l'arrestation de Mario la Villa Bibbiani et ses alentours ont fait l'objet d'une perquisition en règle et que les hommes du GIDES n'ont trouvé ni l'arme, ni les boîtes en fer, ni les documents que nous étions censé y avoir cachés. Cet échec n'a pas dérouté Giuttari pour autant, l'ingénieux commissaire affirmant nous avoir coupé l'herbe sous le pied en prenant les devants.

51

Le jour même de son arrestation, le 7 avril, Spezi est escorté à la prison de Capanne, à une vingtaine de kilomètres de Pérouse, où il est conduit dans une pièce meublée d'une table, d'une chaise et d'une boîte en carton, avec une simple couverture étalée sur le sol de ciment.

Les gardiens lui demandent de vider ses poches, il s'exécute. Il doit ensuite se débarrasser de sa montre et du crucifix qu'il porte autour du cou, puis l'un des gardiens lui ordonne de se déshabiller.

Spezi enlève son pull, sa chemise, son tee-shirt et ses chaussures, et attend.

— Tu enlèves tout. Si tu as froid aux pieds, tu n'as qu'à te mettre sur la couverture.

Spezi se dévêt entièrement.

— Penche-toi en avant trois fois, lui ordonne le gardien-chef.

Spezi ne comprend pas tout de suite ce qu'on attend de lui.

— Comme ça, lui indique un autre gardien en se mettant en position accroupie. Jusqu'au sol. Trois fois. En poussant.

Après cette épreuve humiliante, on l'autorise à enfiler les vêtements réglementaires de la prison, entassés dans la boîte en carton, et à garder un paquet de cigarettes. Après avoir rempli leurs formulaires, les gardiens l'amènent jusqu'à une cellule glaciale dont l'un d'eux ouvre la porte en lui faisant signe d'entrer.

La porte se referme derrière lui avec un bruit métallique. Les quatre verrous s'enclenchent et une clé grince dans la serrure.

En guise de dîner, ce soir-là, il devra se contenter de pain et d'eau.

Le lendemain matin, 8 avril, Spezi est autorisé à rencontrer l'un de ses avocats, arrivé à la prison à la première heure. On lui promet également une courte visite de sa femme plus tard dans la journée. Les gardiens l'escortent dans un parloir où l'attend son défenseur, installé derrière une table, une pile de dossiers devant lui. Les deux hommes se sont à peine salués qu'un autre gardien les rejoint, affichant un large sourire sur son visage grêlé.

— La rencontre a été annulée. Ordre du bureau du procureur. Maître, si vous voulez bien ?

Spezi a tout juste le temps de demander à son interlocuteur de rassurer sa femme qu'on l'entraîne déjà pour le mettre à l'isolement.

Pendant cinq jours, Spezi ne saura pas pourquoi on lui refuse brusquement toute assistance juridique ni pourquoi on le met à l'isolement. Le reste de l'Italie l'apprend dès le lendemain : le jour de son arrestation, le procureur Mignini a demandé au magistrat chargé d'instruire le dossier de Spezi, la juge Marina De Robertis, d'invoquer une loi habituellement réservée aux terroristes et aux parrains de la Mafia lorsqu'ils représentent une menace imminente pour l'État. Cette loi a pour but d'empêcher les criminels les plus dangereux de faire assassiner ou d'intimider certains témoins clés par le biais de leurs avocats ou de leurs proches. Cette fois, c'est à l'encontre du très dangereux journaliste Mario Spezi que l'on requiert cette disposition. La presse ne manque pas de faire remarquer que Spezi a droit à un traitement plus strict que celui réservé à Bernardo Provenzano, le parrain des parrains de la Mafia, arrêté en Sicile près de Corleone quatre jours après lui.

Cinq jours durant, personne ne sait ce qu'il est advenu de Spezi, où il se trouve et ce qu'on lui fait subir. Cette disparition plonge sa famille et ses proches dans l'angoisse. Les autorités refusent de communiquer la moindre information sur son état de santé ou ses conditions de sa détention. Spezi a tout bonnement disparu dans le trou noir de la prison de Capanne.

52

Dans ma retraite américaine, je repense aux paroles de Niccolò, m'assurant que l'Italie sera ridiculisée aux yeux du monde à cause de cette affaire. Je suis bien déterminé à apporter ma pierre à cet édifice en déclenchant aux États-Unis une tempête de protestations qui plongera le gouvernement italien dans l'embarras, le contraignant à rétablir la justice.

Je prends contact avec l'ensemble des organismes qui défendent la liberté de la presse. Je rédige, avant de le mettre sur Internet, un appel que je conclus de la façon suivante : « Je demande instamment à tous ceux que concernent l'amour de la vérité et la liberté de la presse de venir en aide à Spezi. Une situation telle que celle-ci n'aurait jamais dû se produire sur cette terre de beauté et de civilisation que j'aime tant, dans ce pays qui a donné au monde la Renaissance. » L'appel contient les noms, adresses postales et électroniques du Premier ministre italien, Silvio Berlusconi, du ministre de l'Intérieur et du ministre de la Justice, auprès de qui les internautes sont invités à protester. Mon texte est repris sur de nombreux sites à travers le monde, traduit en italien et en japonais et abondamment commenté par une multitude de blogueurs.

Le bureau du PEN à Boston met sur pied une campagne incitant ses membres à écrire aux autorités italiennes. Un ami, le romancier David Morrell (créateur de Rambo), envoie un courrier de protestation au gouvernement italien, imité en cela par de nombreux écrivains de renom, membres de l'Association internationale des auteurs de romans policiers (International Thriller Writers) dont je suis l'un des fondateurs. Nombre d'entre eux vendent beaucoup de livres en Italie, ce qui donne d'autant plus de poids à leur démarche. Le magazine *Atlantic Monthly* me commande un article sur l'affaire du Monstre et l'arrestation de Spezi.

Mais le pire est de ne rien savoir. La disparition de Mario a créé un vide qui laisse libre cours aux rumeurs les plus alarmantes et aux supputations les plus sinistres. Spezi se trouve à la merci du procureur de Pérouse, un puissant magistrat, et du commissaire Giuttari, un homme que les journaux ont surnommé *il superpoliziotto*, le superflic, parce qu'il ne manque jamais sa cible. Durant ces cinq jours de silence radio, je me réveille le matin en pensant à Spezi dans sa prison, sans savoir ce qu'on est en train de lui faire. Cette pensée me rend fou. Nous avons tous un seuil de résistance psychologique et je me demande s'ils finiront par trouver celui de Spezi, car c'est bien leur intention.

Chaque matin, je regagne ma cabane perdue au milieu des bois et je téléphone à tous ceux dont le nom me passe par la tête, submergé par un sentiment de frustration et d'impuissance, dans l'attente qu'on me rappelle, que les divers réseaux contactés entrent en action.

Le directeur de la rédaction du *New Yorker* m'a mis en relation avec Ann Cooper, la directrice exécutive du Comité pour la protection des journalistes, le CPJ, basé à New York. Cet organisme, plus à même que d'autres de mesurer l'urgence de la situation, demande sur-le-champ à ses correspondants italiens de mener une enquête indépendante sur l'affaire Spezi. Placée sous la direction de Nina Ognianova, la responsable du CPJ pour l'Europe et l'Asie centrale, cette équipe interviewe sans attendre des journalistes, des policiers, des juges, ainsi que certains collègues de Mario.

Au cours des premiers jours qui suivent l'arrestation de Spezi, la plupart des grands quotidiens italiens, surtout en Toscane et en Ombrie – à commencer par le journal de

Mario, *La Nazione* – se contentent de couvrir l'affaire de façon succincte en signalant l'incarcération de Mario et les charges qui pèsent sur lui, comme s'il s'agissait d'une simple affaire criminelle. Personne ou presque n'aborde la question plus large de la liberté de la presse. Rares sont ceux qui protestent et peu de journalistes s'insurgent contre l'une des accusations les plus graves dont Spezi fait l'objet, celle d'« entrave à la justice par voie de presse ». (Nous apprendrons par la suite qu'au sein de la rédaction de *La Nazione* certains de ses confrères se sont opposés à la direction du journal, à laquelle ils reprochent son manque de courage.)

Lors des conversations que je peux avoir avec des amis et des journalistes italiens, je suis surpris de constater que beaucoup sont persuadés de la véracité de certaines des accusations portées contre Spezi. Plusieurs de mes collègues italiens me reprochent de mal connaître l'Italie, insistant sur le fait que les journalistes de la péninsule ne s'embarrassent pas toujours de déontologie. On prend mon indignation pour de la naïveté et de la maladresse. De leur point de vue, cette indignation est signe d'ingénuité. Certains affichent avec une facilité déconcertante l'air blasé du cynique qui refuse de voir les choses au premier degré ; ils me font bien comprendre qu'ils sont trop malins pour prendre nos protestations d'innocence pour argent comptant.

— Ah ! m'explique le comte Niccolò lors de l'une de nos nombreuses conversations téléphoniques. N'oubliez pas la *dietrologia*. Si vous vous êtes rendus à la Villa Bibbiani avec Spezi, c'est *forcément* pour des raisons inavouables. Seul un naïf accepterait de croire que deux journalistes puissent se rendre là-bas dans le seul but de « jeter un coup d'œil ». Jamais Spezi n'aurait été arrêté si la police n'avait pas ses raisons. Vous devez comprendre, Douglas, qu'un Italien doit toujours se montrer *furbo*. Il n'existe pas d'équivalent dans la langue anglaise pour ce vocable merveilleux. Le *furbo* est un personnage rusé, un malin qui sait toujours de quel côté le vent tourne, quelqu'un qui embobine les autres sans jamais se laisser embobiner lui-même. En Italie, chacun veut se persuader que les autres sont pires qu'ils ne sont, pour ne pas risquer d'être taxé de naïveté. Ici, il faut avant tout être considéré comme un *furbo*.

En tant qu'Américain, j'ai du mal à mesurer le climat de peur et d'intimidation qui entoure l'affaire en Italie. La liberté de la presse n'existe pas vraiment dans la péninsule, notamment parce que tout officiel peut porter plainte contre un journaliste pour *diffamazione a mezzo stampa*, diffamation par voie de presse.

Cette peur se manifeste de façon flagrante dans le refus de notre éditeur, RCS Libri, l'un des groupes d'édition les plus puissants au monde, de publier une déclaration en faveur de Spezi. Notre éditrice s'évertue même à éviter tout contact avec la presse et il faudra toute la ténacité d'un reporter du *Boston Globe* pour réussir à la joindre. « Spezi et le principal enquêteur de la police se détestent cordialement, déclare-t-elle au *Globe*. Ne me demandez pas pourquoi... Si [Preston et Spezi] pensent avoir découvert des éléments susceptibles d'être utilisés par la police et la justice, ils feraient mieux de s'exprimer sans insulter les enquêteurs et les juges. »

En attendant, personne ne sait ce qu'il est advenu de Mario Spezi dans la prison de Capanne.

53

Le 12 avril marque la fin de ce black-out et Spezi est enfin autorisé à rencontrer ses avocats. Il doit être auditionné le jour même par la juge d'instruction Marina De Robertis, censée lui dire, au terme de leur entretien, si son arrestation et son incarcération sont justifiées.

Pour la première fois depuis son arrivée à Capanne, Spezi reçoit ce jour-là des vêtements propres, du savon et de quoi se raser, avec l'autorisation de prendre un bain. Le procureur Giuliano Mignini se présente devant la juge De Robertis avec l'intention de montrer que Spezi représente un danger réel pour la société.

« Ce journaliste, écrit-il dans son rapport, est accusé d'entrave à l'enquête sur le Monstre de Florence. Il se trouve au centre d'une véritable campagne de désinformation, comparable en bien des points à celles que pourraient mener les services secrets d'États voyous. » Mignini poursuit en expliquant que ladite campagne de désinformation vise à faire avorter l'enquête sur le « groupe de notables » qui a commandité les meurtres du Monstre de Florence. Parmi ces notables figurent Narducci, qui a payé Pacciani et ses compagnons de pique-nique pour assassiner de jeunes amoureux avant de prélever des parties de leurs corps. La stratégie de Spezi et des autres instigateurs de ces crimes consiste à faire croire que Pacciani et ses compagnons de pique-nique sont les seuls responsables des meurtres commis par le Monstre de Florence. Cette stratégie ayant échoué, et tandis que le filet se resserrait autour d'eux avec la réouverture de l'enquête sur la mort de Narducci, Spezi a tenté une manœuvre désespérée en essayant de diriger les enquêteurs sur la piste sarde afin de limiter « le danger de voir l'enquête s'intéresser de trop près aux notables et aux commanditaires véritablement responsables de ces meurtres ».

Cette déclaration, en l'absence de la plus petite preuve scientifique, ne fait que développer, au-delà des règles du bon sens, une théorie du complot absolument abracadabrante.

De la *dietrologia* pure.

Lors de son audition, Spezi s'insurge contre les conditions de sa détention. Il insiste sur le fait qu'il s'est contenté de mener une investigation légitime dans le cadre de son travail de journaliste, sans jamais chercher à mener « une campagne de désinformation digne des services secrets d'États voyous ».

La juge Marina De Robertis regarde Spezi et lui pose une question. Ce sera la seule de tout l'entretien.

— Avez-vous jamais fait partie d'une secte satanique ?

Spezi croit un instant avoir mal entendu et son avocat lui donne un coup de coude discret en lui recommandant à voix basse de ne pas rire.

Répondre non à une telle question ne suffit manifestement pas.

— Le seul ordre auquel j'appartiens est celui des journalistes, rétorque sèchement Spezi.

L'entretien s'achève sur cette réponse.

La juge va mettre quatre longues journées avant de se décider. Le samedi suivant, Spezi retrouve son avocat à l'heure du verdict.

— J'ai une bonne et une mauvaise nouvelle, commence Traversi. Laquelle souhaites-tu entendre en premier ?

— La mauvaise.

La juge De Robertis a décidé de le maintenir en détention préventive, à cause du danger qu'il fait courir à la société.

— Et la bonne nouvelle.

Traversi a vu, dans la vitrine d'une librairie de Florence, une pile d'exemplaires de *Dolci Colline di Sangue*. Notre livre vient enfin de sortir.

54

Pendant ce temps, le commissaire Giuttari poursuit son enquête, un cigare « toscan » aux lèvres. L'absence d'un second cadavre dans l'affaire du meurtre présumé de Narducci commence à lui poser un sérieux problème : pour qu'il y ait eu une double substitution, il faut bien qu'il y ait eu deux cadavres. Giuttari réussit toutefois à en dénicher un, celui d'un Sud-Américain retrouvé le crâne fracassé en 1982 et dont le corps, jamais réclamé, a été conservé dans les tiroirs réfrigérés de la morgue de Pérouse. Aux yeux de certains, l'homme en question ressemble au cadavre photographié sur le ponton après avoir séjourné plusieurs jours dans l'eau. Au lendemain du meurtre de Narducci, le corps du macchabée sud-américain a été dérobé à la morgue et jeté dans le lac Trasimène tandis que le cadavre de Narducci était caché, à la morgue ou ailleurs, on ne sait pas très bien. Des années plus tard, à la veille de l'exhumation de Narducci, les cadavres ont été échangés, celui de Narducci atterrissant dans le cercueil qui lui était destiné et la dépouille du Sud-Américain retrouvant sa place dans le réfrigérateur de la morgue.

Spezi en prison, Giuttari déclare à *La Nazione* qu'il progresse à grands pas dans l'affaire Narducci : « Oui, nous travaillons actuellement sur le décès de cet homme survenu en 1985, plusieurs éléments intéressants devraient nous mener sur une piste concrète… Il ne fait plus aucun doute que le corps repêché dans le lac Trasimène n'était pas celui de

Narducci... À la lumière de ces nouveaux éléments, la situation devrait être plus claire. » Il doit pourtant y avoir un hic dans cette théorie car Giuttari ne fera plus jamais allusion au Sud-Américain. Le mystère de la double substitution reste, aujourd'hui encore, plus obscur que jamais.

Dans un même temps, les avocats de Spezi se battent pour obtenir une audition devant une instance d'appel chargée d'examiner les dossiers de ceux qui attendent leur procès en prison. Il s'agit d'établir si l'on doit maintenir Spezi en détention préventive, l'assigner à résidence ou le libérer. La loi italienne ne prévoyant pas de libération sous caution, un tel jugement permet d'évaluer la dangerosité d'un inculpé et de déterminer s'il est susceptible de s'enfuir du pays afin d'échapper à la justice.

La date de l'audition de Spezi est fixée au 28 avril. La décision sera prise par trois juges de Pérouse, tous de proches collègues du procureur et du juge d'instruction. Il est rare que la cour de révision annule la décision du magistrat instructeur, notamment dans des affaires sensibles, et plus encore lorsqu'il y va de la crédibilité d'un procureur.

Le 18 avril, au douzième jour de détention de Spezi, le Comité de protection des journalistes remet les conclusions de son travail d'enquête sur l'affaire Spezi. La directrice exécutive du CPJ, Ann Cooper, faxe une lettre au Premier ministre italien dès le lendemain, dans laquelle elle déclare notamment :

> Les journalistes ne devraient pas avoir peur de mener des investigations sur des dossiers sensibles, d'afficher ouvertement leur opinion ou de critiquer des personnages officiels. Dans un pays démocratique tel que le vôtre, qui fait partie intégrante de l'Union européenne, un tel sentiment de peur est inacceptable. Nous vous demandons de vous assurer que les autorités italiennes clarifient les graves accusations portées contre notre collègue Mario Spezi et rendent publics les éléments sur lesquels reposent ces accusations, ou bien qu'elles le libèrent immédiatement.

Les persécutions dont sont victimes Mario Spezi et son collègue américain Douglas Preston, actuellement dans l'incapacité de se rendre en Italie sous peine de poursuites, envoient un signal inquiétant à l'ensemble des journalistes italiens en leur montrant qu'il est préférable d'éviter toute enquête relative à des affaires sensibles, à l'image de celle sur les meurtres de Toscane. Les efforts du gouvernement italien visant à promouvoir un tel climat d'autocensure sont contraires au principe même de la démocratie.

Des copies sont envoyées au procureur Mignini, à l'ambassadeur des États-Unis en Italie, à l'ambassadeur italien aux États-Unis, à Amnesty International, au Freedom Forum, à Human Rights Watch, ainsi qu'à une dizaine d'autres organismes internationaux.

Ce courrier ainsi que les protestations officielles émanant d'autres organisations, notamment Reporters sans frontières à Paris, vont brusquement changer la donne. La presse italienne, retrouvant subitement son courage, s'en donne à cœur joie.

« L'incarcération de Spezi est une infamie », proclame *Libero* dans une tribune rédigée par le directeur adjoint de la revue. Le *Corriere della Sera* publie en première page un éditorial intitulé « Justice sans preuve », utilisant le mot « monstruosité » pour évoquer l'arrestation de Spezi. Les journaux de la péninsule comprennent ce que signifie cette arrestation pour la liberté de la presse et l'image du pays au plan international. De nombreux articles suivent. Les collègues de Spezi à *La Nazione* signent un appel et la direction du journal publie une déclaration. De nombreux journalistes prennent conscience que Spezi a été arrêté uniquement parce qu'il a commis le « crime » d'affirmer son désaccord avec les conclusions d'une enquête officielle. En clair, de telles pratiques reviennent à criminaliser le journalisme. Des protestations montent de toutes parts, émanant d'organismes de presse et de journaux divers. Un groupe d'écrivains et de journalistes en vue rédige une tribune dans laquelle il est notamment écrit : « Nous n'aurions jamais cru que la recherche assidue de la vérité en Italie puisse être perçue comme un moyen d'aider les coupables et d'encourager l'illégalité. »

« Le cas de Spezi et Preston pèse lourdement sur l'image de notre pays à l'étranger », déclare le président de l'organisation italienne Information Safety and Freedom dans les colonnes du *Guardian* de Londres. « Cette affaire risque de nous reléguer au rang de mauvais élève dans le domaine de la liberté de la presse et de la démocratie. »

Assailli d'appels téléphoniques de journaux italiens, je donne de nombreuses interviews, au grand déplaisir de mon avocate italienne. Celle-ci a demandé un rendez-vous au procureur de Pérouse afin d'évoquer mon dossier et de savoir quelles charges sont retenues contre moi, mais elle s'est trouvée confrontée au *segreto istruttorio*, bien évidemment. Dans un courrier qu'elle m'adresse, elle me fait part du sentiment « désapprobateur » qu'elle a cru sentir chez Giuliano Mignini à la lecture des déclarations que j'ai pu faire à la presse au lendemain de mon interrogatoire, avant d'ajouter d'une plume sèche : « Le procureur n'a sans doute pas apprécié que l'affaire se hisse au rang diplomatique... Vous ne contribuez pas à la résolution de votre dossier en faisant des déclarations au sujet du procureur, et il serait opportun, après réexamen de certaines de vos déclarations de l'époque (au vu de leur impact négatif sur le procureur Mignini), que vous en limitiez la portée en vous en départant. »

Elle me confirme que les charges retenues contre moi sont celles de faux témoignage, de « calomnie », pour avoir tenté d'incriminer un innocent, de diffamation par voie de presse et d'entrave aux actions d'un service public. Contrairement à ce que j'avais redouté, je ne suis pas inculpé de complicité dans le meurtre de Narducci.

Je lui réponds que je refuse de renier les propos que j'ai tenus, avant d'ajouter que je regrette de ne pouvoir atténuer les désagréments causés au procureur Mignini depuis que l'affaire « s'est hissée au rang diplomatique ».

Au milieu de tout cela, je reçois un nouvel e-mail interminable de Gabriella Carlizzi qui semble être l'une des toutes premières à se procurer notre livre, *Dolci Colline di Sangue*.

Me revoici, mon cher Douglas. Je suis rentrée de Pérouse tard hier soir, je me suis rendue à trois reprises chez le procureur cette semaine car, comme tu le sais, depuis que Mario Spezi a été emprisonné, de nombreuses personnes qui vivaient dans la peur depuis des années ont pris contact avec moi, chacune d'elles voulant me faire part de ses expériences avec Mario...

Tu me diras : pourquoi ces gens n'ont-ils pas parlé plus tôt ?

Ils avaient peur de Mario et de ceux qu'ils soupçonnent fortement d'avoir intérêt à le « couvrir ».

Nous nous en remettons donc à toi.

Lors de mes dépositions de ces derniers jours, j'ai eu l'occasion de bien faire comprendre au juge Mignini que tu ne pouvais pas être impliqué dans cette affaire, je te le répète, Douglas, le juge est convaincu en ce qui te concerne et il est serein...

En attendant, je te renouvelle mon invitation de venir en Italie, tu verras que tout va s'éclaircir avec le juge, tu peux le rencontrer à Pérouse si tu le souhaites, toi et ton avocat, en espérant que ce ne soit pas l'un des avocats de Spezi, et tu seras lavé de toute accusation.

J'ai lu ton livre, *Dolci Colline di Sangue* : je te dis tout de go qu'il aurait été bien préférable que ton nom ne figure pas sur la couverture. Le bureau du procureur en a un exemplaire et je suis convaincue qu'il y aura des suites *judiciaires*. Il est dommage, Douglas, que tu aies signé ce livre. Cette affaire est très grave, ça n'a aucun rapport avec le travail de Mignini, le livre se trouve à présent dans le collimateur de la justice criminelle et risque de ternir ta carrière d'auteur. Spezi, profitant du prestige attaché à ton nom, t'a embarqué dans une situation dont je t'aiderai à limiter les conséquences pour toi, si tu viens en Italie et, je le répète, il est urgent de nous voir, crois-moi. Ton nom apparaît sur ce livre, *porca miseria* ! Excuse-moi, mais je suis furieuse rien que de penser à ce Spezi diabolique.

J'attends de tes nouvelles et je t'embrasse chaleureusement, ainsi que ta famille.

Gabriella

Une dernière chose : Comme je trouve normal que le *New Yorker* se dissocie de Spezi et de ce qu'il a fait, si tu veux, je peux leur expliquer certaines choses dans une interview pour t'aider à te sortir de la situation dans laquelle t'a mis Spezi, c'est-à-dire que je suis prête à démontrer à la presse américaine que tu n'es pas impliqué dans cette « imposture ».

C'est avec consternation que je découvre cet e-mail. Et pour la première fois depuis des semaines, j'éclate de rire face à tant d'absurdité. Quel romancier aurait pu inventer un personnage pareil ? Même un auteur avec des *coglioni* comme Norman Mailer n'aurait jamais été chercher si loin.

Le 28 avril, date à laquelle Mario doit se présenter devant la Cour de révision, arrive à grands pas. Je téléphone à Myriam la veille. Elle est extrêmement anxieuse du résultat de la comparution et m'avoue que les avocats de son mari partagent son pessimisme. Si les juges décident de garder Spezi en détention préventive, il restera en prison pendant au moins trois mois, délai pour une nouvelle audience, avec d'autant moins d'espoir d'obtenir par la suite une annulation de la décision. La machine judiciaire italienne est d'une lenteur désespérante et il ne faut pas se voiler la face, Spezi peut très bien passer plusieurs années sous les verrous avant qu'une date soit fixée pour son procès.

Les avocats de Mario ont appris que Mignini entend exercer un maximum de pression sur les juges afin d'empêcher la libération de leur client. Cette affaire est devenue le dossier le plus médiatique de toute la carrière du procureur. Les critiques qui se font jour dans la presse italienne et étrangère sont de plus en plus virulentes, au point que sa réputation dépend de sa victoire lors de l'audience.

Je téléphone à Niccolò afin de recueillir son sentiment sur les chances de Mario. Il se montre d'un pessimisme prudent.

— En Italie, se contente-t-il de déclarer, les juges ont tendance à se serrer les coudes.

55

Le jour venu, le 28 avril 2006, une camionnette passe à la prison de Capanne prendre Spezi et plusieurs autres détenus, en prévision des audiences qui les attendent au tribunal de Pérouse. Les gardiens font sortir Spezi et l'enferment avec ses codétenus dans une sorte de cage, à l'arrière du véhicule.

Le tribunal, l'un des monuments les plus remarquables du quartier médiéval de Pérouse, cité dans tous les guides touristiques, dresse sa façade de marbre blanc sur la piazza Matteotti. Il s'agit de l'un des édifices gothiques les plus admirés de la ville. Dessiné par deux célèbres architectes de la Renaissance, il fut érigé sur les fondations de l'enceinte du XIIe siècle qui entourait la capitale de l'Ombrie au Moyen Âge, elle-même construite à partir des restes d'un mur de pierre de taille, vieux de plus de deux mille ans, qui ceignait l'antique cité de Perusia à l'époque étrusque. Une statue de femme, une épée à la main, au-dessus de l'entrée principale, accueille le visiteur avec un sourire énigmatique. Une inscription l'identifie comme IUSTITIAE VIRTUTUM DOMINA, la souveraine des vertus de la Justice. Elle est flanquée de deux griffons, symboles de Pérouse, qui tiennent dans leurs serres un veau et un mouton.

La camionnette se range sur la piazza devant le tribunal. Spezi est attendu par une meute de journalistes et de reporters de la télévision. Les touristes commencent à s'attrouper, curieux de voir le visage du dangereux criminel qui suscite une telle effervescence.

Les détenus descendent à tour de rôle de la camionnette, à mesure que les comparutions se succèdent, d'une durée de vingt à quarante minutes chacune. Personne n'est admis à l'intérieur de la salle d'audience : ni la presse ni le public, pas même les conjoints. Myriam, arrivée à Pérouse en voiture le matin même, s'est installée sur un banc de bois à l'entrée de la salle, dans l'attente de nouvelles.

Il est 10 h 30 lorsque Spezi est appelé. Les gardiens le font sortir de sa cage et le conduisent auprès des juges. De loin, il adresse un sourire à Myriam et lui fait signe de garder courage.

Trois magistrates en grande tenue sont assises derrière une longue table. Spezi est prié de s'asseoir face à elles, sur une mauvaise chaise de bois, sans même une table devant lui. À droite, se tiennent le procureur Mignini et ses assistants ; à gauche, les avocats de Mario, désormais au nombre de quatre.

Au lieu des vingt à quarante minutes habituelles, l'audience va durer sept heures et demie.

Spezi aura l'occasion par la suite d'évoquer cette journée : « J'ai gardé un souvenir incomplet de ces sept heures et demie, il ne m'en reste que des bribes. [...] Je me souviens des paroles enflammées de mon défenseur, Nino Filastò, un homme doté d'un sens aigu de la justice qui connaissait comme personne l'histoire du Monstre de Florence et l'énormité des enquêtes entreprises depuis un quart de siècle. Je me souviens du visage rubicond de Mignini, penché sur ses dossiers tandis que Nino tempêtait. Je me souviens des yeux écarquillés du jeune greffier, sans doute surpris par l'ardeur d'un avocat qui ne s'embarrassait pas d'euphémismes. J'ai entendu Filastò prononcer le nom de Carlizzi. [...] J'ai entendu Mignini affirmer que je niais toute implication dans le meurtre de Narducci comme dans les crimes du Monstre de Florence, sans savoir que lui, Mignini, avait en sa possession "des éléments extrêmement sensibles et délicats" prouvant ma culpabilité. J'ai entendu Mignini hurler [...] qu'avait été trouvée chez moi, dissimulée derrière une porte, une pierre satanique dont l'accusé persistait à dire qu'il s'agissait d'un cale-porte. »

Mario a également gardé le souvenir de Mignini le désignant d'un index tremblant et dénonçant « la rancœur inexplicable dont a fait preuve Spezi contre l'enquête ». Il se souvient surtout de Mignini évoquant « la manipulation extrêmement dangereuse et le chahut médiatique orchestrés par l'accusé » au moment de son arrestation, de Mignini hurlant que « les accusations portées aujourd'hui devant ce tribunal ne constituent que la partie émergée d'un iceberg aux dimensions effrayantes ».

Ce qui étonne le plus Spezi ce jour-là, c'est le parallèle constant entre les arguments du procureur et les accusations faites par Gabriella Carlizzi sur son site Internet plusieurs mois auparavant. Jusqu'aux formules qui présentent une similitude surprenante, lorsqu'il ne s'agit pas des mêmes.

Pendant ce temps, les juges écoutent impassiblement en prenant des notes.

L'audience reprend après une pause déjeuner. Soudain, Mignini se lève, quitte la salle et emprunte le couloir où attend Myriam. En voyant le procureur remonter seul l'allée du tribunal, elle se lève précipitamment et le menace d'un doigt accusateur, tel un ange vengeur : « Je sais que vous êtes croyant, lui crie-t-elle d'une voix ardente. Dieu vous punira de ce que vous avez fait. *Dieu vous punira !* »

Le visage cramoisi, Mignini s'éloigne sans un mot, d'un pas raide, et disparaît au détour du couloir.

Par la suite, Myriam avouera à son mari qu'elle n'a pu rester sans rien dire « après avoir entendu Mignini hurler dans la salle d'audience des horreurs sur ton compte et t'accuser d'être un criminel ».

Mignini ne tarde pas à regagner sa place et reprend un réquisitoire qui ressemble plus à celui d'un inquisiteur qu'à l'exposé d'un magistrat. Il évoque la « grande intelligence » de Spezi, « qui rend son potentiel criminel plus dangereux encore », et conclut son intervention en déclarant : « Les raisons qui justifient le maintien en détention de Spezi sont plus aiguës encore aujourd'hui. Il nous a désormais apporté la preuve de sa dangerosité en parvenant à organiser une campagne médiatique en sa faveur depuis sa cellule ! »

Spezi a gardé le souvenir précis de cet instant : « La présidente du tribunal a laissé échapper son stylo qui est tombé sur le bureau avec un petit *clic*. [...] À partir de ce moment, elle a arrêté de prendre des notes. »

Cela signifie clairement qu'elle a pris sa décision.

Au terme des débats, alors que tout le monde s'est exprimé, c'est au tour de Spezi de se défendre.

J'ai toujours admiré les talents d'orateur de Mario : ses tournures de phrases pleines d'esprit, sa diction légère, sa spontanéité, son sens de la logique, sa capacité de détailler les faits les uns après les autres avec précision, concision et clarté. Le moment est venu de faire profiter la cour de ce don. Se tournant vers Mignini qui refuse de croiser son regard, il prend la parole. Les témoins de la scène affirment que Mario a démoli les accusations du procureur une à une, une pointe de mépris dans la voix, taillant des tranchées dans ses théories fumeuses avant de faire remarquer que Mignini n'avait aucune preuve matérielle susceptible d'étayer ses dires.

Tout en parlant, me racontera Spezi plus tard, il voit l'effet que produisent ses paroles sur les juges.

Remerciant le procureur d'avoir loué son intelligence et sa mémoire, il cite, mot pour mot, les phrases de l'exposé de Mignini empruntées aux déclarations qui ont longtemps figuré sur le site Internet de Gabriella Carlizzi. Il demande à Mignini d'expliquer cette étrange coïncidence ; il veut savoir s'il n'est pas vrai que Carlizzi a déjà été condamnée pour diffamation lorsqu'elle a écrit, dix ans plus tôt, que l'écrivain Alberto Bevilacqua était le Monstre de Florence ; s'il n'est pas également vrai que cette même Carlizzi est actuellement jugée pour escroquerie envers des personnes handicapées.

Puis, se tournant vers la présidente, Spezi conclut en disant :

— Je suis un simple journaliste qui essaie de faire son métier du mieux qu'il peut et je suis un honnête homme.

L'audience s'achève sur ces mots. Les deux gardiens font sortir Spezi de la salle et le conduisent par l'ascenseur jusqu'aux sous-sols du palais médiéval, puis ils l'enferment dans une cellule minuscule qui a dû voir passer son lot de prisonniers au cours des siècles. Adossé à la muraille, Mario se laisse glisser jusqu'au sol, épuisé, la tête vide.

Un peu plus tard, il ouvre les yeux en entendant du bruit. L'un de ses gardiens lui tend un expresso qu'il a payé de sa poche.

— Tiens, Spezi. Tu l'as bien mérité.

56

Le même soir, Spezi reprend place dans la camionnette et retrouve sa cellule de la prison de Capanne. Le lendemain est un samedi et le tribunal ferme ses portes à 13 heures, mais les juges doivent rendre leur décision avant.

L'heure fatidique approche et Spezi attend toujours. Les détenus enfermés dans le même bloc que lui sont au courant de la situation, même ceux qui ne l'ont jamais vu, et tous attendent le verdict avec la même impatience. 13 heures, 13 h 30. En voyant approcher 14 heures, Spezi commence à se résigner : la décision des juges ne lui a pas été favorable. Soudain, une clameur s'élève à l'autre bout du couloir.

— Eh, l'oncle ! Tu es libre ! L'oncle ! Tu peux rentrer chez toi ! L'oncle, on te remet en liberté sans condition !

Myriam, qui attend de son côté dans un café, apprend la nouvelle par un coup de téléphone d'un collègue journaliste de Mario.

— C'est fantastique ! Félicitations ! On a gagné ! On a gagné sur toute la ligne !

Ce soir-là, la télévision italienne, la RAI, annonce la décision des juges : « Au terme de vingt-trois jours de détention, le journaliste Mario Spezi, accusé d'entrave à la justice dans l'affaire des meurtres en série de Florence, vient d'être libéré. Ainsi en a décidé la Cour. »

Les trois juges n'ont attaché aucune condition à cette libération : ni assignation à domicile ni confiscation du passeport. Mario est totalement libre.

C'est un échec personnel terrible pour le procureur de Pérouse.

Un gardien se présente à la porte de la cellule de Mario, un grand sac-poubelle noir à la main.

— Dépêche-toi. Mets toutes tes affaires là-dedans, on y va.

Spezi obtempère sans se faire prier. Il s'apprête à quitter la pièce, mais le gardien lui barre le passage. Il lui faut encore subir une dernière humiliation.

— T'es censé nettoyer ta cellule avant de partir, lui annonce le gardien.

Spezi croit un instant que son interlocuteur plaisante.

— Je n'ai jamais demandé à venir ici, on m'a enfermé de façon parfaitement arbitraire. Si tu veux qu'elle soit propre, tu n'as qu'à la nettoyer toi-même.

Le gardien le regarde en plissant les yeux, puis referme la porte d'un geste sec et donne un tour de clé.

— Puisque t'es si bien que ça dans ta cellule, t'as qu'à y rester !

Il s'éloigne déjà lorsque Spezi, incrédule, s'agrippe aux barreaux.

— Attends une minute, espèce de crétin. Je sais comment tu t'appelles. Si tu ne me fais pas sortir immédiatement, je te dénonce pour détention illégale. T'as compris ? Je te dénonce à ta hiérarchie.

Le gardien s'arrête brièvement, fait mine de repartir, puis se retourne lentement, revient sur ses pas et ouvre la porte. Il s'avoue vaincu. Quelques instants plus tard, Spezi se retrouve entre les mains d'un autre gardien au visage tout aussi impénétrable qui le conduit dans une petite pièce.

— Pourquoi ne me laisse-t-on pas sortir ? demande Spezi.

— Y a de la paperasse à remplir. Et puis…, hésite le gardien. Et puis faudrait encore qu'on arrive à maintenir l'ordre dehors.

Lorsque Spezi franchit enfin les portes de la prison de Capanne, son sac-poubelle noir à la main, il est accueilli par les cris de la foule des curieux et des journalistes.

Niccolò est le premier à me téléphoner.

— J'ai une nouvelle extraordinaire ! s'écrie-t-il. Spezi est libre !

57

Spezi et moi avons une longue conversation téléphonique ce jour-là. Mario compte passer quelques jours au bord de la mer avec Myriam, loin de l'agitation du monde.

— Mignini m'a convoqué pour un nouvel interrogatoire à Pérouse le 4 mai.

Je suis estomaqué.

— Pour quelle raison ?

— Il compte bien réunir d'autres charges contre moi.

Sans se préoccuper de l'attendu, Mignini a déjà fait appel de la décision auprès de l'instance supérieure.

Je me risque à poser une question qui me brûle les lèvres depuis plusieurs semaines.

— Pourquoi Ruocco a-t-il fait ça ? Pourquoi a-t-il inventé toute cette histoire de boîtes en fer ?

— Ruocco connaissait vraiment Antonio Vinci. Il prétend que c'est Ignazio qui lui a parlé des boîtes en fer. Ignazio est une espèce de *padrino*, de parrain, dans le milieu sarde… Je n'ai pas eu l'occasion de discuter avec Ruocco depuis notre arrestation, je ne sais pas si c'est lui qui a inventé cette histoire ou bien si c'est Ignazio. Ruocco a très bien pu agir pour de l'argent. Je lui donnais quelques euros de temps en temps, histoire de couvrir ses frais, de mettre de l'essence dans sa voiture, mais ce n'était pas grand-chose. En tout cas, il a payé le prix fort puisqu'il se retrouve en prison pour complicité. Qui sait ? Son histoire était peut-être vraie.

— Pourquoi avoir choisi la Villa Bibbiani ?

— Par hasard, sans doute. À moins que les Sardes aient vraiment utilisé ces vieilles fermes à une époque.

Spezi me rappelle le 4 mai, au sortir de son interrogatoire. À ma grande surprise, il est d'excellente humeur.

— Doug, m'annonce-t-il en riant, cet interrogatoire était un vrai morceau d'anthologie. Ça va rester l'un des grands moments de ma vie.

— Raconte-moi comment ça s'est passé.

— Mon avocat est venu me prendre en voiture ce matin et on s'est arrêtés pour acheter le journal. J'ai cru halluciner en découvrant la une. Tiens, laisse-moi te la lire, dit-il en ménageant une pause dramatique. « Giuttari, le chef du GIDES, inculpé pour falsification de preuves. » *Bello*, non ?

J'éclate de rire.

— *Fantastico !* Mais qu'est-ce qu'il a fait ?

— Rien à voir avec mon affaire. Il paraît qu'il a bidouillé l'enregistrement de quelqu'un dans l'enquête sur le Monstre. Un juge, en l'occurrence. Mais attends le plus beau ! J'avais plié mon journal de façon à ce que le titre soit bien visible et je suis entré comme ça dans le bureau du procureur Mignini. En m'asseyant en face de lui, j'ai posé le journal en évidence sur mes genoux en veillant à le tourner dans sa direction.

— Comment a-t-il réagi ?

— Il ne l'a même pas vu ! Mignini ne m'a pas regardé une seule fois, il est constamment resté les yeux baissés. L'interrogatoire n'a pas duré longtemps, j'ai fait valoir mon droit à ne pas répondre à ses questions et c'est tout. En cinq minutes, c'était fini. Le plus drôle, c'est que le greffier, *lui*, a vu le titre du journal. J'ai bien remarqué qu'il tendait le cou pour mieux lire et qu'il tentait désespérément d'attirer l'attention de Mignini, sans succès. Je n'étais pas sorti du bureau depuis une seconde que la porte s'ouvrait à la volée, qu'un officier des carabiniers sortait en trombe et se précipitait dans l'escalier. Mignini l'a sûrement envoyé acheter le journal, précise-t-il avec un rire moqueur. Il faut croire qu'il n'avait pas lu la presse ce matin, il n'était pas au courant !

Une foule de journalistes attend Spezi devant l'entrée du bâtiment. Sous l'objectif des caméras et des appareils photo, il se contente de brandir le journal en déclarant :

— Je n'ai aucun autre commentaire.

— Ne vous l'avais-je pas dit ? me demande le comte Niccolò le lendemain. Giuttari va payer les pots cassés. Avec la campagne que vous avez orchestrée, vous avez *sputtanato* [éclaboussé] la justice italienne aux yeux du monde entier, au risque de la couvrir de ridicule. Ces gens-là se fichent éperdument de Spezi et de ses droits. Ils ont voulu étouffer l'affaire le plus vite possible afin de ne pas perdre la face. *La faccia, la faccia !* Ce qui me surprend le plus, c'est la rapidité avec laquelle les choses se sont passées. Mon cher Douglas, vous pouvez être certain que les jours de Giuttari sont comptés. La roue tourne vite, parfois !

Le jour même, notre livre, *Dolci Colline di Sangue*, entre dans la liste des meilleures ventes en Italie.

La roue a tourné, en effet, avec une force rare. L'appel de Mignini, jugé irrecevable, est rejeté. Toutes les poursuites entamées contre Spezi sont abandonnées. Il n'y aura donc pas de procès et l'enquête s'arrête d'elle-même.

— Je peux te dire que ça m'enlève un grand poids, m'avoue Spezi en apprenant la nouvelle. Je suis un homme libre.

Quelques mois plus tard, les bureaux de Giuttari et de Mignini font l'objet d'une descente de police. Les enquêteurs repartent avec des piles entières de dossiers. Ils découvrent que Mignini s'est appuyé sur une loi d'exception antiterroriste pour faire mettre sur écoute les journalistes qui ont osé critiquer son enquête sur le Monstre, demandant à Giuttari et au GIDES de s'en charger. Comme si ce n'était pas suffisant, Mignini a également fait surveiller les conversations téléphoniques d'un certain nombre de magistrats et d'enquêteurs toscans, à commencer par celles de son collègue de Florence, le procureur Paolo Canessa. Apparemment, Mignini les soupçonnait de fomenter un vaste complot visant à lui mettre des bâtons dans les roues en l'empêchant de retrouver les commanditaires des crimes du Monstre.

Au cours de l'été 2006, Giuttari et Mignini sont tous deux inculpés d'abus de pouvoir. Le GIDES est dissous, certains vont jusqu'à remettre en cause le bien-fondé juridique de cette unité. On en profite pour retirer l'affaire du Monstre à Giuttari qui se retrouve commissaire *a disposizione*, c'est-à-dire sans affectation.

Et, si Mignini conserve son poste de procureur de Pérouse, on lui adjoint deux assesseurs, officiellement dans le but de le décharger. Personne n'est dupe de la manœuvre, il s'agit en réalité d'éviter tout nouveau dérapage de sa part.

Le 3 novembre 2006, Spezi reçoit le prix journalistique le plus prestigieux d'Italie pour *Dolci Colline di Sangue* et le titre d'auteur de l'année.

58

L'article qui nous avait été commandé par *Atlantic Monthly* paraît dans leur numéro de juillet. Quelques semaines plus tard, le mensuel reçoit un courrier étonnant, tapé avec une bonne vieille machine à écrire sur un splendide papier à lettres à l'ancienne. La lettre émane du comte Neri Capponi, le père de Niccolò, patriarche de l'une des plus illustres familles de la vieille noblesse italienne.

Lors de ma première rencontre avec Niccolò, celui-ci m'a expliqué les raisons qui ont permis aux siens de se maintenir aussi longtemps dans le gotha florentin : le secret de leur réussite tient avant tout à leur discrétion comme à leur prudence, et plus encore à leur détermination à ne jamais vouloir occuper la première place. Pendant huit siècles, la famille Capponi a prospéré en évitant d'être le « clou qui dépasse », pour reprendre la métaphore de Niccolò.

Une fois n'est pas coutume, le comte Neri rompt avec la tradition familiale dans sa lettre au rédacteur en chef de l'*Atlantic Monthly*. Il ne s'agit pas d'un courrier anodin, mais d'un violent réquisitoire contre le système judiciaire italien, rédigé par un homme qui a lui-même été juge et avocat. Le comte sait de quoi il parle et il ne s'embarrasse pas de périphrases.

> Monsieur,
> La parodie de justice dont ont été victimes Douglas Preston et Mario Spezi n'est que la pointe de l'iceberg. La Justice italienne (dont dépendent les procureurs) est un service

346

public qui a la particularité de coopter ses membres et de se gouverner lui-même, sans avoir de comptes à rendre à quiconque. Il s'agit d'un État dans l'État ! Ce corps de bureaucrates se divise grossièrement en trois groupes : une minorité importante, corrompue et affiliée à l'ancien parti communiste, une majorité d'honnêtes gens effrayés à l'idée de s'opposer à la clique politique qui contrôle l'appareil judiciaire, et une minorité de gens honnêtes et courageux disposant d'une influence fort limitée. Les juges malhonnêtes et politisés ont des méthodes infaillibles lorsqu'ils veulent discréditer et réduire au silence leurs opposants politiques et autres : l'invocation abusive du secret lors de l'instruction, la mise sur écoute téléphonique, la dissémination d'informations (souvent trafiquées) à une presse prompte à vendre du papier au prix de la calomnie, l'arrestation spectaculaire, la détention préventive prolongée dans les pires conditions, les interrogatoires musclés, les procès de plusieurs années au terme desquels on finit par acquitter des citoyens ruinés. Spezi a eu la chance que le puissant procureur de Florence ne soit pas ami avec son collègue de Pérouse, j'ai cru comprendre que c'est lui qui avait « suggéré » la libération de Spezi. J'ai également cru comprendre que la cour de Pérouse s'était rangée à cette « suggestion ».

Cela vous intéressera sans doute de savoir que quatre millions et demi d'erreurs judiciaires ont été enregistrées en Italie au cours des cinquante dernières années (un chiffre qui ne tient pas compte des acquittements d'accusés ruinés).

Veuillez agréer...

Comte Neri Capponi

PS : Je vous saurais gré de ne pas faire apparaître ma signature et de vous contenter de mes initiales, par peur des représailles contre moi et les miens. Si cela ne vous était pas possible, publiez cette lettre telle quelle, Dieu veillera sur moi ! Il est temps que la vérité soit dite.

L'*Atlantic* publiera cette lettre, avec son nom.

Le quotidien anglais *The Guardian* consacre également un article à l'affaire, accompagné d'une interview du commissaire Giuttari. Ce dernier assure que je mens en prétendant avoir été menacé d'arrestation si je revenais en Italie, insistant sur le fait que Spezi et moi avions bien l'intention de dissimuler de fausses preuves sur la propriété. « Preston n'a pas dit la vérité, affirme-t-il au *Guardian*. Nos enregistrements en apporteront la preuve et Spezi sera poursuivi. »

L'article de l'*Atlantic* attire l'attention d'un producteur de l'émission « Dateline NBC » qui nous invite, Mario et moi, à participer à une émission consacrée au Monstre de Florence. Ce n'est pas sans inquiétude que je retourne en Italie en septembre 2006, en compagnie de l'équipe de tournage. Mon avocate italienne m'a fait comprendre qu'à la lumière des ennuis juridiques de Giuttari et Mignini je ne cours quasiment aucun risque ; de son côté, la chaîne NBC a promis de remuer ciel et terre si jamais j'étais arrêté à l'aéroport. Une équipe de NBC m'attend à mon arrivée, prête à filmer la scène, mais rien ne se passe et ils sont privés d'un beau scoop – à mon grand soulagement !

Le présentateur de l'émission, Stone Phillips, nous demande de l'emmener sur les différentes scènes de crime ; c'est là que sont filmées les séquences pendant lesquelles Mario et moi racontons le détail de l'affaire avant d'évoquer nos propres ennuis avec la justice italienne. Parallèlement, Stone Phillips interviewe Giuttari, plus que jamais convaincu que nous avons dissimulé de faux indices à la Villa Bibbiani. Il se montre très critique envers notre livre : « M. Preston n'a même pas pris la peine de vérifier les faits… En 1983, lors du meurtre des deux jeunes Allemands, cette personne [Antonio Vinci] se trouvait en prison pour un délit sans aucun rapport avec l'affaire du Monstre. » Phillips réussit à s'entretenir brièvement hors caméra avec Antonio Vinci qui lui confirme les dires de Giuttari, à savoir qu'il était incarcéré lors d'un des meurtres du Monstre. Giuttari et Vinci ont probablement pensé que NBC les croirait sur parole. Cependant, dans l'émission, Stone Phillips déclare : « En vérifiant cette information, nous nous sommes aperçus qu'[Antonio] n'avait jamais été en prison au moment des crimes du Monstre. Soit Giuttari et lui se trompent, soit ils mentent. »

Vinci se montre bien plus offusqué par l'accusation d'impuissance que par celle d'être le Monstre de Florence. « Si la femme de Spezi était plus jeune et plus jolie, déclare-t-il à Phillips, je leur montrerais si je suis impuissant. Je vous le montrerais ici, tout de suite, sur cette table. »

À la toute fin de l'émission, Phillips dit avoir demandé à Vinci s'il était le Monstre de Florence. « Il m'a regardé dans les yeux, m'a pris la main et s'est contenté d'un seul mot. *Innocente.* »

59

Pendant le tournage de « Dateline NBC », Spezi et moi allons vivre une expérience qui n'a pu être filmée. Stone Phillips a exprimé le souhait d'interviewer Winnie Rontini, la mère de Pia Rontini, la jeune fille assassinée près de Vicchio le 29 juillet 1984. Pendant que l'équipe de tournage nous attend dans les véhicules garés sur la place du village, à l'ombre de la statue de Giotto, Mario et moi rejoignons la villa de Mme Rontini dans l'espoir d'obtenir un entretien.

Nous sommes surpris du spectacle de désolation qui nous attend. La grille de la propriété, complètement rouillée, ne tient plus que par un seul gond, les haies du jardin agitent leur squelette dans le vent, les feuilles mortes s'accumulent dans tous les coins. Les volets, tous fermés, sont dans un état lamentable et une demi-douzaine de corbeaux observent la scène, alignés sur le faîte du toit.

Mario sonne à la grille, mais l'interphone ne fonctionne plus. Nous nous regardons, perplexes.

— On dirait qu'il n'y a plus personne, me glisse Spezi.

— Allons frapper à la porte.

La grille s'ouvre en grinçant et nous traversons le jardin dans un bruit de feuilles mortes et de brindilles sèches. La porte de la villa est verrouillée, la peinture verte s'écaille par plaques en laissant apparaître des panneaux de bois éclatés. La sonnette a disparu, seul subsiste un fil électrique.

— Signora Rontini, appelle Mario. Il y a quelqu'un ?

Le vent souffle en rafales autour de la maison déserte. Mario tambourine à la porte, mais l'écho assourdi de ses coups résonne dans le vide. Les corbeaux s'envolent dans un battement d'ailes en poussant des cris perçants qui font penser au crissement d'un ongle sur un tableau noir.

Nous restons un moment dans le jardin à observer la maison abandonnée tandis que les corbeaux tournoient en croassant au-dessus de nos têtes.

— Il n'y a qu'à demander au village. Ils sauront sûrement ce qui lui est arrivé, suggère Mario.

Sur la piazza, un homme nous informe que la banque a fini par saisir la maison et que la signora Rontini vit désormais de l'aide publique dans un logement social, près du lac.

Non sans appréhension, nous nous mettons en quête de l'adresse que l'homme nous a indiquée et finissons par découvrir le bâtiment concerné, derrière la Casa del Popolo. Contrairement aux HLM que l'on trouve en Amérique, celle-ci est pimpante, peinte en blanc, avec des fleurs aux fenêtres et une belle vue sur le lac. Le temps de faire le tour du bâtiment et nous frappons à la porte de l'appartement. Winnie Rontini nous fait entrer et nous invite à nous asseoir dans la petite cuisine qui lui sert de salle à manger. À l'inverse de la grande maison sombre et lugubre qu'elle occupait aupa-ravant, l'appartement, lumineux et fringant, déborde de plantes, de babioles et de photos. Le soleil pénètre à flots par les fenêtres, des fauvettes tournent en chantant autour des sycomores que l'on aperçoit dehors. Il flotte dans la pièce une odeur de linge propre et de savon.

— Non, répond-elle avec un sourire triste à notre requête. Je ne souhaite plus donner d'interview. Plus jamais.

Vêtue d'une robe d'un jaune éclatant, ses cheveux roux parfaitement coiffés, elle s'exprime d'une voix douce.

— Nous espérons toujours découvrir un jour la vérité, lui explique Mario. On ne sait jamais… Ça pourrait nous aider.

— Je le sais bien, mais la vérité ne m'intéresse plus vrai-ment. La vérité, pour quoi faire? Ce n'est pas ça qui me rendra Pia et Claudio. J'ai longtemps cru que la vérité réglerait tout. Mon mari est mort en la cherchant. Ça n'a plus d'importance, maintenant. La vérité ne me servirait à rien. J'en ai fait mon deuil.

Elle retombe dans le silence, ses petites mains rondes posées sur ses genoux, les chevilles croisées, l'ombre d'un sourire aux lèvres.

La conversation se poursuit et Winnie Rontini nous explique sans émotion apparente comment elle a perdu sa maison et tout ce qu'elle contenait. Mario l'interroge sur certaines des photos accrochées aux murs. Elle se lève, décroche un cadre qu'elle tend à Mario qui me le passe à son tour après l'avoir regardé.

— C'est la dernière photo de Pia, nous explique-t-elle. Elle l'avait fait faire quelques mois plus tôt pour son permis de conduire. Et là, dit-elle en nous désignant un autre portrait, c'est Pia avec Claudio.

Le cliché en noir et blanc montre les deux jeunes gens enlacés, souriants, parfaitement heureux et insouciants. Pia lève le pouce en direction de l'objectif.

Winnie Rontini s'approche du fond de la pièce.

— Voici Pia à quinze ans. Elle était jolie, vous ne trouvez pas ? Et là, c'est mon mari, Renzo.

Elle décroche un portrait en noir et blanc qu'elle observe longuement avant de nous le tendre. On y voit un personnage jovial et vigoureux, dans la force de l'âge.

Elle lève la main et désigne les cadres d'un geste avant de poser sur moi ses yeux bleus.

— L'autre jour en rentrant, je me suis rendu compte que je vivais parmi les morts, dit-elle avec un sourire triste. J'ai décidé de les enlever. Je ne veux plus continuer à vivre au milieu des disparus. J'avais fini par oublier que j'étais encore vivante.

Le moment est venu de s'en aller. À la porte, elle prend la main de Mario dans la sienne.

— Vous avez ma bénédiction si vous voulez persister à chercher la vérité, Mario. J'espère que vous réussirez, mais ne me demandez pas de vous aider. Je vais essayer de vivre les dernières années qui me restent sans ce fardeau. J'espère que vous comprenez.

— Je comprends.

Dehors, les abeilles butinent les fleurs, le soleil trace un chemin lumineux sur les eaux du lac, illumine les toits rouges de Vicchio et dessine des traînées dorées dans les vignes et les champs d'oliviers à la sortie de la petite ville. C'est l'époque de la *vendemmia*, les vendanges, et de nombreuses silhouettes vont et viennent entre les vignes. L'air nous apporte un parfum de raisin et de moût fermenté.

Un après-midi de rêve dans les collines de Toscane.

60

Le procès de Francesco Calamandrei, accusé d'être l'un des commanditaires des crimes du Monstre, débute le 27 septembre 2007.

Mario Spezi a fait le déplacement pour l'occasion et il me fait le compte-rendu de cette première journée de procès quelques jours plus tard dans un long e-mail.

Ce matin-là, le froid nous a paru d'autant plus vif que nous avions connu un long mois de sécheresse. Le plus surprenant en arrivant au tribunal était l'absence de spectateurs au procès de cet homme que l'on considère comme l'un des instigateurs des crimes du Monstre. Dans cette même salle d'audience où Pacciani a été condamné, puis acquitté, les bancs du public étaient vides, seules les places réservées aux journalistes avaient trouvé preneur. J'ai du mal à comprendre l'indifférence des Florentins pour celui qui serait le Mal personnifié, à en croire l'accusation. Cette absence de spectateurs révèle sans doute leur scepticisme et leur incrédulité.

L'accusé est entré dans la salle d'audience d'un pas hésitant. Il avait l'air soumis, presque résigné, avec ses yeux noirs pensifs et ses allures de gentilhomme en retraite. Il portait un élégant manteau bleu et un chapeau mou, sa silhouette obèse trahissant un trop-plein de malheurs et de neuroleptiques. Son défenseur, Gabriele Zanobini, et sa fille Francesca le soutenaient à moitié. Francesco Calamandrei, le pharmacien de San Casciano, s'est assis face à la cour, indifférent aux flashs des photographes et aux caméras de la télévision.

À un journaliste qui lui demandait comment il allait, il a répondu : « Comme quelqu'un qui se retrouve brusquement dans un film dont il n'a pas lu le scénario. »

Le bureau du procureur de Florence accuse Calamandrei d'avoir commandité plusieurs des crimes du Monstre, affirmant qu'il a payé Pacciani, Lotti et Vanni pour commettre les meurtres et prélever les organes génitaux des victimes féminines destinés à d'horribles cérémonies rituelles de type indéterminé. Calamandrei est accusé d'avoir lui-même participé aux meurtres des deux touristes français dans la clairière de Scopeti en 1985 et d'avoir donné l'ordre de commettre les meurtres de Vicchio en 1984, ceux des deux jeunes Allemands en septembre 1983, ainsi que ceux de Montespertoli en juin 1982. L'accusation reste silencieuse sur la question épineuse des autres crimes du Monstre.

Les éléments retenus contre Calamandrei sont risibles. Ils se limitent aux divagations de son ancienne femme — une schizophrène si malade que ses médecins ont refusé qu'elle témoigne à la barre — et des « vulgaires menteurs patentés », connus sous les noms d'Alpha, Gamma et Delta, qui ont déjà témoigné contre Pacciani et ses compagnons de pique-nique il y a dix ans. On notera que ces fameux témoins « grecs » sont tous morts depuis. Seul reste en vie le témoin en série Lorenzo Nesi, toujours prêt à se souvenir de ce qui arrange l'accusation.

Calamandrei devra aussi faire face à une montagne de documents : les 28 000 pages du procès Pacciani, les 19 000 pages de l'enquête sur les compagnons de pique-nique et les 9 000 pages réunies lors de l'enquête sur lui-même, soit un total de 56 000 pages, c'est-à-dire plus que la Bible, *Le Capital* de Marx, *La Critique de la raison pure* de Kant, l'*Iliade*, l'*Odyssée* et *Don Quichotte* réunis.

Face à l'accusé, trônant au-dessus de la barre, se trouve le juge De Luca, en lieu et place des deux magistrats et des neuf jurés populaires qui siègent ordinairement en cour d'assises. Curieusement, le défenseur de Calamandrei a demandé ce que l'on appelle un procès abrégé, une procédure habituellement réservée aux accusés plaidant coupables qui espèrent une sentence clémente. La motivation de Zanobini et Calamandrei est tout autre, d'après le premier : « Nous souhaitons que ce procès se termine le plus vite possible, tout simplement parce que nous n'en avons rien à craindre. »

À la gauche du pharmacien, de l'autre côté de l'allée, siège le procureur de Florence, Paolo Canessa, assisté d'un autre magistrat. Les deux hommes souriaient et plaisantaient entre eux à mi-voix, un moyen comme un autre d'afficher leur confiance, à moins qu'ils n'aient voulu inquiéter la défense.

Ils étaient nettement moins souriants à la fin de l'audience, Zanobini s'étant chargé de remettre les pendules à l'heure.

Le défenseur de Calamandrei s'est jeté à corps perdu dans le procès en commençant par souligner les conséquences juridiques d'une erreur technique due à Canessa. Il s'est ensuite attaqué aux résultats de l'enquête de Pérouse, conduite par le procureur Mignini et selon laquelle Calamandrei aurait été mêlé à la mort de Narducci. « La quasi-totalité des résultats de cette enquête sont à jeter à la corbeille. Je ne vous donnerai que quelques exemples », a déclaré Zanobini en prenant une liasse de documents contenant une déclaration au procureur restée secrète jusque-là. « Comment un magistrat peut-il prendre au sérieux un document tel que celui dont je vais vous faire la lecture ? »

Tandis qu'il lisait, les caméras ont quitté Calamandrei pour se fixer sur... moi. Tu ne me croiras peut-être pas, Doug, mais c'était moi la vedette de la déclaration en question ! Il s'agit de la pseudo-déclaration spontanée faite par une femme qui a été en relation avec Gabriella Carlizzi. Elle a répété au procureur les thèses de Carlizzi, prétendant les avoir entendues des années plus tôt de la bouche d'une tante sarde morte depuis longtemps qui connaissait tous les intéressés. Mignini a fait enregistrer ses dires et les a consignés par écrit avant de lui demander de les signer sous la foi du serment. Malgré l'absence manifeste de preuves et l'absurdité même de ces allégations, le procureur Mignini les a fait témoigner sous le sceau du secret, « vu la gravité et le caractère sensible » des accusations qu'elles contiennent.

À mesure que Zanobini lisait ce document loufoque dans cette salle d'audience sinistre, j'ai appris en même temps que tous ceux qui étaient présents que je n'étais pas le vrai fils de mon père. À en croire les déclarations de cette femme, mon vrai père était un musicien aux habitudes déviantes qui avait commis ses premiers crimes en 1968. J'ai également appris que ma mère m'avait conçu en Toscane dans une ferme occupée par des Sardes et qu'en apprenant la vérité sur mon père j'avais poursuivi son œuvre diabolique en devenant le « véritable Monstre de Florence ». Une vieille tante sarde de la déclarante prétendait que nous conspirions tous ensemble : moi, les frères Vinci, Pacciani et ses compagnons de pique-nique, Narducci et Calamandrei. D'après le témoin de Mignini, « cette association diabolique leur permettait d'assouvir leurs penchants respectifs : les voyeurs se rinçaient l'œil, les adeptes du culte satanique utilisaient les parties prélevées sur les victimes pour leurs rituels, les fétichistes conservaient quelques souvenirs et Spezi, d'après ma tante, mutilait les victimes à l'aide d'un couteau de cordonnier... J'ai aussi appris récemment par des habitants de Villacidro que cet auteur, Douglas Preston, l'ami de Spezi, faisait partie des services secrets américains ».

Elle a poursuivi ses déclarations à Mignini en disant : « Je n'ai jamais parlé à personne de tout cela parce que j'ai peur de Mario Spezi et de ses amis. [...] Quand vous avez arrêté Spezi, j'ai trouvé le courage d'en parler à Carlizzi parce que j'avais confiance en elle, et je savais qu'elle cherchait à connaître la vérité. »

Tout ça est tellement absurde, je n'ai pas pu m'empêcher de sourire pendant que Zanobini continuait sa lecture. Cela n'avait pourtant rien de drôle ; n'oublions pas que je me suis retrouvé en prison en partie à cause des accusations malfaisantes de Carlizzi.

Ce premier jour de procès s'est achevé sur une nette victoire de la défense. Le juge De Luca a fixé les trois prochaines audiences aux 27, 28 et 29 novembre. Ce genre de report est malheureusement la norme en Italie.

À peine achevée la lecture de son compte-rendu, je téléphone à Mario.

— Alors, je fais partie des services secrets américains ? Eh bien, mon vieux !

— C'était dans toute la presse le lendemain matin.

— Que comptes-tu faire au sujet de ces accusations ridicules ?

— J'ai déjà porté plainte en diffamation contre cette femme.

— Le monde est plein de cinglés, Mario. J'ai tout de même du mal à comprendre qu'en Italie un procureur puisse considérer de telles déclarations comme des preuves.

— Mignini et Giuttari n'abandonneront jamais. C'est bien la preuve qu'ils n'ont pas renoncé à l'idée de m'avoir, d'une façon ou d'une autre.

À l'heure où j'écris ces lignes, le procès Calamandrei se poursuit. Même si l'acquittement est quasi certain, le vieux pharmacien de San Casciano portera cette croix jusqu'à la fin de ses jours. Le Monstre de Florence aura fait une victime de plus.

L'enquête sur le Monstre continue tant bien que mal, mais elle ne semble pas près d'aboutir. La plainte en diffamation de Spezi contre Giuttari a été rejetée par le tribunal et il n'a plus entendu parler des dommages et intérêts réclamés à Giuttari et Mignini pour le vol de son autoradio. Le jugement de la Cour de cassation en faveur de Mario lui a, en revanche, permis de réclamer des dommages et intérêts pour détention illégale. Il demande une somme de 300 000 euros, mais l'État lui en propose 4 500 ! Mignini traîne les pieds pour clore l'enquête sur Spezi, sachant que celui-ci ne peut exiger de compensation financière tant que l'enquête est en cours.

En novembre 2007, on retrouve Mignini impliqué dans une autre affaire sensationnelle : le meurtre à Pérouse d'une étudiante britannique nommée Meredith Kercher. Mignini a très rapidement ordonné l'arrestation d'une étudiante américaine, Amanda Knox, qu'il soupçonnait d'être impliquée dans cet assassinat. À l'heure actuelle, Knox est dans la prison de Capanne où elle attend la fin de l'enquête diligentée par Mignini. Des fuites dans la presse indiquent que Mignini penche pour une thèse abracadabrante selon laquelle Knox et deux complices présumés auraient monté un sombre complot où se mêleraient sexe, violence et viol.

Comme par hasard, les procureurs de Pérouse s'intéressent de près à l'angle satanique au prétexte que le crime a eu lieu la veille de la Toussaint. « Je vous parie tout ce que vous voulez qu'ils trouveront le moyen de ramener ça à l'affaire du Monstre de Florence », me dit aussitôt le comte Niccolò. On peut s'en douter, je n'ai pas relevé le défi.

Moins d'une semaine après ce nouveau drame, Gabriella Carlizzi se manifeste sur son site Internet :

> **Meredith Kercher : un meurtre brutal... peut-être lié à l'affaire Narducci et à celle du Monstre de Florence, afin de demander à Satan sa protection en échange d'un sacrifice humain ? Dans quel but ? En fin de compte, pour sauver ceux qui sont soupçonnés d'avoir fait assassiner Narducci.**

Giuttari, acquitté lors de son procès pour falsification de preuves dans l'affaire du Monstre, a fait l'objet d'une condamnation assortie du sursis lors d'un procès pour faux témoignage dans une autre affaire.

Le 16 janvier 2008 a eu lieu l'audition initiale de Mignini et Giuttari, accusés d'abus de pouvoir et de conflit d'intérêts. Le procureur de Florence, Luca Turco, a choqué tout le monde par la brutalité de son réquisitoire. D'après lui, les deux accusés ont « des personnalités diamétralement opposées ». Mignini aurait entrepris « une croisade sous l'effet de ce qui ressemble fort à un délire » et se serait montré prêt à « tous les extrêmes pour se défendre contre ceux qui osaient critiquer son enquête ». Giuttari aurait cherché à exploiter ce délire, d'après Turco, « dans le but d'assouvir des vengeances personnelles bien au-delà du cadre de ses responsabilités professionnelles ».

En quittant la salle au terme des débats, Mignini a déclaré à la presse qu'il entendait « tout contester ».

Quant à moi, je demeure *persona indagata* en Italie pour toute une série de crimes qui restent plus ou moins frappés par le secret de l'instruction. Tout récemment, je recevais dans mon petit bureau de poste de Round Pond une lettre recommandée m'informant que j'avais été dénoncé au tribunal de Lecco, une ville du nord de l'Italie, pour *diffamazione a mezzo stampa*, diffamation par voie de presse, ce qui est considéré comme un délit là-bas. Curieusement, la ou les personnes qui demandent à l'État mon inculpation ne sont pas nommées dans le document, pas plus que les articles de presse ou les interviews incriminés. Il me faudra verser 1 000 euros de plus à mon avocat si je souhaite connaître le nom de mon accusateur et la nature du crime que j'ai commis.

La question que l'on me pose le plus souvent est : découvrira-t-on un jour l'identité du Monstre de Florence ? J'ai longtemps été persuadé que Mario et moi y parviendrions, mais je n'en suis plus si sûr. La vérité finit parfois par disparaître à jamais, sans aucun espoir de la voir ressurgir. L'histoire est pleine de questions sans réponse, il est peut-être écrit que l'identité du Monstre sera de celles-là.

En tant qu'auteur de thrillers, je sais qu'un roman à suspense doit comporter un certain nombre d'éléments pour séduire le lecteur : un assassin avec un mobile compréhensible, des indices et un cheminement permettant de parvenir à la vérité, d'une façon ou d'une autre. Et tous les romans ont une fin, même *Crime et Châtiment*.

L'erreur que nous avons commise avec Spezi a été de croire que l'affaire du Monstre de Florence répondrait à ces impératifs alors que ce n'était pas le cas. Nous sommes en présence de meurtres sans mobile, de thèses qui ne reposent sur aucun élément concret, d'une histoire sans fin. Jusqu'ici, les découvertes qui ont été faites ont conduit les enquêteurs à s'empêtrer dans une théorie du complot qui risque fort d'être une impasse. En l'absence de preuves concrètes et de témoins fiables, toutes les hypothèses relatives à l'affaire du Monstre ressembleront aux démonstrations d'Hercule Poirot à la fin des romans d'Agatha Christie ; il s'agira d'une belle histoire à laquelle il manque une confession. À ceci près que nous ne sommes pas en présence d'une fiction et qu'il n'y aura pas de confession. Sans confession, on ne saura jamais qui est le Monstre.

Il était peut-être inévitable que l'enquête sombre de façon bizarre et futile dans une histoire de secte satanique remontant au Moyen Âge. L'horreur des crimes du Monstre est telle qu'un simple mortel ne peut les avoir commis. Il faut bien que Satan s'en soit mêlé.

Après tout, nous sommes en Italie.

CHRONOLOGIE

1951   Pietro Pacciani assassine l'homme qui a séduit sa fiancée.

1961   14 janvier : Barbarina, la femme de Salvatore Vinci, est retrouvée morte.

1968   21 août : meurtre de Barbara Locci et d'Antonio Lo Bianco.

1974   14 septembre : double meurtre de Borgo San Lorenzo.

1981   6 juin : double meurtre de la Via dell'Arrigo.
22 octobre : double meurtre de Bartoline.

1982   19 juin : double meurtre de Montespertoli.
17 août : arrestation de Francesco Vinci, accusé d'être le Monstre.

1983   9 septembre : double meurtre de Giogoli.
19 septembre : arrestation d'Antonio Vinci pour détention illégale d'armes à feu.

1984   24 janvier : arrestation de Piero Mucciarini et de Giovanni Mele, accusés d'être le Monstre.
29 juillet : double meurtre de Vicchio.
19 août : meurtre du prince Roberto Corsini.
22 septembre : remise en liberté de Mucciarini et Mele.
10 novembre : remise en liberté de Francesco Vinci.

1985   7 septembre : double meurtre de Scopeti.
8 octobre : Francesco Narducci se noie dans le lac Trasimène.

1986   11 juin : arrestation de Salvatore Vinci pour le meurtre de sa femme Barbarina en 1961.

1988   12 avril : début du procès de Salvatore Vinci.
19 avril : Salvatore Vinci, acquitté, disparaît dans la nature.

1989   2 août : le FBI établit un profil psychologique du Monstre de Florence.

1992   27 avril-8 mai : perquisition de la maison et du jardin de Pacciani.

1993   16 janvier : arrestation de Pacciani, accusé d'être le Monstre de Florence.

1994   14 avril : début du procès de Pacciani.
1er novembre : condamnation de Pacciani.

1995   Octobre : le commissaire Michele Giuttari prend la direction de l'enquête sur le Monstre.

1996   12 février : arrestation de Vanni, accusé d'être le complice de Pacciani.
13 février : acquittement de Pacciani en appel.

1997   20 mai : début du procès de Lotti et de Vanni, accusés d'être les complices du Monstre.

1998   24 mars : condamnation de Lotti et de Vanni.

2000   1er août : arrivée à Florence de Douglas Preston.

2002   6 avril : exhumation du corps de Narducci.

2004   14 mai : diffusion à la télévision italienne de l'émission « Chi L'ha Visto ? ».
25 juin : départ de Florence de Douglas Preston.

18 novembre : la police perquisitionne au domicile de Spezi.

2005 24 janvier : deuxième perquisition du domicile de Spezi.

2006 22 février : interrogatoire de Preston.
7 avril : arrestation de Spezi.
19 avril : publication de *Dolci Colline di Sangue*.
29 avril : remise en liberté de Spezi.
Septembre-octobre : Preston séjourne en Italie avec l'équipe de l'émission « Dateline NBC ».

2007 20 juin : diffusion de l'émission « Dateline NBC » consacrée au Monstre de Florence.
27 septembre : début du procès de Francesco Calamandrei, accusé d'être le commanditaire des crimes du Monstre de Florence.

2008 16 janvier : première audition du procès de Giuttari et Mignini, accusés d'abus de pouvoir.

Cet ouvrage a été composé
par Atlant' Communication
au Bernard (Vendée)

Impression réalisée par

BRODARD & TAUPIN

La Flèche (Sarthe)
en février 2010
pour le compte des Éditions de l'Archipel
département éditorial
de la S.A.S. Écriture-Communication.

Imprimé en France
N° d'impression : 56625
Dépôt légal : mars 2010